Finbar's Hotel

Ouvrage publié sous la direction de Joëlle Losfeld

Titre original : *Finbar's Hotel*

Ouvrage traduit avec le concours de l'ILE
(translation fund), Dublin, Ireland.

Dermot Bolger, Roddy Doyle, Anne Enright,
Hugo Hamilton, Jennifer Johnston,
Joseph O'Connor, Colm Tòibìn

Finbar's Hotel

Roman

Traduit de l'anglais (Irlande) par Florence Lévy-Paoloni

ÉDITIONS JOËLLE LOSFELD

Dermot Bolger est né en 1959 à Dublin. Écrivain, poète, dramaturge. Il est l'auteur de six romans dont trois ont été jusqu'ici traduits en français. *La Musique du père* (Albin Michel, 1999), *Le Ventre de l'ange* (Le Passeur, 1994), *La Ville des ténèbres* (Presses de la renaissance, 1992).

Roddy Doyle est né à Dublin en 1958. La trilogie *Barrytown* (*The Commitments*, *The Snipper* et *The Van*) a fait l'objet de trois films, tous appréciés et a été traduite en français (Laffont,1996). Ont été traduits également en français *Paddy Clarke, Ha Ha Ha*, Booker Prize en 1993 ainsi que *La Femme qui se cognait dans les portes* (Laffont, 1997).

Anne Enright est née à Dublin en 1962. Elle a été productrice de télévision. Elle a écrit un recueil de nouvelles, *La Vierge de poche* (Rivages, 1992) et son dernier roman *The Wig my Father Wore* sera publié aux Éditions Joëlle Losfeld durant le premier trimestre 2000.

Hugo Hamilton est né à Dublin en 1953 de parents allemand et irlandais. D'ailleurs trois de ses romans se situent en Allemagne, les deux derniers se déroulant à Dublin. Il est aussi l'auteur d'un recueil de nouvelles, *Dublin Where the Palm Trees Grow*. Ouvrage traduit en français : *Berlin sous la Baltique* (essai, Le Rocher/Anatolia, 1992).

Jennifer Johnston est née à Dublin en 1930. La plupart de ses romans ont été adaptés au cinéma. Parmi les ouvrages traduits en français, citons : *Princes et Capitaines* (1977), *Des ombres sur la peau* (1979), *Si loin de Babylone* (1979), *Une histoire irlandaise* (1983), *Un Noël blanc* (1985) aux Éditions Denoël, *Un homme sur la plage* (1991), *La Femme qui court* (1992) aux Belles Lettres, *Le Sanctuaire des fous* (1996) et *L'Illusionniste* (1996) aux Éditions Jacqueline Chambon.

Joseph O'Connor est né à Dublin en 1963. Il a écrit des romans, des nouvelles, des pièces de théâtre et un récit de voyage. Livres traduits en français : *Les Bons Chrétiens* (1996), *Desperados* (1998) aux Éditions Phébus, *À l'irlandaise* (Laffont, 1999).

Colm Tòibìn est né à Enniscorthy, Co. Wexford en 1955 mais il vit à Dublin depuis de nombreuses années. À la fois éditeur et auteur de romans et d'essais, il a publié en français : *Désormais notre exil* (1993), *La Bruyère incendiée* (1996), *Bad Blood* (essai, 1996), *Histoire de la nuit* (1997) aux Éditions Flammarion.

* La liste des ouvrages cités n'est pas exhaustive et nous avons choisi de citer les ouvrages disponibles en français.
Les auteurs sont cités par ordre alphabétique et nous laissons le soin au lecteur de deviner à qui appartient chaque chapitre.

Une virée à Dublin

Ben Winters cherchait le minibar. Il regarda le long de la plinthe et la suivit jusqu'à l'angle opposé. Le minibar était une invention du tonnerre ; il en avait vu dans des dizaines de films. Il adorait la taille des petites bouteilles, la quantité et la diversité des boissons qu'on casait dans un espace aussi restreint. On y trouvait aussi des chips si on voulait. Il avait toujours eu envie de se mettre à genoux et d'aller fouiner à loisir à l'intérieur. Mais ça faisait maintenant dix minutes qu'il le cherchait et ce putain de truc restait introuvable.

C'était la première fois que Ben se retrouvait dans une chambre d'hôtel. Ça lui plaisait assez. Mais le jeu de cache-cache avec le minibar commençait à le contrarier. C'était une des choses dont il s'était fait une fête. Il ouvrit un tiroir, celui du bas, le même que celui où il mettait ses slips et ses chaussettes chez lui, tout en sachant très bien que le minibar n'y serait pas. Il l'ouvrit quand même. Et il n'y était pas.

Assez.

Il revint vers le lit et s'y assit. Il en testa le moelleux. Pas mal. Il recommença. Bons ressorts, pas de grincements. Un bon lit pour se coucher. Pas dedans, dessus. Sur les couvertures. Et pas simplement pour se coucher, pour faire l'amour. Les rideaux ouverts. Et le minibar à portée de main. Il était quelque part. Il aurait pu téléphoner à quelqu'un en bas à la réception et demander : « Où est le minibar? » Mais il serait passé pour un con ; il les aurait entendu ricaner en lui disant de faire deux pas à droite et de regarder derrière le tableau représentant une course de chevaux. Il l'avait déjà soulevé. Pire, peut-être lui diraient-ils qu'il n'y en avait pas. Et à quoi ça l'avancerait ? Ses rêves seraient réduits à néant avant même qu'il se soit lavé les dents et qu'il ait remis ses chaussures. Non. Il était là. En évidence quelque part. Quelque part où il n'avait pas pensé à chercher. En train de le narguer.

« Je sais que tu es là », dit-il tout haut.

Il écouta. La porte et le couloir n'étaient qu'à trois pas. On pouvait l'entendre en y passant. Et alors ? Il ne connaissait personne ici. Il n'avait jamais vu personne. Il pouvait faire ce qu'il voulait. Mais pour l'instant il n'avait fait que s'asseoir sur le lit et enlever ses chaussures, partir à la chasse au minibar et revenir sur le lit. Il passait un rude moment, ça oui.

Mais il était tôt. La nuit commençait seulement. Dans une minute, il allait se secouer, prendre des décisions, remettre ses chaussures. Dans une minute. Il aimait bien la chambre. Elle n'était pas mal du tout. Aussi bien qu'à la maison. Il s'était attendu à ce qu'elle soit un peu plus grande, peut-être, un peu plus exotique – avec une coupe de fruits, qui sait, un peignoir blanc en éponge au bout du lit ou, encore mieux, deux peignoirs. Mais il était plutôt satisfait.

C'était la première fois qu'il faisait quelque chose comme ça. Et, Dieu lui en était témoin, ce n'était pas grand-chose. Il avait seulement pris une chambre à l'hôtel pour la nuit, c'était tout. Mais quand même, il se sentait coupable. Il avait l'impression que quelqu'un l'observait, attendait pour l'attraper. Ça lui arrivait souvent. Il vivait une grande partie de son existence devant une caméra imaginaire. À la maison, il mettait toujours un tee-shirt pour aller de la chambre aux chiottes au milieu de la nuit, au cas où un inconnu l'attendrait sur le palier pour le regarder. S'il oubliait le tee-shirt ou qu'il ne le trouvait pas dans le noir, il rentrait le bide, traversait le palier d'un air avantageux qui faisait sauter son sexe, ouvrait la porte des toilettes d'un coup d'épaule et pissait en faisant assez de bruit pour régaler quiconque était encore éveillé – et en train de le regarder. Quand il était plus jeune, il portait souvent ses gosses sur ses épaules, même quand ils se débattaient pour rester par terre, parce qu'il voulait prouver qu'il était un bon père. Et quand il était encore plus jeune, il avait essayé de se faire prendre en flagrant délit de vol à l'étalage – parce que personne ne le verrait jamais ne pas être pris et que cela lui semblait un terrible gaspillage de mauvaise conduite. Et maintenant, à son âge, il en était encore là. Assis tout seul sur le lit d'une chambre d'hôtel parce qu'il avait peur de bouger pour le cas où il ferait une bêtise.

Sa première nuit dans une chambre d'hôtel. Il avait dit à sa femme qu'il allait passer la nuit chez son frère, qu'ils allaient tous les deux le lendemain matin à l'enterrement d'un vieux copain d'école. C'était l'excuse qui lui avait permis de sortir avec son costume. Elle lui avait même noué sa cravate et lui avait demandé s'il était triste parce que quelqu'un qui avait son âge et qu'il connaissait était mort.

« Ah, un peu, avait-il répondu. Mais je ne l'avais pas vu depuis une éternité.

– Quand même, avait dit Fran. C'est terrible.

– On a été assis à côté l'un de l'autre un certain temps. En classe de seconde », avait-il ajouté.

Elle l'avait serré dans ses bras.

Et maintenant, il était ici.

Aha.

Il se leva du lit et alla jusqu'à la chaise, à côté de la télévision. Il regarda derrière. Pas de minibar. Juste quelques câbles qui s'entortillaient jusqu'à la prise. Il alluma la télévision et revint vers le lit. Les informations de RTE. Un type, le correspondant dans l'ouest du pays, interviewait un gars avec une casquette qui se plaignait du bruit que faisaient les autruches de son voisin tôt le matin. Ben chercha la télécommande. Il la trouva sur le meuble de chevet – pas de minibar là non plus. Elle était reliée au mur par un bout de fil plastifié en spirale. Un tout petit bout de fil plastifié en spirale. Ben devait s'allonger sur le lit pour diriger la télécommande vers la télé. Il se baissa et sentit l'électricité statique le retenir sur le lit. La télécommande ne marchait pas. Il appuya sur les boutons qui, chez lui, auraient donné BBC 1 et Network 2, mais il ne se passa rien ; une autruche regardait par-dessus la haie l'enfoiré en casquette. Il lâcha la télécommande sur le lit et se redressa pour se lever. Quelque chose glissa, en travers du lit. Ben dérapa par terre. « Bon Dieu ! » C'était un putain de rat ou quelque chose comme ça. Il mit le visage bien loin du bord du lit et regarda. C'était la télécommande ; le fil plastifié cherchait à la récupérer en la tirant vers le chevet.

Ben aurait voulu être à la maison. C'était jeudi. Le jeudi soir, il retrouvait ses amis au pub du coin ; il aimait bien ça. Il se privait de ce plaisir. Personne ne savait qu'il était ici. Dans une chambre d'hôtel à cinq kilomètres de chez lui. Assis par terre avec son beau costume, à chier dans son froc à cause d'une télécommande rampante. Il ne savait pas pourquoi il était là. Si Fran était entrée à cet instant, il n'aurait pas pu s'expliquer, même s'il avait voulu être sincère.

« Qu'est-ce que tu fais par terre ?

– La télécommande a bougé.

– Qu'est-ce que tu fais à l'hôtel ? »

Ça, c'était une sacrée question. La seule idée de devoir y répondre le rendait malade. Il n'avait jamais dormi dans une chambre d'hôtel auparavant. Il voulait savoir comment c'était d'y passer une nuit. Il était curieux. Toutes ces réponses étaient exactes et sincères. Mais pourquoi tout seul ? Pourquoi si près de la maison ? Pourquoi tout seul ? Pourquoi tout seul, Ben ? Pourquoi tout seul ? Fran non plus n'était jamais allée dans une chambre d'hôtel. D'après ce qu'il savait. Pourquoi tout seul, Ben ?

Qu'est-ce qu'il lui aurait répondu ? Il était malheureux. Ça aussi, c'était vrai ; il était malheureux. Mais comment l'expliquer ? Il avait un travail qu'il faisait bien et qu'il aimait ; il avait une femme qu'il aimait et qui l'aimait aussi, et qui était en meilleur état que lui ; il avait trois gosses qui avaient les yeux limpides le matin, qui l'embrassaient encore s'ils montaient se coucher avant lui ; il n'était pas aussi gros que la plupart de ses amis. Autant de raisons d'être reconnaissant – et il l'était. Mais il était quand même malheureux. S'il avait été plus jeune, il aurait dit qu'il s'ennuyait. Dire qu'il était « découragé » ou qu'il en avait « marre » n'était pas tout à fait ça. « Suicidaire » était trop fort mais quelquefois il avait l'impression que ce n'était pas très loin de la vérité. Il était simplement malheureux.

Il ne savait pas pourquoi.

Il se redressa et alla devant la télé. Il n'avait pas marché jusqu'à la télé depuis des années. Il l'éteignit. Il y avait peut-être des chaînes par satellite qu'il ne captait pas chez lui, la Playboy Channel, des chaînes pornographiques polonaises ou d'autres pays où il n'y avait pas de lois pour les interdire, mais il s'en fichait. Il n'avait pas pris une chambre à l'hôtel pour regarder la télé. De cela, il était certain.

Le moment d'agir était venu. Il allait enfiler ses chaussures. Et de toute façon, la télé serait encore là quand il reviendrait.

Ben avait quarante-trois ans. Il pouvait compter sa vie en décennies. Il était marié depuis deux décennies. Il était supporter de Fulham depuis trente-cinq ans. Il avait son certif depuis vingt-cinq ans. Il connaissait son meilleur ami Derek, qui avait été son garçon d'honneur, depuis trente et un ans. Première communion il y avait trente-cinq ans. Première fois qu'il avait fait l'amour, vingt-quatre. La maison qu'il habitait avec Fran serait complètement à eux dans dix ans. Il prendrait sa retraite dans vingt ans. Il mourrait dans trente ans.

Putain de Fulham. Ça résumait vraiment le tableau. Ça expliquait presque pourquoi il était là. Trente-six ans plus tôt, Ben et ses amis cherchaient de quelles équipes ils allaient devenir les supporters ; ils décidaient tout seuls ou bien suivaient les traces de leurs frères ou de leur père. Ben avait choisi Fulham. Le choix des autres s'était porté sur United, Liverpool, Leeds, ou même Chelsea. Mais Ben avait cru son frère, un supporter du United. « Il ne peut pas y avoir deux supporters de la même équipe dans la même maison, avait-il dit à Ben. Ce n'est pas permis. » Ben se souvenait que ses yeux s'étaient remplis de larmes. Il voulait vraiment, à tout prix, devenir supporter de Manchester United. Il avait attendu un sourire de son frère et un mot pour lui expliquer qu'il voulait seulement le mettre en boîte. « Tu devrais devenir supporter de Fulham, lui avait dit son frère. Ça va être leur année de gloire. » Trente-cinq ans de défaites avaient suivi. Des défaites sans fin ni répit. Ces temps-ci, les amis de Ben emmenaient leurs enfants à Anfield et à Old Trafford. Mais Niall, le plus jeune fils de Ben, avait téléphoné à Childline quand Ben avait suggéré qu'ils aillent à Craven Cottage. Niall – qui portait le nom du frère de Ben.

Et il n'y avait pas que le football. Le football n'avait pas d'importance. C'était pareil pour tout. Il n'avait rien contre son travail, mais ça faisait vingt-cinq ans qu'il ressuscitait des moteurs de voiture. Il était très bon – on l'appelait Yuri Geller ; à la cantine, on lui tendait souvent des cuillères courbées en lui demandant de les redresser – mais il n'avait jamais rien fait d'autre. Il aurait pu faire autre chose, mais il était trop tard ; il ne saurait jamais. Il aimait Fran. Vraiment. Mais cela voulait dire qu'il y avait des douzaines, des centaines, des millions de femmes qu'il ne connaîtrait et n'aimerait jamais. Il savait que cette pensée était très injuste envers Fran, que c'était même ridicule – l'idée que les femmes dans le monde avaient été privées de lui parce qu'il l'avait épousée. Mais il adorait regarder les femmes ; de plus, il était plutôt bel homme, il avait le sens de l'humour et, nom de Dieu, il y avait des moments où il avait envie de pleurer. (Il se souvenait qu'un jour, dix ans plus tôt peut-être, il avait parlé à une femme dans le bus. Le bus avait ralenti et fait une embardée pour éviter deux voitures qui s'étaient rentré dedans au milieu de la rue. « Mon Dieu, avait dit Ben. Il y a des blessés ? » Ils avaient tous deux regardé quand le bus était passé devant. « Il n'y a personne dans les voitures », avait dit la femme. « Tant mieux, avait dit Ben. La Mazda est toute neuve. C'est vraiment dommage. » « Jolie couleur », avait-elle ajouté. Et ils avaient continué à parler. Elle était jolie ; il ne se souvenait pas des détails. Elle était plus vieille que lui. Les rides lui allaient bien. Ils avaient bavardé jusqu'à Marlborough Street, et Ben se souvenait comme il s'était senti triste et perdu en se rendant compte qu'il ne pouvait pas vraiment lui parler. Il ne pouvait pas se le permettre. Cela n'aurait pas été convenable, il était marié. Et elle aussi, probablement. C'était comme ça.)

Les promesses n'avaient pas été tenues, les occasions n'avaient pas été saisies. Un travail, une femme, une maison, un pays. Le monde entier autour de lui et il n'en avait rien vu. Ce n'était pas tout à fait vrai. Il avait vu Tramore – dix-sept fois. Ils avaient un mobile home là-bas ; les roues avaient été enlevées. Et son père était mort un mois plus tôt. À soixante-sept ans, son cœur avait explosé pendant qu'il se rasait et il était mort avant l'arrivé de l'ambulance, avant que la mère de Ben ait pu lui téléphoner.

Les chaussures.

Le moment était venu. Il s'assit au bord du lit et glissa ses pieds dans ses mocassins. Ben portait le même style de chaussures depuis qu'il avait commencé à les acheter tout seul. Parce qu'il ne savait pas très bien nouer les lacets.

« Stop », dit-il.

La semaine dernière encore, Ben avait composé le numéro de ses parents pour dire à son père que Raymond, son aîné, était pris à l'essai chez Boh ; il s'était alors rappelé que son père était mort. Il devait se le redire tous les jours, tout le temps. Il allait devoir s'habituer à ce vide. Il allait devoir arrêter de pleurer chaque fois qu'il pensait à quelque chose qu'il voulait dire à son père.

Il passa sa langue sur ses dents et décida de se les brosser. Il n'avait pas envie d'exhaler l'odeur de son dîner chaque fois qu'il ouvrait la bouche. Son haleine parfumée aux côtelettes d'agneau suffirait à n'importe quelle femme pour savoir immédiatement qu'il était marié et en quête d'une aventure. Il allait se laver les dents jusqu'à ce que ses plombages demandent grâce.

Il se rendit à la salle de bains. En suite. Juste à côté du lit. Putain de luxe. Il pouvait presque pisser sans sortir du lit. Il alluma la lumière et le ventilateur se mit en route avec un crachotement.

Il disparaissait. Juste pour une nuit. Il voulait voir ce qui se passait. C'était pour ça qu'il était au Finbar's Hotel, pour connaître ce qu'il n'avait jamais eu, pour voir ce qu'il avait raté. Quelque chose allait arriver. C'était pour ça qu'il y avait des hôtels – les gens laissaient leur vraie personnalité à la réception et devenaient qui ils voulaient en sortant de l'ascenseur en haut. L'hôtel allait montrer à Ben ce qu'aurait pu être la vie. Et, demain, il rentrerait à la maison. Et il vivrait heureux.

Il se regarda dans la glace. Fran avait raison ; il était plutôt bel homme. Il avait de l'allure dans son costume. Anthracite. Fran le lui avait montré en lui disant qu'il lui irait bien. Et c'était vrai. Même s'il était un peu gêné aux entournures et si la ceinture pochait quand il s'asseyait. Elle s'était bien débrouillée avec la cravate ; les rayures glissaient parfaitement dans le nœud. Fran savait s'y prendre avec les cravates. Elle en avait noué une autour de sa taille pour cacher sa chatte, le nœud à hauteur de son nombril. Pendant leur lune de miel. Dans un bed-and-breakfast à Galway. Les chiottes étaient en bas dans le couloir, à des kilomètres, à côté de la chambre de la logeuse. « J'ai entendu la chasse d'eau. Vous voulez votre petit déjeuner maintenant ? » À cinq heures du matin. Et Fran qui était dans la chambre et l'attendait, debout sur le lit, toute nue avec la cravate autour des reins. « Non merci », avait dit Ben dans l'obscurité derrière la porte de la logeuse. « J'avais seulement besoin de pisser. » Puis il avait entendu Fran. « Dépêche-toi, voyons, j'ai vachement froid. » Il avait couru dans le couloir en fonçant pour arriver à la chambre avant d'éclater de rire. Ils s'étaient enfouis sous les couvertures et avaient ri jusqu'à ne plus pouvoir respirer.

Il avait envie d'être à la maison.

Il entendit tousser. Il crut entendre tousser. Il ferma le robinet d'eau froide et écouta. Une voix. Se trompait-il ? Il ne distinguait ni les mots ni les silences. Il entra dans la baignoire.

Doucement, pour que ses chaussures ne fassent pas de bruit. Il plaça son oreille contre le mur. Un autre bruit de toux. Aucun doute. Une toux de femme. Était-elle dans la salle de bains ? Juste derrière le mur ? Debout dans la baignoire avec son oreille tout contre ? Il sortit de la baignoire. Il entendait deux voix maintenant. Deux femmes dans la chambre voisine. La chambre 102. Avec un lit double comme le sien ? Il écouta. Il ne discernait toujours pas les mots mais l'une des voix avait un nasillement anglais. Aucun doute. Il y avait une Anglaise là-dedans. Avec une autre femme. Elles se disputaient.

Au-dessus, quelqu'un tira la chasse. Les tuyaux firent un bruit de ferraille au plafond. Il s'arrêta devant la porte de la salle de bains. Au-dessus quelqu'un prenait une douche, peut-être la personne qui venait de sortir des chiottes ; Ben reconnaissait le bruit. Une femme ? Est-ce qu'elle utilisait la petite savonnette qu'on trouvait dans la chambre ? Est-ce qu'elle avait une dose de gel douche qui sentait le pet de mangue quand on la pressait ? Ou était-ce un couple ? Avec du gel douche ?

Dehors.

Il était temps de sortir. Il regarda d'abord par la fenêtre. De toute façon, il ne pleuvait pas. En bas, c'était la Liffey. Une chambre avec vue, mais ça ne lui faisait pas grand-chose. Ce n'était qu'une rivière, trop rectiligne et trop étroite pour arracher un soupir à Ben. Il chercha un moyen d'ouvrir la fenêtre, mais il n'y en avait pas. En appuyant son visage contre la vitre, il voyait un coin de la gare éclairée. Elle semblait belle, bien plus qu'en plein jour. Kingsbridge. Heuston Station. Du nom d'un des gars qui s'étaient fait descendre par les Angliches en 1916. Ça aurait plu à Ben d'être exécuté pour son pays. « Voulez-vous un bandeau ? » « Tu peux te le foutre au cul, Bonzo. » Il laissa retomber le rideau. Il regarda la poussière voler dans la lumière et se déposer de nouveau sur le rideau. La chambre était vraiment sale.

Suffit.

Dehors.

Il se tapota la poitrine et tâta son portefeuille.

Il sortit.

Il ferma la porte derrière lui et vérifia qu'il ne pouvait plus l'ouvrir. Il n'avait pas besoin de vérifier si la clé était dans sa poche parce que le gros porte-clés où était gravé le numéro de la chambre lui rentrait dans la jambe. Il allait la laisser à la réception. Parce que, à l'endroit où elle se trouvait, s'il croisait les jambes trop vite, elle lui sectionnerait les couilles. Et il ne voulait pas la mettre dans une poche de sa veste parce que ça la ferait pendre d'un côté. Les manches, au niveau des épaules, lui rentraient dans la chair. Elle n'était pas trop juste quand il l'avait achetée, il en était sûr. Il se secoua un bon coup. Pour détendre les fils, pour disperser la graisse.

Le couloir. Une rangée de portes closes. Et un plateau par terre devant l'une d'elles. Quelqu'un n'aimait pas leur bouffe. Il y avait un toast triangulaire entier et intact sur l'assiette. Et, dis donc, un petit pot de confiture encore scellé. Et pas un bruit tout autour. Ben chercha un couteau sous la serviette. Gagné. Il fit sauter le couvercle du pot et plongea le couteau dans la confiture quand – Oh merde ! Une des portes s'ouvrait. La 102. Les gouines !

« Après toi, Cecil », dit l'une, celle qui avait un accent anglais. Il n'entendit pas la réponse car il fit un bond pour s'écarter du plateau et tomba. Quand les femmes le dépassèrent, il était sur ses pieds et regardait le tapis, cherchant la cause de son accident et le tapotant du gros orteil de son pied droit.

« Faites attention, dit-il.

– Ça va ? demanda la plus petite pendant que l'autre passait à toute allure.

– En pleine forme, dit Ben. J'ai l'impression que le tapis est mal fixé. »

Il examina de nouveau le sol.

Les femmes continuèrent. Après toi, Cecil. Qu'est-ce qu'elles pouvaient bien faire là-dedans ? Cecil n'était pas un nom qu'on pouvait donner aussi bien à un homme qu'à une femme, comme Fran ou même Gerry. C'étaient des gouines, il n'y avait pas de doute. Celle qui avait parlé semblait du genre aigri ; elle avait l'air de transporter sa monnaie dans son cul. Et elle portait des chaussures noires que sa mère qualifiait toujours de chaussures de protestante. Elles n'avaient pas l'air de lesbiennes. En tout cas pas l'Anglaise. Elles étaient devant les portes de l'ascenseur. Ben entendit l'ascenseur monter. Il ne voulait pas le prendre avec elles ; il préférait attendre. La protestante surprit Ben qui les regardait. Il s'aperçut soudain qu'il tenait toujours le toast. Il le glissa dans sa poche et se détourna. Il sortit la clé de la porte de la poche de son pantalon. La doublure vint avec. En ouvrant la porte, il entendit le bruit de l'ascenseur qui emmenait les femmes en bas. Il allait attendre un peu, puis essayer de nouveau. Il allait enlever sa veste une minute.

Le bar était grand. Beaucoup de bois et de verre. Il y avait quelques couples assis à des tables, dont un manifestement en pleine dispute ; Ben le savait à la façon dont la femme transperçait avec une épée à cocktail bleue la tranche de citron dans son verre. Et quelques solitaires, tous des hommes, debout au bar. Une sorte de fête se déroulait à l'autre bout de la pièce – applaudissements et rires saccadés – mais cela semblait loin, très loin d'où il était. Au-delà d'un grand tapis vide. Ben sortit avant d'avoir le temps d'être déçu. Il réessaierait plus tard.

« Et puis, comment ça tu en as marre que je te transpire dessus ? » dit l'homme à la femme à l'épée, si fort que, pendant une seconde, Ben crut qu'il lui parlait à lui. « Ça fait plusieurs putains de semaines que je ne t'ai ni sautée ni approchée. »

Ben continua son chemin.

Du côté de la réception, rien de vraiment trépidant. D'accord, il y avait du monde, mais la plupart des fauteuils étaient occupés par des vieux Américains en vêtements brillants ; ils avaient presque tous l'air d'avoir passé des années dans un congélateur et de commencer seulement maintenant à récupérer l'usage de leurs bras et de leur bouche. Ils se pelotonnaient autour de bols de soupe et de tasses de café. La jolie fille qui portait le nom d'Aideen inscrit sur le badge de son gilet était toujours derrière le bureau de la réception, l'air calme et affairé. Au-dessus d'elle, à la droite d'un tableau représentant un con quelconque à l'air pompeux, il y avait une pendule et, au-dessous, une plaque de bronze où était inscrit DUBLIN. Pour que les Amerloques n'oublient pas, pensa Ben.

Il poursuivit son chemin. Il avait vu une pancarte indiquant le salon réservé aux clients, après la réception. Ça l'attirait. Intimité, privilège, bonnes bières après l'heure de fermeture. Il dépassa le restaurant et le trouva, dans un coin. C'était un endroit calme. Si les deux Amerloques dans le coin mouraient, il serait vide. Il leur fit un signe de tête et se dirigea vers le bar. Le barman enfonçait un torchon dans un verre.

« Je ne reste qu'une seule nuit, dit Ben. Est-ce que je peux quand même entrer ?

– Bien sûr, monsieur, dit le barman. Qu'est-ce que je vous sers ? »

Ben se connaissait. S'il prenait une bière ici, il y resterait la nuit et finirait par parler aux Amerloques de la violence et du temps.

« Je me renseignais simplement, dit-il. Je reviendrai plus tard. »

Il allait retourner au bar.

Il aimait l'aspect du restaurant, mais il avait dîné avant de partir de chez lui et il n'avait pas envie de recommencer. De toute façon, il détestait manger en public. C'était ça qui était bien quand on buvait : on n'avait pas besoin de se servir d'une fourchette.

Merde !

Les gouines du 102 arrivaient !

Il se précipita au restaurant. Trop tard. Il était piégé si elles entraient. Il sentit qu'il rougissait. Il savait la tête qu'il avait – personne au monde n'était pire que lui quand il rougissait, une tomate avec des oreilles. Il était en feu. Et il ne savait pas pourquoi. Ce n'étaient que des femmes. Qui s'aimaient.

Elles le dépassèrent pour aller au salon.

Il l'avait échappé belle.

« Voulez-vous une table, monsieur ?

– Euh, non merci. »

Chez lui, la maison était pleine de tables. Il aurait aimé lancer cette réponse par-dessus son épaule, mais il ne le fit pas. Il revint simplement sur ses pas, passa devant la réception et les Amerloques en train de décongeler, et entra dans le bar. Le couple qui se disputait s'était réconcilié. Elle lui caressait les joues et frottait son nez sur son front. Quant à l'homme, il avait les mains sous la veste de la femme. Ben voyait ses doigts remonter dans son dos. Il était content pour eux. Il y avait plus de monde maintenant. Les places libres au bar étaient plus petites et les gens plus mélangés. Les solitaires avaient l'air moins seuls et, là-bas, la fête de bureau, ou ce qui y ressemblait, battait son plein. Ben eut soudain la certitude qu'il se trouvait là où il fallait.

Il commanda une bière qui fut placée devant lui avant même qu'il ait pu poser son cul quelque part.

« Super. Combien ?

– Deux livres vingt-cinq », dit le barman.

Ben était ravi. C'était vingt-cinq pence de plus qu'à son pub habituel. Il faisait la bringue. Il était en compagnie de gens qui s'en fichaient de se faire arnaquer. Les règles étaient différentes ici. L'argent était sans importance. Et en plus, la bière n'était pas mauvaise. Il jeta un œil sur la fête. Un type faisait tourner sa veste et chantait *Hey, Big Spender*. « Assieds-toi, espèce de con. » Une femme tenait une fleur dans sa bouche. Une autre se leva, rugit : « Relations publiques ! » et retomba en riant sur son siège. Tous l'acclamèrent. Un homme se leva, dégringola et se remit sur ses pieds. « Routes, rues et circulation ! » Ils l'acclamèrent aussi, rirent et levèrent leur verre. Il eut envie de se joindre à eux. Prendre sa bière et simplement se joindre à eux. Mais il en était incapable. Il n'avait pas assez de culot. Il ne savait pas comment s'introduire dans la bande, comment être calme, ce qu'il fallait crier, le moment où il fallait rire. S'il se concentrait suffisamment, peut-être qu'une des femmes allait venir chercher quelque chose à boire ou des chips et lui parlerait en attendant d'être servie. Il n'avait qu'à se concentrer. Il fixa des yeux sa bière jusqu'à ce qu'elle se mette à osciller – viens, viens, viens, viens.

« Moi c'est Ken. Ken Brogan. »

Un homme était debout à côté de Ben, un homme en tee-shirt style Temple Bar ; il était si près que Ben faillit tomber de son tabouret en voulant mettre quelques centimètres de sécurité entre eux.

Il tendait la main. Il voulait qu'il la lui serre.

« Ben », dit Ben.

Et il sentit qu'on lui écrasait les doigts, puis qu'on les lui lâchait.

« Ken et Ben ! Elle est bien bonne ! »

Ben ne dit rien. Elle n'était pas bonne du tout. Et il était toujours trop près de Ben. Il avait du gel sur les cheveux. Ben le sentait. À la maison, la salle de bains était pleine de pots de gel à moitié vides. Ça ressemblait à de la graisse d'essieux rose ; un jour, Ben en avait mis sur les poils de sa poitrine. Et maintenant, le type était si près que Ben avait peur que ça lui dégouline dessus.

« Dites donc, Ben, dit-il. Vous croyez que les gens parlent trop en Irlande ?

– C'est possible », dit Ben. Il détourna le visage en tentant d'avoir l'air de chercher quelqu'un. Le gominé continuait à parler, mais Ben n'écoutait pas. Il dut quand même se retourner quand Le gominé lui tapa sur l'épaule avec, s'aperçut Ben, un détecteur de tension.

« Est-ce que ça vous arrive d'écouter *Liveline* ? Marian Finucane ? demanda Le gominé.

– Quoi ? dit Ben.

– Ça c'est une sacrée émission, dit Le gominé. Je supporte n'importe quelle merde, mais pas *Liveline*. Je veux dire que je l'écoute presque tous les jours. Mais elle me rend dingue. Avec tous ses "Oooh", ses "Aaah", ses "Mon Dieu" et ses "Pensez donc"... Tout ça, c'est vachement prétentieux. Qu'est-ce que vous pensez d'elle ?

– Elle n'est pas mal », dit Ben.

Il allait devoir partir. Ce casse-couilles ne lui lâcherait pas la jambe. Il n'aurait jamais dû lui répondre.

« Est-ce que vous l'écoutez ? lui demanda Le gominé.

– Non », dit Ben.

Il l'écoutait, tous les jours, et il pensait que Marian Finucane était formidable, mais il devait partir. S'il ne bougeait pas, il allait se retrouver coincé avec cet imbécile toute la soirée. C'était peut-être même un pédé ; il était beaucoup trop vieux pour mettre du gel. Ben n'avait rien contre les pédés, mais il avait beaucoup de choses contre les pédés raseurs. Il posa ce qu'il restait de sa bière.

« Vous savez ce que je pense ? » dit Le gominé.

Ben était sur le point de partir.

« J'ai un rendez-vous, dit Ben.

– Elle ne devrait pas fourrer son nez dans les affaires des autres », dit Le gominé.

Ben se leva. Mais Le gominé tenait le tabouret. Ben poussa. Le gominé lâcha et le tabouret tomba sur le sol derrière lui.

« Bon Dieu ! »

Une femme tenant trois verres pleins à bout de bras sauta par-dessus le tabouret, enjamba les pieds. Elle riait et réussit à ne rien renverser. Une jolie femme en robe noire. Ben aurait pu lui parler à elle plutôt qu'à ce connard. Elle se serait faufilée à côté de Ben pour attirer l'attention du barman si ce con de gominé ne s'y était pas collé le premier. Et maintenant, elle avait rejoint la fête. Une autre femme se leva au moment où Ben arrivait à la porte.

« Électricité et éclairage public ! »

Ils l'acclamèrent et trinquèrent. Quelque chose se brisa.

Il était dehors et il marchait. L'air frais lui faisait du bien. Dehors, son costume ne le gênait pas aux entournures. Il avait ouvert la veste pour que l'air circule. La cravate était rejetée sur son épaule. Il ne faisait pas si froid. Du moment qu'il bougeait.

« Je trouve Marian Finucane formidable. Elle est belle, intelligente et je bois ses putains de paroles. Vous avez quelque chose contre ? »

La tête du gominé se balançait au-dessus du bac à vaisselle derrière le bar par-dessus lequel il l'avait envoyé balader. Les femmes de la fête de bureau étaient juste derrière lui.

« Trempez-le ! Trempez-le ! Faites-lui faire trempette ! »

Celle en robe noire leva le pouce et le pointa vers le sol. Elle sourit et cligna de l'œil à Ben. Elle était tout entière moulée dans sa robe. Elle se passa la langue sur les lèvres.

Ben s'arrêta. Il avait dépassé Heuston Station. Il marchait vers Lucan et l'autoroute de l'Ouest. Il n'y avait rien par là. Il allait dans le mauvais sens, il sortait de la ville.

« Bordel, Ben. »
Putain, on se les gelait.

La porte ne voulait pas s'ouvrir, la poignée ne voulait pas tourner. C'était la même clé sur le même gros porte-clés. Il en était certain. Aideen, en bas, le lui avait donné une minute plus tôt. « Je dois passer quelques coups de téléphone », lui avait-il dit. C'était la même clé, pas de doute.

Il ne manquait plus que ça, être à la porte de sa propre chambre. Il y avait un type à l'air costaud là-bas, devant la porte de la chambre 107 ; il avait l'allure d'un gars chargé de l'entretien ou quelque chose comme ça. Il ne voulait rien lui demander, il ne voulait pas avoir à admettre qu'il n'arrivait pas à ouvrir la porte, mais ça valait mieux que de descendre et l'avouer en bas.

Elle glissa dans sa main. La poignée. Et il y eut un déclic. La porte était ouverte. Il était à l'intérieur.

Chez lui.

C'est ce qu'il ressentait, après tout ce qui s'était passé. Il allait y rester quelques minutes et réessayer. Le gominé serait parti. La fête continuerait. La boîte de nuit au sous-sol serait ouverte. Il enleva sa veste et la posa sur le radiateur. La soirée commençait à peine. Il essaya de faire tenir la veste sur le radiateur, mais ne réussit pas. De toute façon, elle n'était pas très mouillée. Il enleva ses chaussures et ouvrit les deux portes de l'armoire. Il les ouvrit toutes grandes. Il s'écarta de la lumière qui venait de l'ampoule placée au-dessus de sa tête derrière lui et inspecta l'armoire. Il commença par le coin en bas à gauche, regarda à droite, en haut, de l'autre côté et revint au coin gauche. Pas de minibar. Elle était vide, à part les cintres. Il enleva sa veste du lit et l'accrocha. N'allume pas la télé. N'allume pas la télé. Il s'assit sur le lit. Était-il trop tôt pour descendre à la boîte de nuit ? Le gominé était-il parti ?

La télécommande était toujours là, sur l'oreiller. Non, non et non. Il mit l'oreiller sur la télécommande.

« Putain, c'est elle qui devrait être président. »

Il fourra l'oreiller dans le lit.

Il allait essayer le service des chambres. Et voir ce qui se passerait. Un plateau sur un chariot, avec une fleur dans un joli vase blanc et un seau en argent rempli de glace. Il décrocha le téléphone. Une carte sur la table de chevet disait de composer le 505.

« Allo ? »

Il regarda la télécommande qui sortait en rampant de dessous l'oreiller.

« Ah. Allo, dit Ben. Le service des chambres ?

– Ça peut l'être, si vous voulez.

– Quoi ?

– Que voulez-vous, monsieur ?

– Quelque chose à manger.

– Très bien. Quoi ?

– Euh. Quelques sandwiches.

– Parfait. Et du thé ?

– Oui.

– Je vous fais monter une grande théière. Tout de suite. Vous l'aurez dans quelques minutes.

– Merci beaucoup... »

Il raccrocha.

Putain de merde.

Il n'avait pas du tout envie de sandwiches. Il ne voulait pas de thé. Il ne voulait ni sandwiches ni thé. Il ne savait même pas ce qu'on allait lui apporter. Il détestait le fromage. Il ne tenait pas au jambon. La couleur du poulet le rendait malade si ce n'était pas du blanc. Il n'allait pas rester là. Il allait sortir avant qu'ils arrivent.

Il remit ses chaussures.

Au moins, il n'avait pas allumé la télé. C'était déjà quelque chose.

Bon Dieu, ce qu'il faisait sombre. Ça faisait des années qu'il n'avait pas mis les pieds dans une boîte de nuit. Il ne se souvenait pas qu'il y faisait aussi sombre. Il avait rencontré Fran dans une boîte de nuit et il était sûr qu'il l'avait bien vue. Ici, il ne voyait rien. Il avança de quelques pas et laissa l'entrée derrière lui. C'était comme pénétrer dans un cinéma quand le film avait déjà commencé. Pire. Il allait devoir attendre, le temps que ses yeux s'habituent. Ce n'était pas tellement l'obscurité. C'était la façon dont le bruit et les lumières l'agressaient, le submergeaient ; il les sentait sur sa peau. Il avait un peu l'impression de marcher dans la soupe. Il n'arrivait pas à respirer. Il mit la main sur le mur. Est-ce qu'il y avait quelqu'un qui le regardait derrière les lumières ? Quelqu'un avec un masque et un tuba ? Le gominé ? Il baissa la main. Il sentait la basse lui attaquer les genoux et il fut aspiré au centre de ce qui se trouvait devant lui. Il devait se détendre. Le moment était venu de desserrer sa cravate, peut-être même de l'enlever. Il était au milieu des lumières. Il participait à l'action. Il voyait ce qui se passait. Le bar était là-bas. Il allait s'y rendre. Est-ce qu'on pouvait boire de la Guinness dans une boîte de nuit ? Que ferait-il si quelqu'un lui proposait de l'ecstasy ? Il se sentait bien maintenant ; de l'air frais sortait de quelque part. Il n'y avait pas trace de barman. Il s'appuya au comptoir et regarda autour de lui. Il s'était habitué. Il allait s'amuser. Il aimait bien la musique.

Mais il était tout seul. Il le voyait maintenant. La salle était vide. À part Ben et les lumières.

Il courut vers la sortie pour remonter à l'hôtel. Une bande de six ou sept personnes descendait l'escalier. Il irait faire un tour et reviendrait dans quelques minutes.

De retour au salon. Aucun signe des gouines, mais les Amerloques avaient pris la relève. La moitié dormaient. Il revint au bar. Le couple qui s'était disputé passait et repassait les portes à tambour, en face de la réception ; ils riaient et flirtaient, cherchant à ce que tout le monde les regarde. Ils avaient sans doute vu ça dans un film. Debout à la porte du bar, il fouilla la foule des yeux à la recherche du gominé. Aucun signe de lui, pas d'odeur le trahissant. Il entra.

« Assainissement, distribution d'eau, égouts ! »

La fête de bureau battait son plein sans Ben. Il y avait plein de gens ronds comme des queues de pelle là-bas. Un type, en particulier, avait le teint verdâtre. Il allait dégueuler son déjeuner d'ici peu, Ben en était certain. Il chercha la femme en noir.

Elle était au bar.

Parfait.

Il se faufila entre deux groupes de jeunes types qui portaient tous des tee-shirts où était imprimé « Dave enterre sa vie de garçon » et émergea au bar. Mais elle était partie, elle était retournée à la fête. Ben la regarda s'asseoir. Elle se laissa tomber entre deux hommes qui se dépêchèrent de lui faire une place. Ben sentait presque sa jambe contre la sienne en la regardant atterrir entre eux. Elle se pencha en avant et saisit son verre. Elle était bourrée, elle aussi ; Ben le savait à cause du parcours lent et sinueux que fit le verre jusqu'à sa bouche. Il fixa le verre en essayant de l'aider à aller jusqu'à ses lèvres sans se renverser.

L'un des types qui enterraient la vie de garçon de Dave lui rentra dedans.

« Désolé, mon pote. »

Il était anglais.

« Pas de problème », dit Ben.

Il avait envie de boire un verre. Il avait passé toute la soirée dehors et il n'avait pris qu'une bière qu'il n'avait même pas finie. Il poussa doucement les gens pour s'approcher d'un barman – il détestait toucher les gens qu'il ne connaissait pas, il détestait être impoli – mais il s'arrêta. Il n'y avait pas de place pour lui. Aucun tabouret libre, pas de place pour s'accouder au comptoir. Il allait devoir rester debout en tenant sa bière contre sa poitrine quand il ne boirait pas. Tout seul. Un connard de trop et même pas à un mariage. Cette soirée était en train de devenir la pire de sa vie.

Il redescendit à la boîte de nuit.

Il s'y trouva mieux cette fois-ci. Il était bien. Ses yeux s'accoutumèrent plus vite ; il vit tout de suite les autres gens. Certains dansaient, d'autres regardaient les danseurs ou étaient debout et criaient plus fort que la musique, et personne n'était immobile – la musique était dans leurs jambes et leurs épaules. Ça lui plaisait. Il se dirigea vers le bar. Les chansons s'enchaînaient ; il n'y avait pas de temps mort. Est-ce que les hommes invitaient encore les femmes à danser ? Comment ? À l'époque de Ben, il y avait des moments rapides et des moments lents, plus de moments lents que de rapides vers la fin de la soirée, et quelques secondes pour les convenances entre chaque chanson pour se placer devant une jeune fille et l'inviter. Comment faisait-on maintenant ? Il allait d'abord chercher quelque chose à boire. Se débarrasser de ça. Il mourait d'envie de boire une bière ; d'habitude, il en buvait quatre le jeudi. Encore une fois, est-ce qu'on pouvait boire de la Guinness ? Est-ce qu'on se moquerait de lui ? Et que ferait-il de la bière s'il se mettait à danser ?

Il bouscula une femme.

Elle se trouva soudain devant lui, venue de nulle part. Il la heurta et la vit voler avant d'avoir le temps de comprendre ce qui se passait.

Elle était assise par terre.

« Ça va ?

– Pas besoin de crier !

– Excusez-moi, dit Ben. C'est à cause du bruit. »

Le bruit. Il croyait entendre son père. Non, en fait, il croyait s'entendre lui-même. La dernière personne à laquelle il avait envie de ressembler ce soir.

« Ça va ? tenta-t-il une nouvelle fois.

– C'est à cause de ces putains de chaussures, dit-elle.

– Elles sont très jolies, dit Ben.

– Putain, elles vont me tuer, dit-elle. Aidez-moi. »

Ben estima qu'elle avait plus de vingt ans. Dans la dernière ligne droite. Peut-être même trente. Elle était plutôt grande, plutôt mince et jolie. Et elle était partie. Elle s'était agrippée à sa main et à sa manche pour se mettre debout et, le temps qu'il remette sa veste sur ses épaules, elle n'était plus là. Peut-être qu'il ferait mieux de laisser tomber et de remonter voir les Amerloques au salon. Apparemment, c'était un groupe plutôt correct et il n'avait jamais fait l'amour avec une retraitée. Il se sentirait plus à l'aise là-haut.

Non, après tout. Il n'avait pas dit son dernier mot. Il lui fallait simplement une bière et du temps pour se calmer. Il se souvenait du bon vieux temps. Quand il s'approchait d'une fille, à la périphérie d'une foule d'autres filles. Quand il fonçait vers elle avant le début de la chanson suivante. Quand il plongeait avant d'avoir le temps de s'arrêter et qu'il retournait discrètement dans la foule. « Tu veux danser ? » « Non. » Combien de fois il était resté en plan, au milieu de la piste de danse, entouré de couples plus chanceux, pendant que tout le monde, sauf Ben, dansait lentement en cercles serrés, suçait les plombages de son partenaire, follement et secrètement amoureux. Et pendant ce temps-là, Ben était debout et attendait que John Lennon arrête d'imaginer ou que la mère de Sylvia raccroche son putain de téléphone pour qu'il puisse quitter la piste sans bousculer personne, prendre son manteau sur une chaise et rentrer chez lui.

Avant que Fran vienne le sauver.

Il avait envie d'être à la maison.

Mais il n'y était pas. Et il ne rentrait pas chez lui. Jusqu'au lendemain matin. Et il ne remonterait ni dans sa chambre, ni voir les Amerloques. Il était ici et donc – il était ici. Il allait boire une bière. Il allait chercher une femme de son âge ou – l'idée lui vint si brusquement qu'il n'arrivait pas à croire qu'il l'avait eue tout seul – une femme assez laide pour vouloir de lui. Bon Dieu, c'était une idée géniale. Soudain, la vie devint plus facile. Tout simplement comme ça. Il scruta la soupe. Il était heureux. Il y avait encore de l'espoir. S'il trouvait plus souvent des idées comme celle-ci, s'il pouvait se permettre de les avoir et peut-être même de s'en servir sans laisser la culpabilité les étouffer, il lui restait une chance de s'en sortir correctement. Et ensuite, il rentrerait à la maison. Trente secondes s'étaient écoulées depuis qu'il avait eu son idée et il en était encore très fier. Il y avait de l'espoir.

Mais le problème avec les boîtes de nuit, c'était que tout le monde avait l'air magnifique. Lui-même devait paraître fantastique. Il devait s'approcher des femmes. D'abord jeter un coup d'œil, puis aller prendre un verre. Il y avait un groupe de filles là-bas. Elles avaient l'air radieuses et somptueuses, elles regardaient autour d'elles et rejetaient la tête en arrière quand elles riaient. Les cheveux comme des auréoles griffonnées. Elles étaient sensationnelles. Pourtant, elles ne pouvaient pas toutes être jolies, pas toutes – ça n'arrivait jamais. Ben s'approcha un peu. Il y avait une petite grosse derrière les autres ; pas d'auréole – bon Dieu, est-ce qu'elle était chauve ? À peine sortie de l'hôpital après une chimiothérapie ? Non, tout allait bien. Il y avait une autre grosse à côté d'elle. Bon, bon. Mais pourquoi cherchait-il tout d'un coup des grosses ? Allons, allons. Il allait devoir faire quelque chose très vite, agir, en inviter une à danser, n'importe laquelle – allez, allez. Il commençait à avoir l'impression de traquer un gibier…

Bon Dieu.

Et s'il y en avait une qui le connaissait ? Et s'il en connaissait une ? Comment va, Mr Winters ? Nom de Dieu. Une ex petite amie de son fils. La fille d'un ami. Une des filles des boutiques du quartier. La sœur de Fran. Une des filles du bureau, à son travail. Qu'est-ce que vous avez dit ? Vous m'avez invitée à danser ? Nom de Dieu ! Vous l'avez entendu, les filles ?

Putain de merde.

Quel con.

Putain de merde.

Il sortit par la porte principale et passa devant les videurs.

« Allez, bonne nuit », dit l'un d'eux. Ben le regarda. Il était noir. Et il avait l'accent de Limerick ou de ce coin-là.

« Bonne nuit, dit Ben. Merci.

– Y'a pas de quoi », dit l'autre videur, le blanc.

Il se passait quelque chose de terrible en haut des marches, devant la boîte de nuit. Un homme criait après une femme. En plein dans la figure.

« Monte ! »

Devant la porte ouverte d'un taxi. Juste en face des videurs. Ben jeta un coup d'œil en arrière, mais ça ne les intéressait pas. Ils regardaient exprès ailleurs.

« Monte !

– Non ! »

Ben les reconnut. C'était le couple qu'il avait vu tourner dans les portes à tambour.

« Allez ! »

L'homme attrapa le bras de la femme. Elle résista. Il la tira.

« Lâche-moi ! »

Ben était furieux. Comment ce salaud osait-il ? Saboter leur soirée, saboter leur vie. La traiter comme ça. Simplement parce qu'elle ne voulait pas faire exactement ce qu'il voulait. Nom de Dieu, Ben en connaissait, des connards comme ça.

« Lâchez-la. »

Il s'approcha et saisit le bras du jeune homme. Le chauffeur de taxi regardait droit devant lui. Il ne se passa rien pendant un bref instant, pas même une seconde ; Ben attendait que l'homme réagisse, le regarde, puis quelque chose s'écrasa sur son visage, en plein sur son nez. Le sol se déroba et il tomba à la renverse. Le coude de la femme – il la vit le ramener en arrière au moment où il atterrit sur les marches de la boîte de nuit. Elle lui avait flanqué une gifle de tous les diables. Et son dos, bon Dieu ; il avait heurté une marche.

Ben entendit claquer la porte du taxi ; il vit le chauffeur se carrer dans son siège et partir, le gros salaud, la banquette arrière vide. Ben enleva la main de son visage. Il y avait du sang dessus. Il saignait du nez ; il sentait le sang couler sur sa bouche et le goûta. Il vit l'homme et la femme au travers des larmes qui avaient déjà noyé ses yeux et ses joues. Il toussa. Et il ne les vit plus. Pas un mot, ni de l'un ni de l'autre. Ils étaient partis.

Il tenait debout.

Un autre taxi arriva ; un autre couple en sortit, évita Ben et descendit dans la boîte de nuit, devant les videurs qui le laissèrent passer sans regarder Ben. Son dos lui faisait un mal de chien, mais il tenait debout. Il était de nouveau sur ses pieds. Il saignait abondamment. Le sang tombait sur sa chemise et sur sa veste. Il fouilla les poches de son pantalon, mais ne trouva pas de mouchoir en papier. Le sang sortait en bouillonnant, il le sentait battre. Il était dans un sale état. Il fouilla les poches de sa veste. C'était un comble. Il avait essayé de sauver une femme et avait récolté un nez cassé. De la part de la femme. Pas de mouchoir en papier dans sa veste. Mais il trouva le toast. Il avait oublié qu'il l'avait mis là. Des années plus tôt, semblait-il.

Son sang gouttait par terre. Il le regardait couler. Il devait faire quelque chose, remettre de l'ordre dans sa tenue. Il plaça le toast contre son nez. Il absorbait bien le beurre, peut-être qu'il absorberait aussi le sang et, de toute façon, il n'avait rien d'autre et personne ne regardait. En plus, il s'en fichait. Il appuya le toast sur son nez – il ne croyait plus qu'il était cassé – et souffla. Il avait peur de voir le résultat. Et maintenant, les videurs le regardaient.

Il réussit à passer les portes à tambour sans trop de mal, finalement. Il sentit le tapis du hall sous ses pieds avant de voir quoi que ce soit et fit un saut pour s'écarter des portes. Il les sentit battre à quelques centimètres à peine de son cul. Il était en sécurité. Il s'arrêta. Ses yeux larmoyaient toujours et n'arrêtaient pas de cligner. Il levait la tête pour ralentir le saignement. Il n'avait pas saigné du nez depuis son enfance. Le toast paraissait faire l'affaire. Il essaya de se souvenir de l'endroit exact où se trouvaient l'ascenseur et les tables basses en verre. Vers la droite, après le bar. Il regarda. Bon sang, sa tête résonnait. Cette fille devait prendre des anabolisants. Une nageuse ou quelque chose comme ça. Il allait avoir les yeux au beurre noir. Comment allait-il expliquer ça en rentrant à la maison demain ? Il sentait la douleur tordre et déformer la peau autour de son nez et à l'intérieur. Mais il voyait l'ascenseur. Il n'était pas très loin. Il n'y avait ni chaises ni Américains dans le passage.

« Dieu du ciel, qui est-ce qui vous a fait ça ? »

Aideen lui parlait, derrière la réception.

« Ce n'est rien », dit Ben.

Il devait arriver à l'ascenseur.

« Non, ce n'est pas rien, dit Aideen. Venez par ici. Simon ! Apportez-moi un peu d'eau. »

Elle prit le bras de Ben et le guida. Il ne résista ni ne protesta. Il s'était déjà fait tabasser par une femme. Elle lui fit faire quelques pas et le poussa doucement dans un profond fauteuil.

« Voyons un peu, dit-elle. Bon, laissez-moi… »

Elle avait découvert le toast.

Ben ferma les yeux de toutes ses forces. Pendant une éternité brève et terrible, elle ne dit rien et il n'entendit pas un mouvement, rien du tout, sauf ses oreilles qui encaissaient. Est-ce qu'elle s'était évanouie ? Ou enfuie ? Bon sang, il était vraiment con. Puis il sentit de l'eau tiède et un linge sur son nez et tout autour de son visage. On l'enleva, on le remit, encore plus chaud. Sur son visage. Il avait l'impression que le linge lui retirait des années. Il sentait les nerfs sous sa peau se dresser pour le toucher. Il ne s'était jamais senti aussi bien.

« Ça devient vraiment épouvantable si on ne peut même plus sortir faire un tour », dit-elle.

Les larmes se pressaient derrière ses paupières. Il les laissa couler. Il sentit le linge les éponger. Il était maintenant sur ses yeux. Il les ouvrit. Un torchon bleu et blanc. Il était doux et frais maintenant. Et tellement apaisant. Il avait envie de le tenir. De l'emmener dans son lit. On l'écarta de ses yeux et Ben vit Aideen le regarder. Aideen et une vingtaine de personnes.

Il ferma de nouveau les yeux. Et grogna.

« Mon pauvre. »

Il l'entendit rincer le linge. Et il le sentit de nouveau, plus vite cette fois, passer sur son visage, tourner, en rond. Il adorait ça et oublia les gens qui le regardaient. Complètement. Qu'ils aillent se faire foutre. Si seulement ça pouvait ne pas s'arrêter. Il le savait : c'était ce qu'il vivrait de plus érotique ce soir-là. Il s'en voulait de penser à ça, il avait envie de se pendre mais il adorait ça, il savourait chaque seconde qui restait. Il enfonça son visage dans le linge. Ses yeux lui semblaient clairs et frais ; son nez n'était plus bouché. Il avait retrouvé l'odorat. Le linge lui couvrait le visage. Il y appuya son visage. Il sentait le Jif.

Aideen enleva le linge quand il se mit à tousser comme un dératé.

« Ça va mieux, maintenant, dit-elle.

– Je suis sûr qu'ils vous ont pris pour un touriste », dit une voix américaine derrière elle.

Le portier ouvrit la porte de la chambre de Ben. Ben lui avait dit que ce n'était pas la peine, qu'il allait bien, qu'il pouvait se débrouiller, mais le portier avait insisté. Simon. Aideen, en bas, l'avait appelé comme ça. Un vieux bonhomme tout ridé. Il n'avait pas dit un mot dans l'ascenseur. Et voilà qu'il était entré dans la chambre de Ben. Devant Ben. Il attendait sans doute un pourboire, mais il n'obtiendrait rien de Ben.

Simon montra quelque chose sur le lit. C'était un plateau avec des sandwiches et une théière. Deux petites épées bleues étaient enfoncées profondément dans les sandwiches et les maintenaient en ligne droite et pointue sur l'assiette.

« Est-ce que vous avez commandé ce repas ? demanda Simon.

– Non, dit Ben.

– Eh bien, quelqu'un l'a commandé.

– Ce n'est pas moi. »

Simon prit le plateau sur le lit. Ben mourait de faim.

« Vous pouvez le laisser, si vous voulez, dit-il.

– Je croyais que vous aviez dit que ce n'était pas vous, dit Simon.

– C'est vrai, dit Ben.

– Alors, dit Simon, quelqu'un d'autre doit l'attendre. »

Il se dirigea vers la porte.

« À quoi sont-ils ? demanda Ben.

– Au poulet », dit Simon.

Et il sortit. Ben s'assit sur le lit. Bon sang, il avait le ventre vide, complètement creux, il n'avait pas mangé depuis une éternité. Et son visage était de nouveau endolori, ça lui faisait un mal de chien. La peau autour du nez le picotait ; c'était sans doute le Jif qui lui mangeait le visage. Il leva la main pour toucher son nez.

Il tenait toujours le toast. Une fraction de seconde avant de le lancer contre le mur et de se lever, Ben était sur le point de le manger.

Il se leva.

Il ne pouvait pas rester ici, dans la même pièce que la télé et le toast. Pas question. Il devait sortir. Il ne voulait même pas se regarder dans la glace. Il boutonna sa veste. Les taches n'étaient pas aussi spectaculaires que celles de sa chemise.

Dehors.

Il devait d'abord se laver les mains.

Non, il ne le ferait même pas. Il savait que, s'il entrait dans la salle de bains, il finirait par épier les bruits que faisaient les femmes de la chambre voisine. Il se retrouverait de nouveau debout dans la baignoire, l'oreille collée au mur. Il soulèverait les lattes du plancher, chercherait le minibar.

Dehors.

Il n'avait pas encore dit son dernier mot.

« Ça commence par un B, dit-elle. J'en suis presque sûre. »

La femme en robe noire essayait de se rappeler son nom.

Quand il descendit au bar, la fête dans le coin avait explosé et seuls quelques corps endormis ou soûls gisaient épars. Parmi lesquels la femme en noir qui avait sauté par-dessus le tabouret renversé plus tôt dans la soirée.

« Deirdre, dit-elle.

– Ça commence par un D, dit Ben.

– Deirdre, j'en suis sûre, dit-elle. Je crois. »

C'était – ça avait été – une fête d'employés municipaux des bureaux sur les quais. Il l'avait appris grâce à un serveur du bar de l'hôtel qui n'était pas là au début de la soirée. L'un d'eux prenait sa retraite ou partait. Il était peut-être mort, s'il s'agissait du type allongé sous la chaise là-bas.

Ben avait fait quelque chose qu'il ne se serait jamais cru

capable de faire. Il était allé droit vers la femme en noir et s'était assis à côté d'elle. Tout simplement. Il ne s'était même pas donné la peine d'aller d'abord chercher à boire. Il n'en avait pas eu besoin. Il était simplement allé droit vers elle. C'était peut-être à cause de l'impression d'avoir frôlé la mort dehors ; ça lui avait donné un courage qu'il n'avait jamais eu ou qu'il n'avait jamais soupçonné, ou encore une vision différente de la vie, il ne savait pas. Il y avait quelque chose, en tout cas. Il s'était simplement assis à côté d'elle et lui avait dit bonjour.

Elle était complètement beurrée. Il s'en rendait compte à la façon dont sa tête oscillait ; ses paupières allaient sombrer dans le sommeil quelques secondes avant le reste de son corps. Le petit ange au fond de lui-même lui disait qu'il profitait de la situation, mais il lui répondit d'aller se faire foutre. Ce qu'il fit. Tout simplement.

Le nouveau Ben.

Il allait lui dire son nom – pas de blague, là non plus ; il allait lui dire son vrai nom – mais elle parla la première.

« Je vais vous dire », dit-elle.

Elle se pencha et tomba presque sur son épaule. Il sentit son épaule hurler, prête à l'accueillir.

« Vous allez là-bas, dit-elle en montrant vaguement le reste du monde. Vous allez là-bas et vous attendez quelques minutes. Disons, cinq. Puis vous criez Deirdre et, si je lève la tête, alors on sera sûrs que c'est mon nom.

– D'accord », dit Ben.

Il s'était levé de son siège avant que son flic intime ne le tire en arrière.

« Et si vous ne levez pas la tête ? demanda-t-il.

– Vous restez là-bas », dit-elle.

L'ancien Ben.

« D'accord, dit-il. Y'a pas de mal.

– Non, dit-elle. C'est juste que je préfère les hommes avec leur sang dedans. »

Quand il quitta le bar, deux policiers entrèrent et un autre se posta près des portes à tambour. L'un d'eux, un jeune type dont le cou et le menton servaient de champ de bataille à une armée de boutons, regarda la chemise et la veste de Ben, puis son visage. Il regarda l'autre, le sergent, pour voir s'il avait remarqué Ben. Mais le sergent était déjà entré dans le bar, derrière un homme en costume à l'air suffisamment soucieux pour être le directeur. Le directeur leva les bras et les baissa comme s'il tenait quelque chose. Il faisait signe aux barmans de fermer le bar ; Ben connaissait le signal. Le flic boutonneux suivit son sergent et Ben s'enfuit. Il se dirigea vers le salon. Il regarda sa montre. Un cadeau de Fran pour son anniversaire l'an dernier. (« Elle a de vraies aiguilles, regarde. Pas question de ces cochonneries digitales pour mon homme. ») Minuit était passé depuis longtemps. Ce serait bientôt l'heure du petit déjeuner.

Enfin.

Il avait devant lui une bière dont la mousse se stabilisait. Une bonne bière. Il la boirait lentement, puis il monterait et essaierait de dormir. La soirée avait été un désastre. Cette pinte, maintenant, pendant qu'il écoutait les Amerloques bavarder au salon, était le summum. Un désastre complet et absolu. Du début à la fin.

Un des Américains lui parla.

« Ils étaient combien à vous tomber dessus, fiston ?

– Je ne sais pas trop, dit Ben. Trois ou quatre.

– Ça alors. Des types courageux, on peut le dire.

– Et en plus ils ont déchiré votre veste. Quelle honte. »

Ben n'avait pas remarqué ça, il ne prit pas la peine de regarder. Il goûta la bière. Délicieuse. Il la sentait déjà s'attaquer à la douleur derrière ses yeux. Il était installé très confortablement. Pour la première fois depuis des jours, des mois, il n'était ni nerveux, ni triste, ni pressé de se lever. Il rentrerait à la maison demain. D'ici là, il aurait trouvé une excuse à servir à Fran pour son nez et ses yeux au beurre noir. Il téléphonerait à son frère et lui raconterait une autre histoire, une version différente qui recouperait celle qu'il aurait inventée pour Fran.

Un putain de désastre complet et absolu. Mais il était le seul à le savoir. Il se connaissait : il s'en remettrait. Il attendait déjà avec impatience le jeudi suivant, les bières avec les copains, les blagues. Et il oublierait cette soirée.

Les Amerloques l'étonnaient. Ils étaient encore debout et bavardaient, certains buvaient un verre. Ils parlaient du temps, de la pluie et se résignaient tranquillement ; ils ne voulaient sans doute pas heurter la sensibilité irlandaise.

« Et les gouttes. Grosses comme des souris.

– Et comment. »

Ben écoutait. Il avait envie d'entendre quelque chose de bien, quelque chose de vraiment drôle. Quelque chose qu'il pourrait rapporter à la maison, raconter à Fran. Et aux copains, le jeudi suivant.

Ils formaient un groupe aimable et gentil. Et à l'évidence, ils étaient contents de leurs vacances et même de la pluie. De toute façon, Ben ne se souvenait pas qu'il avait tant plu ces derniers jours. Il écouta ce que disait le groupe à la table voisine.

« Je crois que je dois avoir des cousins là-bas.

– Oui, mais Cork est une grande ville. D'après la carte.

– Oui. C'est ce qu'a dit la dame à la bibliothèque. Et Barry est un des noms les plus courants. Elle l'a dit aussi. »

L'une des femmes tapota la main de celui qui avait parlé.

« Pauvre Bill », dit-elle.

Le pauvre Bill. Un homme grand et mince. Ben n'avait jamais vu autant de rides sur un visage, sauf sur celui de la femme à côté de lui qui lui avait tapoté la main. Le pauvre Bill. Ben était navré pour lui. Un homme de son âge qui cherchait ses racines.

Il pouvait prendre une partie de celles de Ben. Toutes même, tout le putain d'arbre généalogique. Et Ben pourrait s'en aller. Libre.

Mais non. Il ne saurait pas quoi faire de la liberté. Il se connaissait. Il ne saurait pas s'en servir. Il n'en avait rien tiré, sauf un nez en sang et un mal de tête qui se dissipait, qui l'abandonnait. Avec l'histoire d'une soirée désastreuse en ville dont il ne pouvait rien faire, qu'il ne pourrait jamais raconter à personne.

« Ce serait plus facile si la famille avait eu un bout de terre, c'est ce qu'a dit la dame. Il y aurait des archives. Des cartes, expliquait Bill aux autres.

– Voilà à quoi ça sert d'être un paysan.

– J'imagine.

– Excusez-moi. »

C'était Ben.

« Excusez-moi de vous interrompre.

– Non, je vous en prie », dit la femme qui était gentille avec Bill. Sa femme sans doute.

« Je n'ai pas pu m'empêcher d'entendre ce que vous disiez », dit Ben. Il s'écoutait parler en se promettant, tout de suite, de le raconter plus tard. « Au sujet de vos racines.

– Ou de leur absence, dit Bill.

– Oui, dit Ben. Exactement. Mais je voulais moi-même vous demander un petit conseil. »

Ben les vit tous se redresser, tous sans exception, les trois tablées. Tous mouraient d'envie de l'aider. Il ne savait absolument pas d'où lui venait cette idée et n'en avait pas même vraiment conscience en interrompant leur conversation.

« Vous voyez, dit-il. Je me demande si je ne vais pas traverser l'océan pour rechercher mes racines, moi aussi. »

Il s'entendait déjà rire en racontant tout ça à Fran le lendemain matin.

« Vous comprenez. Mes ancêtres ont émigré ici, leur expliqua Ben. Ils venaient d'Amérique. »

Une voix parla pour eux tous.

« Ça, par exemple.

– Oui, dit Ben. C'est vraiment rigolo. Ils sont arrivés en 1847.

– Non !

– Si. Je vous le jure. En pleine Famine.

– Vous avez entendu ça, les gars ?

– Nous avons entendu. Ils auraient pu mieux choisir leur moment, hein. »

Ben regarda leurs yeux dans leurs visages bienveillants et inquiets. Pas un ne doutait de ce qu'il avait raconté. Il était ravi. Et c'était inoffensif. Il mettait du piment dans leur soirée, ainsi que dans la sienne. Et vous ne croirez jamais ce qui nous est arrivé à Dublin. Ben avait l'impression de les entendre.

« Ils n'ont eu aucun problème pour trouver une maison, leur dit-il. Ma grand-mère me l'a raconté. Sur ses genoux. Dans l'Ouest, la moitié des maisons étaient déjà vides.

– Hé. Ça, c'est intéressant.

– Je n'avais jamais vu les choses comme ça auparavant. Le malheur des uns.

– Fait le bonheur des autres.

– C'est fascinant.

– Comment vous appelez-vous, monsieur ?

– Ben Winters, dit Ben.

– Winters. »

Ils se firent passer le nom, comme un bébé qu'on fait passer d'un giron à l'autre.

« De Chicago, dit Ben. Ma grand-mère se souvenait que les vieux parlaient de Chicago.

– Hé, Al est de Chicago.

– Il est couché.
– Allons le chercher. Il ne faut pas qu'il rate ça.
– Je ne veux surtout pas vous déranger », dit Ben.

Il prit sa bière pendant que les Américains choisissaient une délégation pour monter tirer Al de son plumard. Ils s'amusaient bien. Ben aussi. Il frétillait de bonheur. Il avait hâte de tout raconter à Fran. Et à son père. Il voyait déjà son père se tordre de rire et ça ne le faisait pas souffrir. Il allait bien. Il était pressé. Maintenant, il avait une histoire à raconter, une bonne, et il en était le personnage central, l'inventeur. Il avait hâte de rentrer à la maison.

Pieux mensonges

Rose resta un instant devant la porte du Finbar's Hotel et regarda le taxi s'éloigner.

Sale requin...

On l'avait prévenue.

« Ne prends pas de taxi à l'aéroport si tu tiens à ton argent. »

Ivy le lui avait dit. Ivy avait toujours raison.

Comme d'habitude, elle ne pouvait s'en prendre qu'à elle-même.

Je ne le dirai pas à Ivy, pensa-t-elle.

J'ai pris le bus jusqu'à Bus Aras. Et de là un taxi. Voilà ce que je dirai, s'il le faut.

Les pieux mensonges ne font de mal à personne. C'est du moins ce que lui disait toujours sa mère. Le problème était de trouver la différence entre un pieux mensonge et un vrai mensonge. Rose considérait qu'elle avait jusqu'ici réussi à naviguer dans la vie grâce à une suite de manipulations en demi-teinte de la vérité.

L'odeur habituelle montait de la rivière, humide et familière sous les réverbères.

Ce n'était pas le quartier de la ville qu'elle préférait.

Elle avait de très mauvais souvenirs de Kingsbridge Station, comme sa mère avait toujours insisté pour l'appeler : la fin des vacances, l'uniforme de l'école, le visage courageux, la grosse valise en cuir dans la camionnette du gardien.

L'argent changeait de mains à Galway. « Ayez l'œil sur la petite pour moi. » Un hochement de tête, un clin d'œil, un sourire rassurant et la pièce changeait de main.

Quelle humiliation.

Une demi-couronne !

Elle avait toujours voulu coincer sa mère là-dessus.

« Je ne vaux pas plus d'une demi-couronne ? » avait-elle voulu dire, mais elle n'avait jamais osé.

Sa mère s'en sortait toujours mieux qu'elle dans ce genre de conversations.

Tout comme Ivy.

Rose soupira et poussa la porte à tambour.

La porte émit un soupir et la fit passer du froid à la chaleur de la réception.

Mon Dieu, je déteste ce genre d'endroit. Je parie que les fidèles du parti continuent à se réunir ici. Et se rendent mutuellement des petits services.

Lumière vive et fleurs en plastique. Des fleurs en plastique arrangées avec goût. Presque pire que la vulgarité ostentatoire.

Au nom du ciel, pourquoi Ivy avait-elle choisi ce gourbi ?

Pour que je reste à ma place.

Voilà pourquoi.

Ça ne peut pas être par manque de fric. Ivy et Joe roulent sur l'or.

Rouououlent !

De très, très grosses usines près de Tuam.

Le meilleur parti de l'année, avait dit tout le monde.

Ce devait être une mauvaise année !

C'était encore l'époque où les mariages mixtes faisaient froncer les sourcils. Et pour la fille d'un doyen de la campagne, le choix était strictement limité.

Peut-être, pensa-t-elle, ai-je été sauvée d'un sort pire que… pire que quoi ?

« Puis-je vous aider ? »

Les yeux de la jeune femme à la réception étaient un peu cernés par la fatigue.

Une dure journée enchaînée à l'ordinateur… ou peut-être simplement à sourire aux gens.

« Oui. Merci. Une chambre a été réservée pour deux personnes. Au nom de FitzGibbon ou de Gately. »

La jeune femme tapa sur quelques touches et regarda l'écran. Le reflet des mots papillota dans ses yeux.

« Chambre 102, premier étage. Mrs Gately est déjà arrivée. Elle a pris la clé il y a environ vingt minutes.

– Merci.

– Mrs Gately a dit que vous paieriez par carte de crédit… alors… »

Sacrée Ivy, pensa Rose en posant son sac sur le comptoir pour fouiller dedans.

« … si ça ne vous gêne pas… »

Rose sortit un portefeuille en cuir bourré de cartes plastifiées. Elle en choisit une qu'elle posa sur le comptoir.

Autant pour les très, très grosses usines près de Tuam. Joe était peut-être radin. Ce n'était pas impossible.

« … Merci, madame. Une seule nuit, c'est bien cela ? »

Certainement.

« Oui. Vous avez l'air occupée. »

La jeune femme lui sourit.

« Des Américains. » Elle forma les mots du bout des lèvres plus qu'elle ne les prononça et roula les yeux. « Prendrez-vous le petit déjeuner dans votre chambre, Mrs… euh… ?

– FitzGibbon. G majuscule, deux b. Et c'est mademoiselle. Non, non, merci. Nous descendrons sans doute. Ma sœur doit prendre le train. Je crois qu'il sera plus commode de prendre le petit déjeuner en bas. »

La jeune femme rendit à Rose sa carte de crédit.

« Téléphonez-nous si vous changez d'avis. J'espère que vous serez satisfaite. L'ascenseur est juste en face, dans le hall. Premier étage, à gauche en sortant de l'ascenseur. »

Sur le bureau, le téléphone se mit à sonner et la jeune femme décrocha.

« La réception. Puis-je vous être utile ? »

Elle fit un signe de la main à Rose.

« Chambre 102 », chuchota-t-elle.

Des fougères disposées dans un seau en cuivre accueillirent Rose quand elle sortit de l'ascenseur.

Elle s'en approcha et toucha une feuille.

C'étaient des vraies.

« Bon, et alors ? » Elle murmura ces mots d'une voix audible en empruntant le couloir sur la gauche.

Elle s'arrêta devant la porte de la chambre 102.

Je pourrais rentrer chez moi. Prendre un taxi jusqu'à l'aéroport. Dernier vol pour Londres.

Je pourrais aller au Shelburne, bien dîner, boire quelques verres et prendre un avion le matin.

Elle ne saurait jamais que je suis là à essayer de me décider.

Non, pas à me décider.

Oh, et merde. Oh, Ivy ! Bon Dieu, qu'est-ce que je fais ici ?

La porte s'ouvrit brusquement; Ivy, debout, la regardait.

« J'ai entendu l'ascenseur. » Ce fut tout ce qu'elle dit et elle s'écarta pour laisser Rose entrer dans la pièce.

« Oh, Ivy… oh, mince… bonjour. » Rose passa devant sa sœur et lança son sac de voyage par terre. « Tu m'as fait peur. »

Elle se retourna pour embrasser sa sœur.

Ivy, debout sans bouger, le dos contre la porte, regardait Rose de haut en bas. Lentement, elle s'approcha d'elle et posa sa joue lisse contre la joue lisse de Rose.

Elle sentait l'eau de lavande.

« Je suis ravie de te voir, ma chérie. Tu as l'air fatiguée.

– Moi aussi, je suis ravie de te voir. Oui, je suis fatiguée. Je prendrais bien un verre. »

Ivy secoua la tête. Sur l'écran de la télévision, une femme aux cheveux volumineux secoua aussi la tête. Elle présentait les informations sans le son.

« Il n'y a pas de minibar, dit Ivy. J'ai fouillé toute la pièce.

– Dans la salle de bains ? demanda Rose.

– Ne sois pas idiote.

– Quel gourbi. Il va falloir descendre au bar. Je ne vais pas pouvoir tenir encore très longtemps sans un verre.

– Pas au bar, dit Ivy. Apparemment il y a une sorte de fête au bar.

– On peut aussi sortir et aller dans un endroit à moitié civilisé. On peut prendre un taxi et aller à des kilomètres.

– Il n'est pas mal, cet hôtel. Il y fait chaud, c'est confortable, propre. Qu'est-ce que tu veux de plus ? »

Rose enleva son manteau et le jeta sur le lit.

« Un verre, mais aussi un peu plus de style. Enfin, c'est toi le chef. » Elle décrocha le téléphone. « Qu'est-ce que tu prends ?

– Qu'est-ce que tu prends, toi ?

– Un cognac avec du ginger ale. Un grand. »

Ivy réfléchit un moment en se passant le doigt sous l'œil droit, comme si elle y cherchait un message codé.

Elle hocha la tête.

« Très bien », dit-elle.

Rose composa le numéro du service des chambres.

« Comment va Joe ?

– Ça va. Boulot, boulot, boulot. Tu sais comment il est. »

Rose secoua légèrement la tête et fronça les sourcils en regardant le téléphone.

« Et les gosses ?

– Ça va. Tout va bien, Dieu merci.

– Nous allons tous bien, dit Rose au téléphone avec la voix de Grace Kelly. Sauf le service des chambres.

– Sois un peu patiente.

– Ils sont peut-être tous morts, au service des chambres. Les cadavres entassés par terre. »

Elle coupa la tonalité du doigt et composa le numéro de la réception.

« Donne-leur le temps », dit Ivy, trop tard.

Une voix grogna.

« Oui, dit Rose. Je suis désolée de vous déranger. Je n'ai pas réussi à obtenir le service des chambres... Oui. D'accord. C'est d'accord. Pourriez-vous... ? Oh, merci... Deux cognac avec du ginger ale... Des grands, s'il vous plaît. Avec de la glace. Oui, deux grands. Chambre 102. FitzGibbon. G majuscule. Désolée de vous avoir dérangée. »

Elle raccrocha.

« Mon Dieu ! »

Avant qu'elle n'ait pu dire autre chose, Ivy parla.

« Ce n'est pas assez bien pour toi. Pas la peine de dire le contraire, Rose. Ça se voit sur ton visage. Eh bien, pour moi, c'est très bien. » Elle marmonna quelque chose dans sa barbe que Rose n'entendit pas très bien, mais qui ressemblait à « paradis ».

Rose ôta ses chaussures d'un geste brusque et traversa la chambre vers sa sœur. Elle lui effleura l'épaule.

« Je suis désolée. Prendre l'avion me rend toujours grincheuse. J'ai une trouille d'enfer là-haut et je suis grincheuse à l'atterrissage. Assieds-toi, pour l'amour de Dieu, ma chérie. Détends-toi. On dirait que tu vas t'enfuir. »

Elle rit un peu pour elle-même ; après tout, c'était elle qui avait pensé à prendre ses jambes à son cou.

Elle écarta le rideau et regarda l'obscurité couleur safran. Sur le pont, les voitures avançaient lentement et, en dessous, la rivière, enfoncée profondément entre ses murs, coulait lentement, elle aussi.

Aucune splendeur ici, se dit-elle.

« Tu as dit paradis ? »

Elle tira les rideaux pour les fermer et lissa le tissu brillant.

« Oh, mère-grand, comme tu as de grandes oreilles.

– Voilà qui ressemble davantage à Ivy. »

Ivy était assise toute droite dans un fauteuil à haut dossier. Les paroles de Rose la firent sourire faiblement.

Elle ne vieillit pas bien, pensa Rose. Pas bien du tout. Elle aura quarante et un ans en mai et elle ressemble... enfin... elle ressemble à la fille d'âge mûr d'un pasteur. Celle des livres de contes... la vieille fille de la paroisse... Allons, je suis méchante, elle ressemble à quelqu'un qui n'a plus le moindre rêve. Un état à éviter de toute son âme.

Ivy lui parlait.

« ...Ça fait simplement du bien d'avoir un peu de répit... Non pas... simplement quelques heures pour soi...

– Pour la prochaine fois, je propose le Shelburne. Surtout si c'est moi qui paie. »

Ivy rougit.

« Rose... je...

– Ne t'en fais pas. Je n'aurais pas dû dire ça. C'est une mauvaise blague.

– On nous a appris à être économes... »

Rose se mit à rire.

« C'est une des choses que j'ai apprises et dont je suis heureuse de m'être débarrassée en quittant la maison, en même temps que la chasteté et la piété. Le problème avec l'économie, c'est qu'on peut aussi l'appeler avarice. »

On frappa à la porte.

« Oui. Entrez », lança Rose.

La porte s'ouvrit et un vieil homme entra en portant un plateau.

« Je suis navré qu'il y ait eu un problème avec le service des chambres. »

Il traversa la pièce et posa le plateau sur une table près de la fenêtre.

« C'est la pagaille, ce soir. » Il avait la voix un peu sifflante. « Il y a une grande fête en bas. Vous l'avez peut-être remarquée en arrivant. Ça peut durer cent sept ans, et un bus rempli d'Amerloques est arrivé ce matin.

– Merci, dit Rose. Je suis désolée de vous avoir dérangé.

– Y'a pas de mal, mesdames. Ça fait partie du travail. » Il se dirigea vers la porte, s'arrêta et regarda Rose de haut en bas. La fragilité du vieil homme la troublait. Elle espérait qu'il parviendrait à sortir de la chambre avant de tomber par terre. Elle se dit que sa chute ne ferait aucun bruit.

« Le restaurant est ouvert pour le dîner, mais on peut aussi vous monter des sandwiches si vous préférez. N'hésitez pas à demander tout ce que vous voulez. Composez le cinq cent cinq. » Il répéta ce chiffre en se dirigeant vers la porte. « Cinq cent cinq. Demandez Simon. »

Il s'inclina poliment et les laissa seules avec leurs boissons. Rose tendit un verre à Ivy et dévissa la capsule de la bouteille de ginger ale.

« Tu me dis stop ? »

Elle tenait la bouteille au-dessus du verre d'Ivy.

« Jusqu'en haut. »

La main d'Ivy tremblait en tendant le verre.

Rose mit quelques glaçons dans son verre, puis une rapide giclée de ginger ale.

« Pas la peine de le noyer. »

Elle s'assit en face de sa sœur et leva son verre.

« À la tienne ! »

Ivy hocha la tête.

Les deux femmes burent en silence. Rose gardait le liquide dans la bouche un moment pour faire durer le plaisir.

Ivy buvait comme une petite fille, deux gorgées gloutonnes, les yeux bien fermés.

« Ivy. »

Ivy ouvrit les yeux et regarda sa sœur.

Rose se dit qu'elle avait l'air un peu surprise de la voir.

« Qu'est-ce qui se passe ? De quoi s'agit-il ? Pourquoi sommes-nous en train de boire du cognac, assises dans ce gourbi ?

– Je me disais simplement que ce serait agréable…

– Pas besoin d'être économe avec la vérité. C'est à cause de maman ? Est-ce qu'il est arrivé quelque chose à maman ? »

Rose fut surprise d'entendre la note d'inquiétude dans sa voix. De l'inquiétude pour sa mère, c'était l'une des dernières choses qu'elle s'attendait à ressentir un jour. Et pourtant, il y en avait une trace dans un coin de sa tête.

Ivy secouait la tête. Comme si les deux gorgées de cognac avaient relâché les muscles de son cou.

« Maman va bien. » Elle se tut. « Oui. Je veux dire en ce moment, elle va bien. Un jour ou l'autre, pourtant… il faudra… enfin, prendre des décisions. Tu vois ce que je veux dire. »

Elle prit une autre gorgée.

J'aurais dû commander une bouteille, pensa Rose.

« Je déteste la savoir toute seule dans cette maison. Tu sais, il se passe des choses horribles. Horribles et violentes. Les gens âgés qui vivent seuls sont très vulnérables. Je me disais simplement que je devais te prévenir pour...

– Est-ce qu'elle est inquiète ? »

Ivy secoua la tête.

« Pas le moins du monde. Tu la connais.

– Elle ferait perdre contenance au diable en personne.

– Ce n'est pas tout à fait pareil que de chasser des jeunes voleurs acharnés et prêts à n'importe quelle violence.

– Tu exagères.

– Est-ce que tu m'as déjà entendue exagérer ? »

Rose gloussa.

« Jamais, ma chérie. Si maman n'a pas de problème, je crois que tu ne dois pas en fabriquer. Laisse-la tranquille.

– Est-ce que tu veux bien descendre là-bas avec moi et aller la voir ? Te rendre compte par toi-même ? Tu n'as jamais vu la maison qu'elle a achetée après... C'est tellement isolé... après que papa...

– Je n'irai pas, Ivy. Mets-toi bien ça dans la tête.

– Ah, Rose, pour l'amour du ciel. C'est notre mère. Tu ne l'as pas vue depuis une éternité. »

Rose se mit à rire.

« Elle ne t'en serait pas reconnaissante si je passais la porte de chez elle. Elle préférerait encore se trouver face à un adolescent cinglé armé d'un marteau. »

Ivy avala la dernière gorgée et fixa son verre vide.

« Tu n'es vraiment pas chic.

– Peu importe, c'est non. En tout cas, tu en es venue au fait en moins de deux. »

Ivy posa le verre sur la table.

« Non seulement tu n'es pas chic avec maman, mais tu n'es pas chic avec moi. Pourquoi est-ce que je dois prendre la responsabilité de ce qui lui arrive ? J'ai assez... » Sa voix s'estompa. « Excuse-moi », dit-elle après un long silence.

Elle ramassa son sac par terre et se mit à fouiller dedans. Elle changea d'avis et ferma le sac d'un coup sec. Elle se leva.

« J'ai juste... » Elle fit un geste en direction de la salle de bains. « J'ai juste besoin... tu comprends... les toilettes. »

Ivy traversa la pièce en tenant fermement son sac sous son bras. Elle ferma la porte de la salle de bains et Rose l'entendit actionner le verrou.

Elle entendit le bourdonnement de la musique dans la chambre voisine.

Elle pensa à sa mère toute seule, qui fermait les portes pour se protéger des maraudeurs... une pensée sinistre, mais pas invraisemblable.

La dernière fois qu'elle l'avait vue, c'était à l'enterrement de son père.

« Je suis la résurrection et la vie », avait dit l'évêque en tendant les mains vers l'assemblée des fidèles, « et celui qui vit et croit en moi ne mourra jamais. »

Rose avait pleuré.

Elle avait pleuré parce qu'elle ne croyait pas à ces paroles.

Elle avait pleuré pour son père, qui y avait cru et qui était maintenant, de fait, mort.

Elle avait pleuré pour sa mère qui avait détourné la tête quand Rose s'était penchée pour l'embrasser au moment où elle sortait du taxi venant de Galway.

Elle avait détourné la tête.

Rose se demandait si son père avait vu ce geste, de là, où que ce fût, où il planait.

Elle espérait que non.

Elle but une autre gorgée qu'elle fit gargouiller dans sa bouche comme pour se rincer les dents, et la laissa descendre lentement dans sa gorge.

Maman était restée calme, apparemment, tout au long du service et même à côté de la tombe.

L'homme né de la femme ne passe sur terre qu'un bref moment et il connaît la souffrance... Il grandit puis il est cueilli comme une fleur...

Maman avait suivi le cortège funèbre, les yeux secs, en prononçant les phrases qu'il fallait. Bien dressée.

Rose était restée près de la tombe avec dans les bras la grande couronne de fleurs apportée par quelqu'un d'autre ; elle avait coupé les têtes des fleurs et les avait laissées tomber l'une après l'autre dans la tombe ouverte, tandis que les hommes armés de pelles attendaient sur le côté en la regardant et en pensant sans doute à leurs heures supplémentaires.

Le romarin, pour le souvenir et les pensées...

Ivy était arrivée, avait passé un bras autour de ses épaules et l'avait emmenée.

Je voulais t'offrir des violettes, mais elles se sont toutes fanées quand mon père est mort.

Ivy n'était pas si terrible.

Elle avait ses bons moments.

Pas nombreux, mais quelques-uns.

La porte de la salle de bains s'ouvrit avec un bruit sec et Ivy rentra dans la chambre.

Elle s'était peignée et s'était arrangé le visage.

Elle semblait plus calme.

Elle lança son sac sur le lit.

« Tu t'es fait ton shoot ? » Les mots sortirent de la bouche de Rose sans qu'elle le veuille.

Ivy la regarda, choquée.

« Rose...

– Je suis désolée. Un sale...

– Je suis assez nerveuse ces temps-ci. Le médecin... seulement des calmants légers. C'est tout. Rien... tu comprends... rien.

– Jette-les, dit Rose.
– Je n'ai pas besoin de tes conseils. J'ai un très bon médecin.
– Pfft.
– Qu'est-ce que tu veux dire par pfft ?
– Tu le sais parfaitement. Je croyais que tu avais plus de bon sens, Ivy. Je croyais que, dans la famille, j'étais celle sur laquelle on ne pouvait pas compter. Pauvre Rose, ne le dites pas trop fort, on ne peut pas compter sur elle. Du poison. Ne te laisse pas duper par de bons médecins, normaux et responsables. Eux aussi, ils t'empoisonnent. Jette les pilules et les potions. Il vaut mieux souffrir.
– Merci, docteur.
– Quand tu veux. »

Rose leva les yeux sur sa sœur et se souvint combien elle l'avait enviée le jour où elle avait épousé Joe.

La cathédrale de Tuam résonnait de la musique de l'orgue et du chœur.

Louez le très Saint au ciel et dans les ténèbres, louez-le.

Une petite brise soufflait et les femmes retenaient leurs chapeaux couverts de fleurs. Les jupes voletaient et se gonflaient pendant qu'elles souriaient aux photographes dehors ; les gens dans la rue cherchaient à voir à travers les grilles la jeune mariée si belle et le meilleur parti du comté de Galway.

Un jour radieux.

Peut-être que toutes ces histoires sont vraies, avait-elle pensé alors.

Peut-être que c'est la porte du bonheur par laquelle nous devons toutes passer.

Elle sourit.

« Qu'est-ce qui te fait sourire ?
– Je pensais simplement aux affreuses robes de demoiselles d'honneur que nous avons dû porter pour ton mariage. »

Ivy les revit en esprit.

« Elles n'étaient pas si mal.
– Des robes d'enfer, dit Rose. Puce.
– Elles n'étaient pas puce.
– Nous les trouvions toutes puce. Très peu seyantes. »
Ivy se mit à rire.
« Ce jour était censé être le mien. Vous n'étiez que des extra.
– Personne ne nous l'a expliqué à l'époque. »
Rose se leva et s'approcha de sa sœur. Elle prit la main d'Ivy et la tint un moment contre sa joue.
« Allons », dit-elle.
Elles se regardèrent.
Au bout d'un moment, Ivy battit des paupières et détourna les yeux.
« Je crois qu'il nous faut un autre verre.
– Bonne idée, dit Rose. Descendons au bar chercher quelques sandwiches et une bouteille de vin, nous les remonterons. Épargnons à ce pauvre vieux la peine de monter et descendre.
– Je… »
Rose interrompit sa sœur. « Il faut que je m'assure que la vie existe en dehors de cette chambre. On pourrait être dans une capsule en route pour Mars.
– Qu'est-ce que tu dis comme bêtises!
– Je l'ai toujours fait. Viens. Un bon sprint dans l'escalier. Vivons dangereusement. »
Rose traversa la pièce comme une flèche et ouvrit la porte avec un grand geste du bras.
Elle s'inclina.
« Après vous, Cecil », lança-t-elle à sa sœur.
Ivy se mit à rire.
« Personne ne m'a dit ça depuis des années. Non, après vous, Claud. »
Elles sortirent dans le couloir et laissèrent la porte claquer derrière elles.

Entre elles et l'ascenseur, un homme se relevait.

Il avait l'air de s'être étalé sur un plateau.

Ou bien il… Un fou rire terrible monta dans la gorge de Rose.

L'homme tapota le sol de son pied.

« Attention », marmonna-t-il au moment où elles s'approchaient.

Rose mit la main devant sa bouche et passa en hâte.

Derrière, elle entendit Ivy dire quelque chose à l'homme.

Elle posa le doigt sur le bouton de l'ascenseur et au même moment elle éclata de rire.

Ivy arriva derrière elle.

« Qu'est-ce… »

Rose secoua la tête, incapable de parler.

« Le pauvre con…

– Oh, chut, Rosie. Il va t'entendre. »

L'ascenseur vrombit.

« Tu… tu as vu ce qu'il faisait ? »

Les portes de l'ascenseur s'ouvrirent avec un sifflement d'asthmatique.

Les deux femmes entrèrent et les portes sifflèrent de nouveau.

Adieu monde cruel, pensa Rose, et elle pouffa de rire de nouveau.

« Il a trébuché, dit Ivy.

– Il était en train de faucher de la confiture sur le plateau. Pris en flagrant délit par Claud et Cecil. Un infâme voleur de confiture. Ça, ça n'arriverait jamais au Shelburne. »

Une secousse légère et les portes sifflèrent.

Un bourdonnement de voix et des rires leur parvinrent du bar et elles perçurent la pulsation lointaine de la musique quelque part.

« Est-ce que tu as vraiment déjà dormi dans ce gourbi ? »

Ivy secoua la tête.

« Joe y vient de temps en temps, quand il doit passer la nuit en ville. C'est très pratique. Il y a un monde fou au bar. Je... »

Rose se dirigea vers la réception.

La réceptionniste avait coincé le combiné du téléphone sous son menton.

Elle leva les sourcils et sourit à Rose.

« Où se trouve le salon, s'il vous plaît ? »

La jeune femme hocha la tête et indiqua le couloir derrière elles.

« Merci. »

La jeune femme hocha de nouveau la tête. Elle ne semblait pas intéressée, mais pourquoi l'aurait-elle été ? Qu'est-ce qu'il pouvait bien y avoir d'intéressant ?

Le salon était sombre et il y planait une légère odeur de cigarette et de bière ; l'air n'avait sans doute pas été troublé depuis trente ans, pensa-t-elle. Ou, plus probablement, beaucoup, beaucoup plus longtemps.

Un homme de grande taille, derrière le bar, remplissait à ras bord un verre de Guinness. Il lui fit un signe de tête.

« Mesdames ?

– Pouvons-nous avoir deux grands cognacs avec de la ginger ale, s'il vous plaît ? »

Il leur indiqua une table dans le coin.

« Je m'occupe de vous tout de suite. »

Une flaque de lumière brillait sur la surface en bois; elle provenait d'une lampe avec un abat-jour rouge. Elles s'assirent côte à côte sur une banquette basse.

Leurs genoux cognèrent contre le plateau de la table. Leurs visages étaient dans la pénombre.

De l'autre côté de la salle, d'autres tables étaient éclairées par de petites flaques de lumière dorée.

Une demi-douzaine de personnes étaient dispersées dans la pièce et le murmure des conversations était à peine audible.

« J'ai dit à maman que tu descendrais avec moi demain, dit Ivy.

– Ce n'est pas malin de ta part.

– Quand je l'ai quittée, elle aérait la chambre d'amis. »

La colère monta dans la gorge de Rose et elle serra les lèvres pour retenir ses mots. Elle imaginait ses paroles se répandant sur la table, étendues là dans la flaque de lumière; elles se frayaient un chemin en brûlant le vernis, la table et tombaient sur le sol où elles s'amoncelaient en tas de regrets autour de leurs pieds. Il y avait tant de paroles de par le monde qu'il ne fallait pas prononcer.

« Voilà, mesdames, deux grands cognacs et deux ginger. Une signature, s'il vous plaît ?

– Non. Je... » Ivy farfouillait dans son sac en parlant.

« Ça va, Ivy. C'est pour moi. »

Ivy ne discuta pas.

« C'est moi qui signe.

– Très bien. »

Il posa la fiche sur la table voisine.

Ivy dévissa la capsule de la bouteille de ginger ale et remplit de nouveau son verre à ras bord.

« Est-ce que nous pouvons aussi avoir une bouteille de vin et quelques sandwiches pour monter dans la chambre, s'il vous plaît ?

– Je vous les ferai monter.

– Je me disais que... enfin... comme vous êtes très occupés, nous pourrions peut-être...

– Ne vous en faites pas, madame. J'y veillerai en personne. Quel genre de sandwiches voulez-vous ? Nous en avons au fromage, au jambon, aux œufs, au bœuf, à la tomate, à la salade et une très bonne soupe maison, si vous avez envie d'un bol de soupe ? Champignons, poulet... Oh oui, nous avons aussi des sandwiches au poulet...

– Non merci, pas de soupe pour…

– Je veux bien une soupe, dit Ivy. Une soupe aux champignons.

– Une soupe aux champignons… » Il notait les mots dans sa tête.

« Juste des sandwiches pour moi, dit Rose. Pouvons-nous en avoir un assortiment ? Comme ça, nous n'aurons pas besoin de prendre de décisions. »

Il eut un petit sourire.

« Et le vin ? Voulez-vous la liste des vins ?

– Ce n'est pas la peine. Une bouteille de rouge maison sera très bien.

– Rouge maison. Assortiment de sandwiches et un bol de soupe aux champignons.

– Magnifique. Merci.

– C'est un plaisir, madame. »

Il s'inclina et les quitta pour se diriger vers une table de l'autre côté de la pièce où un homme lui faisait signe.

« Qu'est-ce que tu paries qu'il va oublier ? demanda Rose. Il n'avait pas l'air de se concentrer.

– Ne dis pas de bêtises.

– Pourquoi est-ce que tu noies le cognac comme ça ?

– Je déteste le goût. » Ivy avala une gorgée. « Mais ça me fait du bien.

– Bon, Ivy, à propos de maman…

– Tu viendras, hein ? Je sais qu'elle a très envie de te voir. Je sais qu'elle t'a pardonné… toutes les saloperies que tu lui a dites. Elle passera l'éponge.

– Est-ce qu'elle te l'a dit ? Passons l'éponge. » Rose était incrédule.

Ivy secoua la tête. « Elle est vieille, après tout. Si elle peut pardonner, tu le peux aussi.

– Qu'est-ce que tu crois exactement qu'elle m'a pardonné ? »

Il y eut un long silence.

Ivy examinait le verre dans sa main comme si c'était un objet rare.

« Je ne connais pas tous les détails de l'histoire.

– Alors, ne t'en mêle pas. Ne crée pas d'ennuis.

– Il va falloir prendre des décisions. Je préférerais vraiment que toutes les responsabilités ne reposent pas sur moi. Dans ces circonstances, je pense que tu devrais descendre et te rendre compte par toi-même. Lui parler.

– Laisse-la tranquille. C'est le conseil que je te donne. Si elle pense avoir besoin de ton aide, elle te le fera savoir bien assez tôt. Elle n'est pas idiote.

– Elle veut te voir.

– Elle l'a dit ?

– Enfin, pas explicitement... mais...

– Elle a aéré la chambre d'amis. »

Rose regarda sa sœur en silence.

« Je crois plutôt qu'elle a mis des tarentules entre les draps repassés de frais. »

Les larmes montèrent aux yeux d'Ivy.

Rose se pencha au-dessus de la table et lui toucha la main.

« Tu ne pleurais jamais. Je t'ai toujours admirée pour ça. »

Ivy secoua la tête et s'envoya le reste de son verre.

Avale, avale, avale. Rose regardait la bosse de son cou apparaître et disparaître au fur et à mesure que le liquide passait dans sa gorge.

« Même quand maman et moi t'accompagnions à la gare quand tu partais à l'école, tu ne pleurais jamais.

– J'aimais l'école. Mes amies me manquaient toujours pendant les vacances. Ce n'est pas que je n'étais pas heureuse à la maison, mais je... enfin... j'étais toujours très heureuse de retourner à l'école. »

Elle eut un pâle sourire en se remémorant le passé.

« J'aimais le règlement et le fait d'être avec tous ces gens. J'aimais les jeux. Avoir quelqu'un avec qui chuchoter dans l'obscurité quand la lumière était éteinte. Toute cette compagnie. Je n'étais jamais sans compagnie. Nous étions en fait comme deux enfants uniques, tu ne crois pas ? Nous ne partagions aucune pensée, nous ne jouions à aucun jeu ensemble. Sept ans, c'est un tel fossé quand on est enfant. Ça ne veut plus rien dire maintenant. Mais à l'époque... c'était toute une vie. Tu ne trouvais pas ? »

Rose approuva.

« Pour en revenir à maman...

– J'ai pensé qu'on pourrait se débrouiller pour lui trouver un foyer pour personnes âgées. Il y en a un bien à Galway... Elle pourrait prendre beaucoup d'affaires personnelles. Meubler elle-même son petit appartement. On n'aurait pas à se faire de souci pour sa sécurité et on pourrait tous passer la voir. Les choses étant ce qu'elles sont en ce moment, elle ne voit presque jamais les gosses et je n'y vais qu'à peu près une fois par... » Ivy se tut pour essayer les mots dans sa tête. « On avait l'habitude de déjeuner avec elle le dimanche. C'était devenu une sorte de tradition, mais l'an dernier ça tombait en même temps que le golf de Joe et on a laissé tomber. De toute façon, elle est trop vieille pour faire à déjeuner pour nous tous. »

Rose leva la main comme un policier.

« Arrête. »

Ivy s'arrêta.

L'espace d'un instant, elle regarda Rose comme si elle ne savait plus qui elle était.

« Pourquoi ? Pourquoi est-ce que je m'arrêterais ? Je te mets au courant. C'est comme ça qu'on dit, non ? Te mettre au courant. Bienvenue, petite sœur, dans le courant. »

Nom de Dieu, se dit Rose, elle est saoule.

Tout à coup, elle était contente de ne pas être au Shelburne.

Ivy saisit son verre vide et le fixa du regard.

Rose se leva et tendit la main à sa sœur.

« Viens. J'ai envie de mes sandwiches. Retournons dans la chambre. C'est sinistre ici pour parler. »

Ivy prit sa main et la retint.

« Je n'élèverai pas la voix, dit-elle.

– Je le sais, ma chérie.

– Joe n'aime pas que j'élève la voix.

– Là-haut, on enlèvera nos chaussures, on s'étendra sur le lit. On se détendra. On mangera nos sandwiches. Viens.

– Tu n'as pas fini ton verre.

– Je vais l'emporter. »

Elle tira Ivy pour qu'elle se lève de la banquette et la poussa un peu vers la porte.

Elle ramassa son verre et se retourna pour faire un signe de la main à l'homme qui était retourné derrière le bar. Il lui fit un signe de tête et montra du doigt le plafond.

Elles marchèrent en silence dans le couloir. Les pieds d'Ivy la portaient doucement en avant.

Elle n'était peut-être pas saoule, simplement un peu hystérique, dérangée par la ménopause ou par le temps. Toute une ribambelle de mots pour la décrire valsaient dans la tête de Rose. Seule. Peut-être, seule. Ça devait être très éprouvant de ne pas avoir le droit d'élever la voix.

« On monte à pied ou on prend l'ascenseur ? »

Ivy s'arrêta devant l'ascenseur et appuya sur le bouton.

La fête au bar semblait prendre de l'ampleur.

Elle remarqua le voleur de confiture près de la porte, les mains dans les poches ; il se demandait manifestement s'il allait ou non se joindre à la fête.

Elle fut tentée de lui crier quelque chose à travers le hall. Ne vous donnez pas cette peine, lui dirait-elle. Vous feriez mieux d'aller au cinéma.

Mon Dieu, moi aussi. Ho. Ho. Peut-être qu'on pourrait même y aller ensemble. Cette idée ridicule la fit sourire ; elle se demanda quel genre de films il aimait.

« Rose. »

Elle entendit la voix d'Ivy.

« Oh… ah… oui. Excuse-moi. »

L'ascenseur arriva et elles y entrèrent.

« Est-ce que ça t'arrive de rêver que tu es coincée dans un ascenseur ?

– Qu'est-ce que tu peux être bête. » La voix d'Ivy était redevenue sobre et normale.

« J'imagine que ça arrive assez fréquemment. »

Boum. Tic. Ping. Les portes s'ouvrirent.

« Pas cette fois, dit Ivy en sortant.

– Non. Pas cette fois. »

Rose but une gorgée et suivit sa sœur dans le couloir.

Un plateau les attendait déjà sur la table ronde près de la fenêtre. Les sandwiches reposaient sur des assiettes blanches et une soupière brillante avec un couvercle était soigneusement disposée à côté d'une assiette à soupe blanche. Les serviettes blanches étaient pliées et les verres à vin brillaient.

La musique résonnait dans la pièce voisine.

Rose tortilla des pieds pour enlever ses chaussures et les abandonna, tournées en dedans près de la porte.

Elle commença à se déshabiller ; d'abord son chemisier de soie crème qu'elle jeta sur une chaise, puis sa jupe noire ultra courte.

« Pff, pff », marmonnait-elle en ôtant chacun de ses vêtements.

Elle commença à enlever son collant.

Ivy, ignorant sa soupe, se versa un verre de vin et prit un sandwich.

« Qu'est-ce que tu fais ? demanda-t-elle à sa sœur.

– Je me mets à l'aise. Je le fais tout le temps. Pas de restrictions, pas de contraintes. C'est un des grands avantages de la vie de célibataire.

– Je n'en sais rien. Je n'ai jamais essayé. »

Rose roula ses sous-vêtements en boule et les lança à travers la pièce. Elle farfouilla dans son sac de voyage et en sortit un châle en soie. Elle s'en enveloppa et s'assit sur le lit.

« C'est super. Tu sens toutes les parties de ton corps se détendre. Sers-moi un verre de vin, sois gentille, et donne-moi quelques casse-dalles.

Elle disposa ses oreillers contre le mur et s'y adossa.

« Seigneur, j'espère que celui qui est à côté ne va pas faire marcher son engin toute la nuit. Merci. »

Elle prit le verre de vin des mains d'Ivy et le but à petites gorgées.

« Ce truc est vraiment dégueulasse. » Elle leva le verre devant Ivy. « À la santé des sœurs quand même. »

Ivy sourit.

« Aux sœurs.

– Tu ne te déshabilles pas ?

– Je suis bien comme ça.

– Tu n'as vraiment pas l'air en forme. »

Ivy s'assit et prit un autre sandwich.

Dans la chambre voisine, le volume de la musique augmenta.

« Heavy metal.

– Qu'est-ce que c'est ? » demanda Ivy.

Rose fit rouler ses yeux.

« Oh, nom d'un chien, Ivy. Tout le monde sait ce que c'est que le heavy metal. »

Elle leva le bras au-dessus de la tête et frappa contre le mur. Rien ne se produisit.

« Tu ne manges pas ta soupe ?

– J'ai changé d'avis.

– Écoute, ma chérie, tu as des problèmes ? Autre chose que de simples soucis pour maman. Des vrais problèmes. »

Une coulée de mayonnaise s'échappa du sandwich et vint s'étaler sous la lèvre d'Ivy.

« Qu'est-ce qui te fait croire que j'ai des problèmes ? Pourquoi est-ce que j'aurais des problèmes ?

– Presque tout le monde en a, à un moment ou un autre de sa vie. Je veux dire que c'est tout à fait normal d'avoir des problèmes. »

Je ne m'y prends pas très bien, pensa-t-elle.

Le long silence était meublé par le heavy metal. On avait l'impression que l'occupant de la chambre 103 montait le volume petit à petit.

Un pauvre fou qui noie tout dans un bruit assourdissant, se dit Rose.

Elle tapa de nouveau sur le mur.

Rien ne se produisit.

Je vais commettre un crime si ça continue encore longtemps, pensa-t-elle.

« Ça ne résout rien de prendre des pilules », finit-elle par dire.

Elle tendit le bras et décrocha le téléphone.

Elle composa le numéro de la réception.

« Ça dépend des problèmes, sœur Je-sais-tout aux gros sabots, dit Ivy.

– La réception. Puis-je vous aider ?

– Est-ce qu'il serait possible de demander à la personne qui occupe la chambre 103 de baisser le volume ?

– Je vous demande pardon ? »

Elle plaça le combiné contre le mur, puis le reprit pour parler.

« Vous avez entendu ? C'est l'occupant de la chambre 103 qui met du heavy metal. Je n'ai pas payé pour entendre du heavy metal. Soit vous demandez à cette personne d'arrêter, soit vous nous trouvez une autre chambre. C'est intolérable.

– Je vais voir ce que je peux faire, madame. »

Rose raccrocha le téléphone.

« Tu vois, elle sait ce que c'est que le heavy metal. Je peux te dire que ça n'arriverait pas au Shelburne. »

Rose se mit à rire, puis se versa un verre.

Ivy s'affaissa dans son fauteuil, le menton barbouillé de mayonnaise.

Le vin avait le goût du heavy metal. Il rappelait à Rose l'époque de son extrême jeunesse, les bouteilles de gros rouge algérien, capables de vous rendre aveugle ou handicapé pour le restant de vos jours. Il vous laissait toujours le lendemain une gueule de bois atroce qui menaçait de durer toute la vie. En fait, Rose l'avait eue pendant environ trois ans.

Elle posa son verre et décida de ne plus en boire.

Elle pensa un bref instant avec gêne à Joe, à la robe puce et aux mains de l'homme qui la tirait dans le jardin pendant que la mariée éblouissante dansait au son de l'orchestre local, faisait tournoyer sa longue robe blanche, et souriait de bonheur devant tous les amis et les parents rassemblés pour l'heureux événement.

Le parti de l'année. Seigneur !

Elle s'éclaircit la voix.

« C'est à cause de Joe ? » demanda-t-elle en prenant le taureau par les cornes.

Ivy secoua la tête.

« Qu'est-ce que tu veux dire par là ? Il n'y a pas de problème avec Joe. Joe va bien. Je vais bien. C'est comme je te dis, Rose. Je veux que tu viennes à la maison. Je veux que toi et maman vous... vous... Nous avons aussi été élevées dans l'idée du devoir, et je n'ai pas l'impression que tu remplisses ton devoir filial...

– Arrête tes conneries. Je t'ai dit et redit que je n'y descends pas. Maman m'a fichue dehors il y a dix-sept ans et je ne reviendrai pas. J'irai à son enterrement, si ça peut te faire plaisir. »

Je danserai sur sa tombe. Une pavane, pleine de dignité et de chagrin. Ça les surprendra tous, la famille, le clergé et les habitants de Tuam.

Et Joe.

Elle se pencha vers sa sœur et lui toucha doucement le genou.

« Pourquoi nous disputer ? On n'a pas besoin de se disputer. »

La musique cessa soudain et le silence les surprit toutes les deux.

« Alléluia, dit Rose. Je suppose que je n'ai pas besoin de t'expliquer ce mot, en tout cas. »

Ivy sourit d'un air morne et prit un autre sandwich sur l'assiette.

« Est-ce que les enfants vont bien ? Comment travaillent-ils à l'école ? »

Une conversation sans risque de dispute paraissait opportune.

« Peter entre à l'université l'automne prochain. »

– Il a déjà l'âge ? Comme le temps – »

Elle s'interrompit juste à temps.

« Et Geraldine ?

– Elle te plairait. Elle te ressemble quand tu avais le même âge. »

J'espère que non. J'espère vraiment que non. Je ne souhaite ça à personne.

« Un peu casse-cou, ajouta Ivy.

– J'étais comme ça ?

– Je crois que c'est comme ça qu'on dit maintenant. Elle n'apprécie pas trop l'autorité.

– Ah, oui. Tu devrais me les envoyer à Londres, un jour. Ça me ferait plaisir. On s'amuserait bien ensemble.

– J'ai pensé te demander l'année dernière si tu voudrais les prendre une ou deux semaines, mais Joe… enfin, on était un peu à court.

– Un peu à court ? Arrête ton baratin. Joe doit gagner une fortune.

– L'argent durement gagné ne doit pas être jeté par les fenêtres. Je m'en sors bien. Il m'en fait la remarque de temps en temps.

– C'est gentil de sa part.

– Tu n'as vraiment pas besoin d'être sarcastique. »

Ivy se versa un nouveau verre de vin.

Rose la regardait.

« Ce truc est dégueulasse. À ta place, je n'en boirais plus.

– Et laisser la moitié de la bouteille ? » Ivy semblait incrédule.

« J'ai payé. Je peux faire ce que je veux. Après tout, tu laisses bien ta soupe. Tu as de la mayonnaise sur le menton. »

Ivy se frotta le menton avec un doigt.

Ses mains étaient soignées. Jolies bagues aux doigts qu'il fallait, ongles propres et brillants. Une montre en or impeccablement attachée à son poignet.

« Je le trouve très bien, dit-elle. Je vais le finir, même si tu ne m'aides pas.

– Comme tu voudras. Mais tu devrais faire attention, si tu prends des médicaments.

– Ce sont seulement des comprimés contre l'anxiété. Je crois que c'est à cause des changements, tu comprends. Mon âge. Et tout ça. Tout à fait normal. »

Un long silence s'installa entre elles.

Ivy sirotait son verre.

« J'avais juste envie de te voir, dit-elle finalement. Parfois, tu me manques.

– C'est gentil. Merci.

– C'est assez bizarre, tu ne trouves pas ? Nous n'avons jamais eu le temps de devenir amies. J'ai cru que, après l'enterrement de papa, tu reviendrais peut-être de temps en temps. »

Rose secoua la tête.

« Il venait me voir, tu sais. À peu près une fois par an, des visites en coup de vent. »

Ivy eut l'air surprise.

« Papa allait à Londres pour te voir ? Est-ce que maman était au courant ?

– Il ne me l'a jamais dit. Mais je ne pense pas. Pieux mensonges. Elle a toujours pensé que les pieux mensonges ne comptaient pas. Tu ne t'en souviens pas ? Il ne venait pas exprès pour me voir, bien sûr. J'étais simplement incluse dans les affaires anglicanes de temps en temps. C'était bien. Il venait dîner chez moi. Nous buvions du vin et parlions d'un tas de choses. Jamais de la maison. Pas un mot sur la maison ne franchissait nos lèvres. C'est pour ça que je suis venue à son enterrement. Je ne crois pas que je l'aurais fais autrement. Il était adorable. Je l'adorais. Pendant longtemps, j'ai pleuré comme une folle après sa mort. »

Elle regarda sa sœur réfléchir à ce qu'elle venait de lui apprendre.

« Je crois vraiment que tu ne dois pas le dire à maman, dit Rose après un long silence. Au cas où ce serait ce que tu as en tête.

– Je n'ai pas du tout l'intention de le dire à maman. Je ne veux pas lui faire de peine.

– Loin de moi cette pensée. Il était adorable. Lui aussi croyait aux pieux mensonges.

– Je veux que tu me dises pourquoi tu es partie, pourquoi tu as disparu comme ça. Tu leur as fait tellement de peine à tous les deux. Nous nous sommes tous fait tellement de souci. C'était vraiment très cruel de ta part. Tu n'as donc jamais pensé à papa et maman ? À ce qu'ils éprouvaient ? Au fait qu'ils étaient fous d'angoisse ?

– Maman t'a dit qu'elle était folle d'angoisse ?

– Bien sûr. »

Rose appuya sa tête contre le mur et se mit à rire.

« Je trouve que le monde est plus vivable quand on ne sait pas tout sur les autres. Je crois aux secrets légitimes.

– J'ai besoin de savoir. » Ivy se mit sur ses pieds en titubant. « Je trouve vraiment que tu me dois une explication sur ce qui s'est passé entre toi et maman. » Elle traversa la pièce et ouvrit sa valise. « Il se peut qu'il y ait un rapport avec les décisions que je dois prendre à propos du temps qu'il lui reste à vivre. » Elle sortit de la valise sa trousse de toilette et une chemise de nuit en satin rose. « Décisions auxquelles tu refuses de participer. Je ne te comprends pas du tout, Rose, vraiment pas du tout. » Elle se dirigea vers la salle de bains. « Je vais me préparer pour aller me coucher. »

Elle parlait comme Miss Morphy. Maintenant, je quitte la pièce, Rose, et à mon retour, je veux que tu me conjugues le verbe « penser » au futur. Cogitare. Penser.

Ivy entra dans la salle de bains et ferma la porte.

Rose disposa les oreillers plus confortablement derrière sa tête et pensa aux pieux mensonges.

Venu d'elle ne savait où, un souffle d'air effleura son corps. Il passa sur ses chevilles nues, remonta, fit bouger son châle en soie et toucha son visage, comme un souffle frais et doux.

Ainsi Peter va bientôt entrer à l'université, pensa-t-elle.

En ce début d'été, un souffle d'air avait effleuré son dos, par la fenêtre ouverte de la chambre. Ce devait être quelques jours après la naissance de Peter. Les colombes roucoulaient sous les toits... Les pigeons, en réalité, mais, allongée dans son lit, elle aimait bien se dire que c'étaient des colombes qui roucoulaient et gloussaient. La brume montant des champs semblait aussi voiler sa chambre. Rien ne brillait. La pièce était orientée à l'ouest et elle ne voyait jamais le soleil matinal teinter de couleur ses possessions.

J'imagine qu'il faut que je repense à tout ça, se dit-elle.

Maman avait raison, on oublie les faits, il ne reste que la mémoire de la haine.

J'imagine qu'il me faut me souvenir de la vérité pour continuer à dire de pieux mensonges. Mais peut-être le temps des mensonges est-il révolu ? Gros, gros point d'interrogation.

Sa chambre était tout en haut à l'arrière de la maison, un grenier, avec des coins sombres et un plafond à forte pente. Elle se souvenait que ses vêtements étaient accrochés aux murs comme des tapisseries ; elle avait jeté le jean et le chemisier de la veille sur le dos de son cheval à bascule blanc et roux.

Elle entendit le gravier de la cour crépiter sous les roues d'une voiture, trois étages plus bas et, dans le silence du matin, le grincement de la porte de derrière.

Joe.

Qu'est-ce qu'il fabriquait ?

Elle supposait que c'était Joe.

Il ne revenait pas de l'hôpital à cette heure matinale, ça, c'était certain.

Une nuit dehors avec ses copains ? Pour fêter la naissance de son fils ?

Peut-être.

Peut-être pas.

Quand le chat n'est pas là, les souris dansent.

« Nous nous occuperons de Joe à ta place pendant que tu seras à l'hôpital, n'est-ce pas, Rosie ? »

Fait accompli.

Sa mère adorait Joe.

Elle l'aimait sans doute toujours. Non. Sois honnête. Une certaine répugnance à son égard devait s'être faufilée dans son esprit et n'en être plus jamais sortie.

Elle entendit de nouveau en esprit le craquement de l'escalier de service sans tapis qui menait à sa chambre et à la chambre voisine, provisoirement donnée à Joe.

Je me demande ce qu'est devenu le cheval à bascule ? pensa-t-elle. Il craquait aussi en galopant sur le parquet ciré.

Je suppose qu'Ivy l'a pris pour les enfants quand ils étaient petits.

Un léger bruit lui fit détourner la tête de la fenêtre.

Joe se tenait debout sur le seuil de sa chambre.

« Tu m'attends ? » Sa voix était pâteuse.

Elle saisit les couvertures et les tira sur elle.

« Jolie Rose. » Il avança prudemment sur le parquet car il lui fallait le silence. « Gentille Rose, qui ne dort pas parce qu'elle m'attend.

– Va te coucher, Joe. C'est bientôt le matin.

– Chaque chose en son temps », dit-il.

Il lui arracha les couvertures des mains et resta un moment debout à la regarder.

Elle essaya de se couvrir avec ses petites mains.

« Jolie Rose. » Ce fut tout ce qu'il dit et il se laissa tomber sur elle.

Elle lui frappa le visage de ses mains. Elle frappa son haleine chaude de ses mains.

Elle essaya de s'enfoncer au plus profond de son lit. Elle essaya de crier, mais le cri qu'elle avait en elle ne voulait pas sortir de sa gorge. Il était coincé comme un bloc de pierre et il lui faisait mal tandis qu'elle essayait de le faire sortir de son corps.

Ce fut très bref.

La chambre était toujours baignée de brume bleue.

Les pigeons gloussaient encore quand il se releva. Il la regarda et se mit à rire.

« Et voilà, sœurette. Voilà ce que c'est. Je sais que toutes les adolescentes meurent de curiosité. Maintenant tu sais. Bon sang, arrête de pleurnicher, tu n'es plus un bébé. Tu devrais me remercier. Oui, vraiment, tu devrais me dire merci. »

Il se dirigea en titubant vers la porte. En l'ouvrant, il se tourna vers elle et mit un doigt sur ses lèvres.

« Il ne faut pas réveiller papa et maman. Il ne faut pas leur faire de peine. Pense à papa et maman. Pense à Ivy et à l'adorable petit bébé. »

Il sortit.

Elle l'entendit bouger dans la chambre voisine ; le lit craqua quand il se jeta dessus de tout son poids conséquent. Ses chaussures tombèrent sur le plancher.

Ivy cria de la salle de bains.

« Rose, j'entends un chat.

– Ne dis pas de bêtises. »

La porte s'ouvrit et Ivy sortit en robe de chambre, sa brosse à dents à la main.

« Je t'assure. Un chat qui miaule. »

Elle ouvrit l'armoire et regarda à l'intérieur.

« C'est à cause du vin, dit Rose.

– Je t'assure… chut. Écoute. » Elle leva sa brosse à dents. « Encore une fois. Je t'assure. Un chat.

– Il doit être dans le couloir.

– J'avais l'impression qu'il était avec moi dans la salle de bains.

– Qu'est devenu le cheval à bascule ? »

Ivy retourna dans la salle de bains et Rose l'entendit se rincer la bouche.

« Tu crois qu'il faut appeler la réception ? » cria Ivy.

Elle sortit de la salle de bains, toute luisante de s'être lavée.

« Pourquoi, bon sang ?

– À cause du chat. Il est peut-être prisonnier quelque part. On aurait dit qu'il était prisonnier.

– À ta place, je ne m'en ferais pas. C'est sans doute le chat de l'hôtel qui vaque à ses occupations habituelles. »

Ivy rabattit les couvertures et se mit au lit.

« Le vieux cheval à bascule. Je n'y ai pas pensé depuis des années. Les enfants l'adoraient quand ils étaient petits. Nous l'avons vendu il y a quelques années.

– Vous l'avez vendu ! C'était mon cheval à bascule.

– Maman l'a donné aux enfants. Sans doute après qu'elle et papa eurent quitté le presbytère pour la résidence du doyen. Oui. Juste après la naissance de Geraldine. À quoi aurait bien pu leur servir un cheval à bascule ?

– Il était à moi.

– Il était à nous, pas seulement à toi. Tu as toujours eu tendance à dire que les choses étaient à toi. Je m'en souviens. Nous l'avons vendu... à un ami de Joe qui travaille dans les meubles. Je crois qu'il nous en a donné une bonne somme. On a beaucoup de mal à en trouver aujourd'hui et ils sont très recherchés. Surtout les vieux comme celui-ci. De toute façon, qu'est-ce que tu ferais d'un cheval à bascule ?

– Je viens juste d'y penser. Je mettais mes vêtements dessus.

– Ridicule. »

Elle s'installa confortablement en s'appuyant sur un coude, en face de Rose, comme elle le faisait parfois quand elles étaient plus jeunes et que la vie était moins compliquée.

Dans la lumière triste de l'hôtel, Rose voyait les cernes sombres sous ses yeux et la peau fatiguée tirée sur les pommettes.

Joe avait une lourde responsabilité.

Ivy tendit soudain le bras dans l'espace entre les lits.

« Raconte-moi, dit-elle.

– Quoi ?

– Raconte-moi pourquoi tu as quitté la maison. »

Ses doigts étaient froids sur le poignet de Rose.

Merde, pensa Rose. Oh, merde.

Ce matin-là, Rose attendit dans sa chambre que la maison soit silencieuse. Papa était parti à une réunion du diocèse à Tuam ; Joe s'était rué hors du lit, avait descendu les escaliers et était parti à son travail en voiture ; il avait lancé d'exubérants au revoir à sa mère en quittant la cour.

Alors seulement, elle bougea. Elle enleva les draps de son lit, les plia soigneusement et les mit dans le panier de linge sale sur le palier.

Elle prit un bain.

Elle pleura.

Finalement, elle essuya ses larmes et descendit l'escalier de service jusqu'à la cuisine.

Maman faisait un gâteau de Savoie.

Des bols, des fouets et le sac de farine en toile étaient éparpillés sur la table de la cuisine.

Quand on commence un gâteau de Savoie, on ne peut pas s'arrêter. Tout le monde le sait.

Elle écouta ce que Rose disait, le visage dénué d'expression.

Elle continua de battre les blancs en neige. Ils se dressaient dans le bol comme des minarets brillants.

Rose termina et regarda en silence sa mère incorporer les blancs dans les jaunes et la farine. Elle prit deux moules à gâteau dans le pressoir et les remplit avec la pâte. Puis elle traversa la cuisine et les mit au four dans le vieux fourneau noir. Debout, elle regarda un moment le sol puis s'essuya les mains sur son tablier. Elle revint lentement vers la table, comme si elle n'avait pas vraiment envie de bouger. C'est ce que pensa Rose en la regardant.

« Est-ce que c'est vrai ? » demanda-t-elle enfin.

Les larmes recommencèrent à jaillir des yeux de Rose.

« Bien sûr que c'est vrai. »

Sa mère soupira et s'assit.

« Je te le demande seulement parce que, quelquefois, les enfants inventent ce genre d'histoire pour des raisons à eux.

– Je n'ai rien inventé et je ne suis pas une enfant. J'ai dix-sept ans. Cet homme a… »

Sa mère tendit la main en travers de la table et prit la main de Rose.

« C'est le mari de ta sœur. J'essaie de réfléchir clairement. Crois-moi, je t'en prie. Nous marchons sur des œufs dans cette histoire.

– Lui, il n'a pas marché sur des œufs. Pourquoi je le ferais, moi, nom d'un chien ?

– Surveille ton langage », dit sa mère.

Rose posa la tête sur la table de la cuisine et se mit à pleurer.

Sa mère lui caressa un peu la tête.

« Il va falloir que tu te ressaisisses, ma chérie. Ton père ne doit pas en entendre parler… et Ivy encore moins. Elle vient d'avoir un bébé, après tout. Il ne faut pas lui faire de peine. Je pense… Après tout, c'est son mari. » Elle baissa les yeux sur la longue table bien frottée tout en réfléchissant.

« Est-ce que tu sais ce que je ressens ? Ça ne te fait rien, ce que je ressens ? »

Rose prononça ces mots très doucement et elle ne savait pas si sa mère les avait entendus. En tout cas, elle ne fit aucun signe montrant qu'elle les avait entendus.

« Je pense que ça doit rester un secret, entre toi et moi et…

– Ce salaud de Joe.

– Surveille ton langage. »

Elle l'avait dit par automatisme.

« Il va falloir ranger ça dans un coin de nos têtes. L'oublier, en fait, s'il est possible de faire une chose pareille. Oui, oui, bien sûr qu'il est possible d'oublier. Il faut penser à ton père. Il espère devenir bientôt doyen. Je ne crois pas que ce… » Elle ne crut pas nécessaire de terminer sa phrase.

Elle recula sa chaise et se leva.

« Je vais téléphoner à tante Molly à Londres. Je ne veux vraiment pas que ton père l'apprenne. Je vais devoir... devoir... Pieux mensonges. Rose, les pieux mensonges sont parfois l'unique solution. Tu dois aller tout de suite faire tes bagages. Plus vite nous te sortons d'ici, mieux ça vaut.

– Tu veux dire que tu me chasses de la maison ? Je n'ai rien fait de mal, maman. Je n'ai rien fait de mal, cria Rose à sa mère de l'autre côté de la table décolorée. Tu ne peux pas m'envoyer à Londres. Je n'irai pas.

– Tu iras. Tu ne peux pas rester ici avec...

– Ce salaud de Joe. Pourquoi tu ne le chasses pas ? Pourquoi tu ne lui fais pas faire ses bagages ? Pourquoi tu ne... ?

– Va faire tes bagages. Nous devons prendre le train de midi.

– Maman...

– Tu aimes bien Molly. Il va falloir que je lui dise la vérité et ensuite nous arrangerons tout toutes les deux. Tout ira bien. Tu comprendras tout ça plus tard. Je te le promets. Plus tard.

– Je ne reviendrai jamais. Si tu me fais ça, je ne reviendrai jamais. Je te le promets. »

Sa mère quitta la pièce.

« Je ne reviendrai jamais. » Elle avait crié ces mots, tant d'années auparavant, à peine quelques jours après la naissance de Peter.

« Je n'y retournerai jamais », dit-elle maintenant à Ivy d'une voix très prosaïque.

En parlant, elle prit les doigts froids d'Ivy dans sa main chaude.

« Tu ne m'as pas dit pourquoi. Pourquoi pas ?

– Maman et moi, nous nous sommes simplement disputées à cause... enfin, d'un garçon qui me plaisait. Elle n'était pas d'accord. Donc...

– Ce n'est pas une raison suffisante pour rester à l'écart aussi longtemps.

– Elle a dit des tas de choses affreuses.

– Je ne te crois pas, Rose. Ce n'est pas une méchante femme. Elle n'a probablement rien dit de plus que ce que tu méritais. Les querelles de famille ne sont que des tempêtes dans un verre d'eau.

– Nous devons nous résigner à ne pas être d'accord.

– Nous n'avons jamais été d'accord. Tu ne penses pas ?

– Sans doute. Nous n'avons pas grand-chose en commun, en fait. Tu avais raison en le disant. » Rose se mit soudain à rire. « Je connais une chose que nous avons en commun.

– Qu'est-ce que c'est ? »

Rose se redressa pour que son dos repose contre le mur. Elle rejeta la tête en arrière et se mit à chanter.

« *Oh, de tous les pays réjouissez-vous dans le Seigneur ; servez le Seigneur avec allégresse et venez devant Lui en chantant.*

« *Soyez-en sûrs, le Seigneur est Dieu ; c'est Lui qui nous a créés, nous ne nous sommes pas créés nous-mêmes ; nous sommes Son peuple et les agneaux de Ses pâturages.* »

Elle avait une voix douce.

Elle n'avait pas pensé une seule fois à ces paroles depuis des années et voilà qu'elles remplissaient sa tête.

Dans la chambre voisine, quelqu'un avait remis la musique. Rose sentait les vibrations dans tout le dos.

Elle sourit à Ivy.

« Tu t'en souviens ?

– Bien sûr que je m'en souviens. Je chante toujours dans le chœur. Geraldine aussi. Elle a une jolie voix. Comme toi. Tu as toujours mieux chanté que moi. Je me souviens de ça aussi. Ça m'embêtait. Je parie que tu ne le savais pas. À quel point ça m'embêtait. J'y pense quelquefois quand j'entends chanter Geraldine.

– Promets-moi de faire bien attention à elle.

– Bien sûr. Quelle drôle d'idée. »

Rose serra la main de sa sœur.

La musique provenant de la chambre voisine résonna plus fort.

« Je ne reviendrai pas, Ivy. Je ne le peux pas. Maman le comprend, tu sais, même si toi, tu penses que non. Mais je lui écrirai. Je lui écrirai une longue, longue lettre. Sur le ton de la conversation. Et en lui posant des questions. Je lui demanderai de ses nouvelles. Je montrerai un intérêt filial pour elle. Si ça peut te faire plaisir. Est-ce que ça te fait plaisir ? »

Avant qu'Ivy puisse répondre, Rose attira sa sœur sur son lit.

« Chantons. Fortissimo. Montrons à Mr Heavy Metal un ou deux trucs. »

Elle rejeta la tête en arrière.

« *Oh frayez-vous un chemin vers Ses grilles par des actions de grâce et dans Ses cours par des louanges.* »

À sa surprise, Ivy se mit à chanter, fortissimo, comme elle le lui avait demandé.

Leurs voix étaient fortes et claires.

« *Soyez-Lui reconnaissant et louez Son nom.* »

Ivy se tortilla pour se placer à la tête du lit ; elles étaient assises côte à côte, le dos contre le mur, le heavy metal résonnant dans leurs os.

Papa disait toujours, chantez fort pour qu'on entende vos voix, et elle s'était toujours moquée de lui. Chantez fort maintenant. Nous ne pourrons jamais comprendre, mais nous pouvons chanter fort.

« *Car le Seigneur est plein de compassion, Sa miséricorde est infinie et Sa vérité se perpétue de génération en génération.*

« *Gloire au Père, au Fils et au Saint-Esprit ; comme au commencement, maintenant et éternellement dans l'avenir, le monde est sans fin. Amen.* »

ANIMAUX INTERDITS

Ken Brogan était debout à la réception, sa valise et son ghetto-blaster posés par terre à côté de lui ; il regardait le panneau ANIMAUX INTERDITS. Il sourit et tourna le dos au bureau pendant que la réceptionniste s'occupait d'une autre cliente. Elle proposait à une femme une chambre avec un lit double de taille royale. Brogan cligna des yeux. L'idée d'un lit double lui semblait très attrayante ; cela faisait une éternité qu'il n'avait pas entendu prononcer ces mots.

Il regarda la femme des pieds à la tête. Elle était un peu plus vieille que lui, dans les quarante ans peut-être, mais encore en bon état, se dit-il en la voyant s'éloigner vers l'ascenseur.

Brogan était calme et patient, mais aussi un peu inquiet tant qu'il n'était pas installé. Quand la réceptionniste glissa enfin sa carte de crédit dans la machine et lui donna la clé de sa chambre, on entendit distinctement un miaulement. La réceptionniste jeta un œil à ses bagages par-dessus le comptoir. « Les animaux ne sont pas admis, je suis navrée » ; il lisait ces mots dans ses yeux, même si elle répugnait à l'accuser directement. Il n'avait pas l'air d'un homme qui se promène avec un chat. Et pour éviter tout autre soupçon, il se contenta de ramasser son ghetto-blaster, comme pour montrer qu'un lecteur de CD portable était le seul genre d'animal avec lequel il pouvait vivre.

Il arriva juste à temps pour entrer dans l'ascenseur avec la femme plus âgée. Il coinça son pied dans les portes à la dernière minute. « Vous ne vous échapperez pas comme ça, m'dame », semblait-il dire, et la femme tendit instinctivement la main comme pour appuyer sur un bouton d'alarme et essayer d'empêcher les portes de se fermer, ou de s'ouvrir, qui sait ? Comme si elle préférait prendre l'ascenseur toute seule. C'était un moment de grande tension ; elle avait cru réussir sa fuite et avait été rattrapée au dernier moment. L'Adidas de Brogan était coincée dans l'ouverture. Les portes se débattaient avec l'obstacle, moment d'indécision électromécanique avant qu'elles s'ouvrent de nouveau de force et que l'homme au ghetto-blaster soit debout à côté d'elle et lui sourie.

« J'ai failli perdre ma jambe », lui dit-il en entrant. Elle eut un sourire nerveux mais ne répondit rien.

Il posa la valise et le ghetto-blaster par terre dans l'ascenseur et sortit son détecteur de tension. Pour mettre la femme à l'aise, il en frappa légèrement le tableau de commande, puis l'écouta comme si c'était un diapason. Brogan avait fait un certain nombre de découvertes de cet ordre au fil des ans : les gens se détendaient quand ils comprenaient qu'il était électricien. Un homme à qui on pouvait faire confiance. Dans le genre plein d'entrain. Les gens aimaient la sincérité des choses simples, comme le bout de crayon sur l'oreille d'un menuisier, le mètre dans une poche de pantalon, la tourbe sur les mains d'un jardinier. Et Brogan aimait afficher les modestes icônes de son métier : l'aspect authentique et élégant d'une honnête étincelle, un fredonnement ou le tapotement d'un tournevis sur une porte d'ascenseur.

La femme lui tourna le dos et se regarda dans la glace. Qu'est-ce que je vous avais dit ? pensa Brogan. Il était évident qu'il lui plaisait. Même si elle était en quelque sorte sur la réserve. Elle semblait en tête-à-tête avec elle-même, comme si elle revenait d'un enterrement ou quelque chose comme ça. Le faible miaulement du chat se manifesta de nouveau à ce moment-là, ce qui n'arrangea pas les choses. Il donna à Brogan l'air de ces ouvriers qui émettent des miaulements lascifs à l'oreille des femmes.

Quand la porte de l'ascenseur s'ouvrit, il ramassa son attirail et sortit en hâte ; il sifflota dans le couloir tout en cherchant sa chambre. En ouvrant la porte, il jeta un regard derrière lui pour avoir une vague idée de la chambre où entrait la femme de l'ascenseur.

Brogan ferma la porte derrière lui, posa son ghetto-blaster et le régla sur une station de radio. Puis il ouvrit sa valise et laissa sortir le chat. Quelle importance si la femme de l'ascenseur l'avait entendu. L'animal était maintenant in situ, comme on dit ; il bondit immédiatement sur le rebord de la fenêtre et s'y installa en regardant la rivière et la circulation ininterrompue sur les quais.

« Tu es mort, mon pote », dit Brogan tout haut au chat. Puis il examina la pièce minable. Les interrupteurs étaient auréolés de traces de doigts grisâtres. L'indispensable tableau de bed-and-breakfast représentant un troupeau près d'un lac au-dessus du lit. Des lampes de chevet à abat-jour vert citron. La décoration dans son ensemble était un croisement entre la splendeur théâtrale classique et la modernité des années soixante à la James Bond.

Brogan prit une douche. Il chanta avec la radio. Il ne chantait jamais une chanson entière, seulement une phrase du refrain par-ci par-là qu'il se rappelait à l'avance, mais qu'il chantait rarement au bon moment. Toujours trop tôt ou trop tard. *I'm gonna hold you till I die, till we both break down and cry.* Étant électricien, il passait une bonne partie de ses journées à mugir ainsi. De temps en temps, il fabriquait une Stratocaster improvisée avec un morceau de câble, si la chanson l'exigeait. Il n'avait aucune oreille mais ça n'avait pas d'importance. Pendant qu'il s'habillait et qu'il mettait du gel sur ses cheveux pour les dresser en une petite vague pétrifiée au-dessus de son front, il exécuta même un petit pas de danse devant la glace, tandis que le chat détournait les yeux de la fenêtre avec le dédain habituel des félins. Les pas de danse de Brogan ne valaient guère mieux que sa façon de chanter.

Vêtu de son tee-shirt Temple Bar et de sa veste en cuir au col relevé, Brogan était un homme avec un but. L'inévitable détecteur de tension dans sa poche intérieure servait d'amplificateur indispensable à sa personnalité qui ne pouvait être complète ni vraiment prête à l'action sans lui. Il était prêt à s'attaquer au tableau de fusibles de n'importe quelle femme, si on peut dire. Quant à lui, il était complètement câblé selon les spécifications, d'après les directives du Comité pour l'électricité.

Mais il devait d'abord s'occuper du chat. Il redescendit donc et pénétra dans le hall d'un air avantageux et plein d'assurance, sifflant toujours et se souriant à lui-même comme s'il se souvenait d'une blague cochonne. Le portier de l'hôtel, un homme âgé à la démarche raide comme une planche à repasser et dont le dos commençait à se voûter, venait du bar en portant un plateau chargé de café et de whisky.

« Je vais le monter, Simon », dit le directeur de l'hôtel en lui prenant le plateau. Le portier se retrouva debout dans le hall, un peu abasourdi.

« Bon allons-y. »

Brogan parla à la réceptionniste. Elle appela la cuisine où on se montra un peu embarrassé par ses exigences gastronomiques. Il voulait qu'on lui monte dans la chambre un plat de poisson sans rien d'autre. Sans cette saleté de sauce hollandaise. Elle lui dit qu'il n'y avait pas de poisson au menu. Brogan sortit alors un billet de cinq livres et s'approcha discrètement du portier qui déclara qu'il étudierait la question. *Mission impossible.* Grande opération secrète dans la cuisine pendant que Brogan allait passer un coup de téléphone. Il se tenait près du téléphone public, les jambes croisées en un X tranquille, le coude contre le mur, le regard dirigé vers les portes à tambour de l'hôtel. Une femme répondit au téléphone et il laissa s'écouler un moment de silence avant de parler.

« Moggi, Moggi, Moggi », dit-il. La femme à l'autre bout du fil devint hystérique. Elle hurlait et braillait, tandis que Brogan souriait aux clients qui passaient avec une grande satisfaction. Puis il raccrocha.

Le portier revint et chuchota quelque chose, fier d'annoncer une bonne nouvelle. Il avait réussi à faire pression sur le chef. Pourquoi tous ces subterfuges ridicules ? se demanda Brogan. Qu'est-ce que c'était que cette affaire d'État ? Mais Brogan comprenait la politique tortueuse des cuisines irlandaises et lui demanda tranquillement s'il pouvait aussi lui monter un pot de lait et un bol. Une fois de plus, il fut gratifié d'un regard soupçonneux, comme si le portier allait prononcer une annonce enregistrée à propos des animaux. Brogan lui avait manifestement donné un pourboire suffisant, car rien ne fut dit là-dessus. Le repas arriverait dans une vingtaine de minutes.

Il avait le temps de boire un verre rapidement. Brogan entra au bar d'un pas décidé et se plaça près d'un homme qui contemplait sa bière. Il commanda une tequila et sourit à l'homme à côté de lui. Brogan n'était pas du genre à parler du temps qu'il fait ou à échafauder petit à petit une conversation. Il considérait comme acquis que l'homme était d'accord pour bavarder et lui tendit la main.

« Moi c'est Ken, dit-il. Ken Brogan.

– Ben », répondit l'autre à regret en lui serrant la main. Il paraissait un peu introverti. Perdu pour la compagnie, peut-être. Ou alors il faisait partie des solitaires qu'il fallait faire sortir d'eux-mêmes.

« Ken et Ben ! Elle est bien bonne », dit Brogan, provoquant une camaraderie forcée. Il se comportait avec une bonne humeur exagérée. Après tout, Brogan était de type communicatif. Ken et Ben. Peut-être bien qu'ils pourraient s'amuser un peu tous les deux.

« Dites donc, Ben. Vous croyez que les gens parlent trop, en Irlande ? » demanda Brogan. C'était une question sérieuse, parce qu'il voulait connaître l'opinion de cet homme. Brogan se montrait amical, comme ça.

« C'est possible », acquiesça poliment l'homme. Il agissait comme une sorte de porte-parole de lui-même. Bien joué, Ben. Tu sais parler. Seigneur, si tu en avais dit plus, on aurait pu t'accuser d'être vraiment à la limite du verbeux.

Brogan poursuivit en expliquant qu'il écoutait la radio toute la journée. Il était électricien. Il sortit son détecteur de tension pour en donner la preuve. Tapa sur l'épaule de Ben et lui dit qu'il était vraiment « accro à la radio » . Il ne regardait jamais la télé. N'avait jamais lu un journal de sa vie. Seulement la radio.

« Est-ce que ça vous arrive d'écouter *Liveline* ? demanda-t-il. Marian Finucane ?

– Quoi ? »

L'autre homme se tourna sur son tabouret de bar. Brogan était certain que Ben était dans le même état d'esprit que lui.

Il n'avait pas l'air du genre à perdre son temps en écoutant Marian Finucane caqueter sur n'importe quoi à longueur de journée.

« Ça, c'est une sacrée émission, continua Brogan. Je supporte n'importe quelle merde, mais pas *Liveline*. Je veux dire que je l'écoute presque tous les jours. Mais elle me rend dingue. Avec tous ses "Oooh", ses "Aaah", ses "Mon Dieu" et ses "Pensez donc"... Tout ça c'est vachement prétentieux. » Il regarda Ben. « Qu'est-ce que vous pensez d'elle ?

– Elle n'est pas mal », bredouilla Ben.

Brogan fut un peu interloqué. Ben allait-il se mettre à discuter ? En ce qui le concernait, si c'était le cas, la question était réglée.

« Est-ce que vous l'écoutez ? demanda-t-il.

– Non, répondit Ben.

– Vous savez ce que je pense ?

– J'ai un rendez-vous », dit Ben, de plus en plus agité. Mais Brogan ignora cette dernière remarque et poursuivit pour délivrer son message le plus directement et le plus succinctement possible, comme les hommes aiment le faire.

« Elle ne devrait pas fourrer son nez dans les affaires des autres », dit-il. Il était important d'être honnête sur ce genre de choses. Tout de suite. Si Ken et Ben devaient descendre quelques bières ensemble, il leur fallait d'abord résoudre le problème de Marian Finucane.

La stupeur se lisait sur le visage de Ben. Il se comporta soudain comme s'il était assis à côté d'un psychopathe. Il se mit à chercher autour de lui le personnel du bar, en toussant comme pour appeler à l'aide. On aurait pu croire que Brogan avait prononcé un épouvantable blasphème. Alors qu'il faisait simplement bénéficier l'homme de son opinion sincère, c'était tout. Pas besoin d'avoir l'air aussi terrifié. S'était-il trompé sur son compte ? Finalement, Ken et Ben ne s'associeraient pas pour boire ensemble. Parce que, après l'avoir d'abord encouragé, Ben était en train de lui dire en substance d'aller se faire foutre, de la façon la plus douce possible. Il se trouve que j'admire le cul de Marian Finucane, lui disait-il. Pour moi, elle est autant à la page qu'une boîte de guimauve KVI. Alors, tire-toi, petit électricien ignorant. De toute façon, qui est-ce qui t'a demandé ton avis ?

Brogan se tenait au tabouret de bar de Ben. Ce signe de camaraderie était de plus en plus déplacé; il était déjà devenu une violation de l'intimité.

Ben faillit tomber de son siège. On aurait pu croire qu'on venait de lui tirer dans le dos, à la façon dont sa jambe eut un spasme et dont son cul partit de côté. Il semblait stupéfait. Sa bouche avait l'air d'une blessure par où était sortie la balle et ses yeux exprimaient l'incrédulité de la victime, comme s'il se disait qu'il était immortel et qu'il ne pouvait certainement pas disparaître comme ça.

Il repoussa son tabouret de bar. Brogan le lâcha ; il culbuta lentement et tomba par terre avec un bruit sourd qui fit lever la tête aux gens ; ceux-ci pensèrent que les deux hommes au bar se disputaient en silence pour le siège. Un instant, ils baissèrent tous deux les yeux comme si c'était un siège particulier pour lequel ils étaient prêts à se battre à mort. Le tabouret de bar de Ben, ça aurait pu être le titre d'un grand film. Puis Ben s'en alla.

« Bon Dieu ! », dit une femme en sautant par-dessus. Elle portait un plateau chargé d'une tournée de boissons et riait comme si elle venait de franchir la dernière haie d'un steeple-chase.

Très bien. Brogan comprenait quand on ne voulait pas de lui. Il avala sa tequila au jus d'orange et sortit pour remonter dans sa chambre. Il n'avait pas l'intention de perdre son temps à boire en compagnie d'un fan de *Liveline* au cerveau en polystyrène.

Avant de monter, Brogan passa un nouveau coup de téléphone. « Moggi, Moggi, Moggi. » Une fois encore, il écouta la femme hystérique à l'autre bout du fil. Une fois de plus, son sourire suffisant de déviant rayonna dans le hall.

De retour dans sa chambre, lorsque le chat fut bien enfermé dans l'armoire, Brogan ouvrit au portier qui posa le plateau sur la table. Il ferma la porte à clé derrière lui et fit sortir le chat ; il lui servit le repas du condamné : poisson, purée et petits pois. Digne de l'école hôtelière. Avec un diplomate à la crème anglaise couleur crachat qui se figeait dans un bol. Mogs paraissait plus que content.

Brogan alluma le ghetto-blaster et se mit de nouveau à danser. Pendant que le chat dévorait le carrelet desséché, il prit un marteau dans sa valise et dansa la gigue en le brandissant en l'air comme pour une danse guerrière. Puis il s'agenouilla et le tint au-dessus de la tête du chat, juste pour voir à quel point il serait facile de défoncer le crâne de l'animal. Flac ! Lui briser son cul minable d'un coup sec pendant qu'il reniflait la crème anglaise. Comment exécuter un chat, par Ken Brogan. L'horreur par le marteau. Mais Moggi, le mignon fils de famille, s'écarta d'un bond. Comme s'il savait que la présence d'un marteau dans une chambre d'hôtel avait quelque chose de déplacé. Je ne suis pas dupe de ta façon de danser autour de la pièce comme un chaman de pacotille. Tu crois pouvoir m'attendrir avec un vieux bout de poisson coriace et plein d'arêtes et ensuite t'approcher en douce de moi avec cette arme sortie de l'âge du fer.

Espèce de connard méfiant. Ça ne marcherait jamais. Brogan finirait par être obligé de poursuivre le chat tout autour du lit. Après la séquence du marteau, le chat avait perdu l'appétit et ne voulait plus manger tant que Brogan ne se trouvait pas au moins à trois mètres, à l'autre bout de la chambre. Donc l'idée de s'éclipser avec un sac poubelle noir ne marcherait pas non plus. Il y a beaucoup de façons de tuer un chat, songea Brogan. Mais le désordre ne lui plaisait pas trop. D'autre part, le chat l'avait mérité, et il pourrait prendre plaisir à découper Moggi en quatre cent cinquante-deux morceaux avec son détecteur de tension. Puis à suspendre tous les morceaux autour de la pièce pour les faire sécher, en les mélangeant avec des petits pois et de la purée pour rehausser l'esthétique. Le nom de « Moggi » barbouillé sur le mur à la crème anglaise. Un vrai mystère criminel à la Ballymalloe. Un travail digne de Hannibal Lecter : il s'enduirait la bouche avec le sang du chat pour faire croire qu'il avait tout fait avec les dents. Quelques organes vitaux du chat auraient disparu. Et pas dans les toilettes, si vous pigez ce que je veux dire.

Oh, bonté divine ! Oh, mon Dieu ! Qu'est-ce que tu penses de ça, Marian ? Qu'est-ce que tu dirais d'un coup de fil à *Liveline* ? Un auditeur sur la première. Brogan, le tueur de chat. Tu aurais quelque chose à dire et tu pourrais exprimer ton dégoût. Tu pourrais faire un mardi gras moral là-dessus, et tous les amoureux des chats dans le pays pleureraient des larmes de chaton à la radio.

Céline Dion se mit à se secouer les amygdales comme des chiffons sur le ghetto-blaster. Elle chantait comme si elle était chez le docteur et qu'il lui demandait de faire « Aaah ». Ça avait l'air d'un cas grave de laryngite, se dit Brogan en regardant la rivière et la gare au-delà de la ville. Les voitures braquaient leurs phares sur lui en traversant le pont. Il ne voyait pas l'eau, mais il savait que la rivière coulait en silence. La grosse artère coronaire de la ville.

Bien sûr, pourquoi pas ? La rivière était l'amie de Brogan. C'était la solution évidente. Pourquoi n'y avait-il pas pensé plus tôt ? Il remit donc le marteau dans la valise. Chercha autour de lui un autre objet pesant et trouva un cendrier massif en marbre, presque de la taille d'un siège de toilettes, sur une petite table. Qu'est-ce qu'il était lourd ! Il le mit dans la valise et recula avec un sourire. Parfait. Il pouvait tout faire sans désordre.

On frappa à la porte. Il fallut quelques instants à Brogan pour redonner un peu confiance au chat ; il le caressa une demi-douzaine de fois puis le remit dans l'armoire. Il ouvrit la porte et trouva le portier qui lui dit qu'on s'était plaint de la musique. Des clients de l'hôtel étaient sensibles aux hautes fréquences. Céline Dion leur donnait le mal de l'altitude.

« Oh, très bien, chef. Pas de problème », acquiesça Brogan avec un hochement de tête. Puis il regarda derrière lui et fit un signe vers le ghetto-blaster comme s'il lui demandait de se taire. Il était plus que disposé à montrer des égards pour les autres clients. En fait, il était tout « égard » et alla tout de suite couper le larynx altier.

« Je reprends le plateau ? demanda le portier.

– Oh, d'accord. Pourquoi pas ?

– Ça vous a plu ?

– Et comment. Merci, chef. J'adore le poisson. Mes compliments au chef, et tout et tout. »

Il y avait cependant quelque chose de bizarre dans le fait que les couverts étaient toujours soigneusement enveloppés dans la serviette. La purée et les petits pois étaient intacts. En fait, une pellicule protectrice, comme une carapace, s'était formée sur la purée. Les petits pois étaient durs et fripés comme des calculs biliaires. Et la membrane de silicone de la crème anglaise n'avait été qu'en partie ôtée du diplomate. Le portier enleva le plateau sans un mot. Personne n'était obligé de manger ses petits pois, ici. Et ce n'était pas son problème si les gens étaient des sauvages. Si un client voulait manger son poisson avec les doigts et laper la crème anglaise en écoutant Céline Dion ou Mary Black se rendre malades à la radio, c'était son droit. Tant qu'il ne la mettait pas trop fort et qu'il ne rendait pas fous les autres clients.

Le portier avait le dos tourné et Brogan était sur le point de fermer la porte ; il y eut alors un autre appel au secours provenant de l'intérieur de l'armoire. Le portier se retourna. Ça aurait pu être un moment crucial dans le destin du chat. Une petite initiative humanitaire de la part du portier aurait pu apporter une fin rapide à la saga de cet otage délicat. Mais il ignora la supplique désespérée et partit en abandonnant le chat à son sort. De toute façon, même si le portier ne sentait pas l'alcool, Brogan avait l'impression qu'il avait bu.

Brogan laissa sortir le chat, le prit sur ses genoux et se mit à le caresser pour établir une certaine intimité avec l'animal condamné à mort. Puis il passa encore un coup de téléphone et la femme hystérique lui répondit de nouveau.

« Écoute », grogna Brogan au téléphone. La femme se tut. Il plaça le récepteur près du chat pour que son ronronnement soit audible à l'autre bout du fil. Cette fois, ce fut la femme qui dit : « Moggi, Moggi, Moggi », d'une voix plaintive haut perchée avant qu'une voix d'homme s'interpose et se mette à crier. Le chat gratifia Brogan d'un regard de profonde méfiance, comme s'il le soupçonnait d'avoir en tête une méchante ruse en rapport avec le fil du téléphone. Comme d'enrouler le câble en spirale autour de son cou minable. Mais Brogan n'y avait pas pensé et il se contenta de remettre le chat dans l'armoire. Il écouta un moment la voix masculine aboyer dans le téléphone, de temps en temps remplacée par la voix féminine hystérique, pendant que le chat répondait plaintivement dans l'armoire ; finalement, il raccrocha et redescendit au rez-de-chaussée.

Le portier errait à la réception. Il semblait y avoir davantage de monde au bar, mais Brogan n'avait pas envie de recommencer une conversation à sens unique sur *Liveline*. Il ne voyait pas non plus de femme à prises encastrées. Il décida donc d'aller parler au portier.

« Dites-moi, à quelle heure ouvre la boîte de nuit ? »

Le portier regarda sa montre et dit qu'elle allait ouvrir d'une minute à l'autre.

« Ça me paraît très bien, dit Brogan. Je ne sais pas quoi faire d'autre, alors je vais sans doute y aller. »

Le soupçon de résignation dans sa voix parut trouver un écho chez le portier. Il n'avait pas l'air très occupé lui non plus ; il était debout, les mains derrière le dos, dans une attitude semblant dire « parlez-moi » . Il avait l'air un peu inquiet, comme si on l'avait forcé à faire une mauvaise affaire. Comme si le monde entier le rendait sceptique, mais qu'il conservait tout de même l'esprit ouvert sur le concept du bonheur. Rien ne changerait de façon spectaculaire dans la vie du portier au point où il en était. Il avait peut-être pris un mauvais chemin quelque part, car il semblait prêt à se retirer complètement de la vie et à se précipiter dans son petit réduit derrière la réception, à moins qu'une conversation fasse passer sa propre biographie dans l'ombre et le rassure sur le fait que d'autres gens avaient aussi des vies imparfaites. Si on vous a trompé récemment, je serais heureux de bavarder avec vous, semblait-il dire. Tant que vous ne parlez pas de football ou de billard. PAS DE SPORTétait comme collé sur son front tourmenté.

« Est-ce que j'ai l'air de quelqu'un qui parle de ce putain de football ? » avait envie de dire Brogan. « Est-ce que j'ai l'air d'un de ces vrais connards qui dégoisent toutes ces conneries de mecs sur Alan Shearer qui serait incapable de marquer des buts parce qu'il a oublié d'enlever sa capote ? » Parce que Brogan jouait sur un autre tableau. Il était du genre sensible, à l'écoute, en contact avec l'aspect féminin de sa personnalité. Prêt à aller directement au cœur des choses et à parler de sentiments, de relations, de muqueuses et d'orgasmes multiples.

« Je suis entre deux appartements, hasarda Brogan. Je vais peut-être devoir rester quelques nuits avant de réussir à m'organiser. J'ai été mis à la porte de chez moi, voilà.

– Ça c'est vraiment nul, convint le portier.

– Ouais. Elle m'a viré », dit Brogan en riant et en tendant les mains comme pour supplier. « Elle a pris un nouveau mec et elle m'a viré. Qu'est-ce qu'on y peut ? »

C'était la façon qu'avait Brogan de communiquer avec les gens. Rire de lui-même, présenter les pires informations sur son compte comme une marque de soumission et d'humble amitié. L'approche du perdant. Cela va de soi que dans un petit pays comme l'Irlande, si vous dites à quelqu'un que vous vous en sortez bien, que vous êtes heureux, équilibré et en pleine ascension sociale, on va vous haïr copieusement. La réussite, c'est carrément dégueulasse. La tactique de Brogan consistait à afficher le sourire du faible et à annoncer qu'il était un perdant heureux. Pas un pleurnicheur, attention, mais le porteur de dons précieux et intimes, afin de montrer qu'il n'était menaçant pour personne. Le protocole du dénigrement de soi-même.

Bien entendu, Brogan était prêt à s'éloigner si le portier ne voulait pas en entendre davantage. Mais le portier ne pouvait pas ignorer un signal aussi honnête de la détresse d'un compagnon masculin.

« Il n'y a pas de justice en amour et à la guerre », répondit-il avec une fidélité totale. Le portier du perpétuel secours.

Ces mots étaient d'une neutralité parfaite. Ils montraient l'intérêt du portier sans prendre parti. C'était une affaire délicate de s'immiscer en tant que tiers dans les disputes domestiques des autres quelles qu'elles soient. Ça ne servait à rien de pénétrer dans l'univers sauvage des querelles personnelles des autres sans repérer d'abord les issues de secours. Pour Brogan, cependant, la réponse était exactement celle qu'il fallait. Il n'y avait pas de justice en amour et à la guerre.

« Vous avez absolument raison, mon vieux », convint Brogan en regardant le portier comme s'il était prophète.

« Voyons. Qu'est-ce que vous buvez ? demanda-t-il. Je vais chercher un verre au bar. Qu'est-ce que vous voulez ? »

Le portier regarda furtivement autour de lui.

« Une goutte de vodka. Sans glace, s'il vous plaît ! » chuchota-t-il en faisant un signe de la tête vers son réduit. « J'ai plein de Schweppes là-dedans. »

Brogan alla au bar et commanda une double vodka et pour lui une autre double tequila avec du jus d'orange. Il y avait du monde au bar maintenant. Ben, le sauvage loquace auquel il avait parlé plus tôt, errait encore comme une âme en peine, attendant sans doute l'ouverture de la discothèque. De retour dans le hall, Brogan donna son verre au portier et se présenta. Le portier s'appelait Simon. En un rien de temps, ils se racontaient leur vie, leurs sentiments, leurs relations, et tous ces putains de trucs.

« Dites donc, dit Brogan. Qu'est-ce que vous pensez des chats ?»

C'était une question à brûle-pourpoint. Une question très délicate, en fait. Comment trouver une réponse engagée qui puisse satisfaire à la fois l'ami des chats et le tueur de chats ? Car il n'existait que deux catégories de gens sur terre : les amis des chats et les tueurs de chats. En tant que portier, il fallait être prudent et cerner qui était quoi ou bien naviguer dans le brouillard le long d'une ligne médiane. L'Irlande ne s'était pas accrochée à sa neutralité pour rien. Et le portier savait qu'une autre question constituait la réponse la plus neutre.

« Qu'est-ce que je pense des chats ?

– De froides créatures. » Brogan fonça tête baissée à son secours. « Ils ne donnent rien. On leur montre des tonnes d'affection. On leur donne la meilleure bouffe. Un dévouement total. Et qu'est-ce qu'on a en retour ? Rien. »

Le portier n'était toujours pas certain d'avoir affaire aux sentiments d'un ami des chats désenchanté. Il décida de se protéger et dit seulement qu'en général, le chat était son propre maître.

« Si vous me permettez cette expression, poursuivit Brogan sans détours, le chat n'en a rien à foutre de vous. Le chat se sert de vous puis se détourne et s'en va. Le chien est différent. Le chien sacrifiera sa vie pour vous. Tandis que le chat prend tout ce qu'il peut et vous fiche dehors. Où est la loyauté là-dedans ? »

C'était un triste constat. On ne pouvait pas faire confiance à un chat. Brogan et le portier étaient parvenus à un accord parfait là-dessus. Tôt ou tard, parce que Brogan avait présenté librement ses opinions les plus personnelles et ses sentiments les plus profonds, le portier savait qu'il devrait donner quelque chose en retour. Le présent de l'intimité devait être réciproque. En fait, le portier allait faire plus que répondre ; il allait renchérir sur Brogan dans le registre du mauvais sort assumé avec bonheur. Inévitablement, il révéla donc que son travail à l'hôtel allait cesser parce que l'hôtel allait être démoli. Ce n'était plus qu'une question de temps. Non pas que cela fasse une grosse différence à long terme, car, en l'occurrence, Simon se trouvait confronté depuis peu à un gros manque de chance. Il était terrassé par le grand C.

« Je suis moi aussi destiné à la démolition, dit-il.

– Nom de Dieu ! Ça me fait de la peine d'entendre ça. Le grand C. Bordel de merde, mon vieux. Moi qui croyais avoir des problèmes. »

Brogan écouta le portier parler tranquillement de son état de santé. Il prenait les choses calmement et presque avec nonchalance. Il n'y avait pas beaucoup d'espoir. Qu'est-ce qu'on pouvait faire sinon boire un coup ? Le portier était navré de parler d'un sujet aussi morbide et pressa Brogan de descendre à la boîte de nuit. Qu'il aille s'amuser. Qu'il profite de la vie pendant qu'il le pouvait, et tout ça. Mais Brogan ne voulait pas y aller. Il ne voulait pas abandonner comme ça un complice mourant.

« Vous faites un traitement ?

– Laissez tomber. Ils m'ont plus ou moins dit que ça ne servait à rien. Vraiment, regardez-moi.

– C'est scandaleux. À votre place, je ferais quelque chose, Simon. Ne les laissez pas s'en tirer comme ça. Mettez-leur la pression.

– Ils en sont à me donner six mois. Un an, tout au plus, dit le portier.

– Nom de Dieu. Ce n'est pas juste, Simon. »

Ils abordèrent le sujet délicat de la douleur. Et Brogan reconnut qu'il n'avait aucun courage face à la plus petite mortification de la chair. Il avait peur de souffrir, pour être tout à fait honnête. Il ne supportait même pas qu'on lui casse les couilles.

« Peu importe la douleur », dit le portier, stoïque. La douleur était dans la tête. Ça ne servait à rien de s'en faire pour ça. C'était comme ça que le portier voyait les choses. Peu importait le temps qu'on avait avant l'arrivée de l'équipe de démolition, il était essentiel de profiter au mieux de la vie. Un vieil homme comme Simon pouvait en faire entrer plus dans une année que beaucoup de jeunes blancs-becs.

« Je pense à préparer un diplôme, dit-il.

– C'est tout à votre honneur, Simon. »

Mais Brogan ne pouvait pas même avoir une idée du degré d'humilité et du purgatoire volontaire de Simon face à la mort. Quel besoin avait-on des lumières de la connaissance sur son lit de mort ? De s'instruire pour le cimetière ? À ce stade, Brogan réclamerait des plaisirs simples. Que des beignets à la crème. Plus de légumes. Une chambre pour lui seul au mouroir, une nourriture de gourmet avec rien que des cochonneries et les meilleurs films porno. De l'alcool au robinet et une suite ininterrompue d'infirmières superbes pour lui prendre la température. Sans parler d'un accès direct à la morphine à libération lente. Un diplôme dans un truc comme l'histoire d'Irlande. Putain de merde. Ce n'était pas une blague.

« Vivez à cent pour cent tant que vous le pouvez », conseilla le portier.

Il essaya encore de pousser Brogan à descendre à la boîte de nuit. Un instant, Brogan eut même l'impression qu'il était porteur d'une mission pour le cachot d'en bas. Il était si ému par l'histoire du portier qu'il se sentait incapable de descendre à la boîte de nuit sans avoir payé une autre tournée. Encore des doubles vodkas et des doubles tequilas. Il tenait bon en face du portier mourant. Il admirait son courage. Il traînait à la réception jusqu'à ce qu'il ait lui-même l'air d'appartenir au personnel condamné de l'hôtel. Ils étaient en train de se soûler tous les deux et sur le point de se mettre à chanter par solidarité d'une minute à l'autre. S'il n'y avait eu quelques clients âgés qui passaient de temps en temps, ils auraient entonné *Boulavogue*.

Brogan était touché par cette rencontre. Lorsqu'il décida enfin de descendre au Upstarts, il était d'humeur optimiste, prêt à vivre sa vie jusqu'à l'épuisement. Ça manquait un peu d'entrain à la boîte de nuit, mais ça ferait l'affaire. Au début, il eut envie de dire aux clients qu'ils avaient l'air idiot, à danser comme ça. Ils ignoraient tout du portier là-haut et de ses souffrances intimes. Si seulement ils se voyaient.

Il avait l'impression que certains avaient été piqués par une abeille ou mordus par une araignée dont le venin avait provoqué chez eux une sorte de démence accélérée. La catégorie Formule 1 de la danse. Ils ne regardaient personne et s'activaient comme mus par un carburant exotique. Brogan se demanda s'il y avait des substances toxiques dans les parages. Il vit quelques individus louches à la porte. L'un portait des lunettes de soleil dans l'obscurité ; c'était un miracle qu'il vît quelque chose, s'il n'était pas complètement aveugle.

Brogan trouva une place au bar où se percher ; il put poser son verre et inspecter la boîte. Cela lui permit d'évaluer les nanas. Il pensa à se procurer un demi comprimé d'E. Pas pour lui, mais pour le chat en haut. Brogan trouvait que l'alcool convenait parfaitement à ses besoins. Mais ça serait vraiment marrant de voir comment le chat réagirait à une drogue à la mode comme l'E ou le spécial K. Peut-être se mettrait-il à gambader, déchaîné, et à chasser des souris imaginaires toute la nuit dans la chambre, comme dans les dessins animés de Tom et Jerry, jusqu'à cinq heures du matin – se faisant rosser, aplatir, électrocuter, exploser, écorcher et écarteler, mais se relevant indemne à chaque fois pour en redemander, pendant que la souris invisible s'appuierait du coude sur la plinthe en souriant et en inspectant ses ongles.

Brogan repéra quelques autres danseuses carrossées comme des berlines. Trois décapotables qui ressemblaient toutes à Michelle Smith, la nageuse olympique. Un instant, il crut qu'il avait trop forcé sur la tequila et qu'il voyait tout en triple. Les trois Michelle exécutaient une sorte de nage synchronisée sur un rythme rave. Dans des couloirs séparés. Sans bonnet de bain. Elles avaient toutes des cheveux blonds frisottés, sous haute tension ; une autre jeune femme aux cheveux raides couleur bronze qui semblait complètement déplacée vint les rejoindre. Brogan prit un air avantageux et tenta de se joindre à elles, mais il essuya un refus instantané. Fous le camp. Essaie la pataugeoire. Il ne se laissa toutefois pas démonter et entreprit un battement de pieds aventureux sous l'eau devant elles. Il produisit beaucoup de bulles et d'écume sous l'effort, pour faire comme s'il avait lui-même une ou deux médailles. Mais elles le contemplèrent avec beaucoup d'inquiétude : « Au nom du ciel, qu'est-ce que tu es en train de te faire ? semblaient-elles demander. Tout ce que tu vas gagner comme ça, c'est de te faire mal aux noix. »

Les trois Michelle lui tournèrent le dos. Ce qui ne fit qu'encourager encore plus Brogan, jusqu'à ce qu'elles finissent par en avoir assez et qu'elles quittent la piste. On aurait dit qu'elles étaient parties chercher leur serviette et qu'elles s'étaient mises à se sécher mutuellement les cheveux en marmonnant des trucs à son sujet, assises sur les sièges au bord de la piscine. « Connard de perdant, Brogan, semblaient-elles dire. Tu n'as jamais rien gagné de ta vie. Pas même un lavage gratuit pour ta voiture. » Tout le monde le regardait fixement comme si son bermuda lui tombait sur les genoux en exposant sa raie du cul poilue. Brogan gardait l'espoir que la brune resterait au moins avec lui. « Regarde, j'ai un derrière d'autruche, lui disait-il. Mes fesses sont en acier de Sheffield. » Et elle portait un maillot de bain une pièce en peau de léopard particulièrement beau – découvrant les jambes jusqu'en haut et le dos jusqu'en bas. Mais elle l'abandonna très vite aussi, juste au moment où il allait battre le record du moment de nage du petit chien.

Brogan retourna au bar pour se ravitailler. Comment était-il censé rivaliser avec la génération de l'E s'il n'arrivait pas même à impressionner les filles marchant à la pop et à l'alcool ? Il était disposé à faire une nouvelle tentative. Mais pourquoi se donnait-il tant de mal ? Il n'avait peut-être pas choisi le bon style. Il aurait peut-être dû descendre sa veste en cuir au milieu des épaules et se contenter d'avancer et de reculer en pointant tout le temps un doigt énigmatique vers le sol comme s'il essayait de leur dire quelque chose d'important. Calme. Moins disposé à sourire. Plus enclin au silence pour ne dire que l'essentiel. « *I've seen you guys before, but I can't tell you apart no more, ...uh, uh... and how dare you call me a bore, because you're dancin' on my floor... uh, uh !* »

À quoi ça servait ?

Brogan décida de boire une autre tequila. Il s'assit et pensa au portier là-haut qui buvait sa vodka sec tout seul dans son petit réduit derrière la réception. Brogan commençait à se prendre lui-même en pitié, quand une jeune femme vint s'asseoir au bar à côté de lui. Elle paraissait seule. Peut-être que sa façon de danser lui avait plu, car elle lui sourit tout de suite. Et il se retrouva très vite à lui payer un Rémy-Martin. Pas la peine de passer par toute cette mise en train automatique sur la piste. En tout cas, ce qu'il voulait, c'était de la compagnie et pas une grande histoire d'amour née de la chaleur et de la sueur.

Elle lui dit qu'elle s'appelait Collette. Elle resta vague sur sa façon de gagner sa vie. Mais, dès le début, elle fut compréhensive et prête à écouter Brogan qui remuait sa tequila avec son tournevis et parlait de lui. Il en avait marre d'installer des prises à longueur de journée. Mais il n'avait pas le courage de revenir en arrière et de préparer un diplôme ou quelque chose dans le genre. De plus, sa petite amie l'avait viré et avait trouvé un autre homme. Un vrai clown avec des gros pectoraux et des fesses de première.

« Tu n'es pas si mal, toi non plus », le rassura Collette et il lui en fut reconnaissant. Elle était prête à le considérer comme une personne à part entière. Elle avait montré qu'il lui plaisait pour son intelligence, pas seulement pour son corps. La puissance en chevaux de ses fesses ne l'intéressait pas. Et de plus, elle était d'accord avec ses opinions. D'une manière ou d'une autre, ils étaient sur la même longueur d'onde, depuis le tout début. Parce qu'il lui avait demandé ce qu'elle pensait de *Liveline* et qu'elle avait tout de suite répondu qu'elle ne l'écoutait jamais. D'ailleurs, elle était rarement levée à cette heure-là. Et tous ces outrages à la morale étaient un peu durs à avaler aussi tôt dans la journée. Oh mon Dieu ! Oh là là !

Ils allaient parfaitement ensemble. Elle portait même une veste en cuir comme celle de Brogan. Elle lui dit qu'elle serait ravie d'approfondir le sujet en haut, si ça lui allait. Comme elle n'écoutait jamais *Liveline*, cela lui sembla soudain très tentant. Elle ne portait pas d'excédent de bagages.

Cela ne le gêna pas non plus quand il s'aperçut qu'il lui faudrait payer Collette pour le temps passé avec elle. Il pourrait le faire passer en don ou en frais de consultation ponctuels. Il était prêt à la payer deux fois plus, du moment qu'elle était d'accord avec tout ce qu'il disait. Qu'elle ne discutait pas, ni ne lui demandait rien en échange. Ni soupirs ni menaces de le plaquer s'il disait par hasard quelque chose qui n'était pas politiquement correct. Il y avait une très grande pureté dans une telle transaction. D'accord, l'argent donnait le pouvoir et tout ça, mais c'était une manifestation de la fin du capitalisme tout ce qu'il y avait de plus honnête. Ça éliminait toute idée de contestation et leur permettait d'établir un ensemble de conditions préalables. Il n'avait pas envie d'une sincérité à toute épreuve. C'était un tel soulagement de ne pas avoir à entendre la vérité, au moins pendant une soirée.

En traversant la réception avec Collette, Brogan remarqua que la réceptionniste essuyait le sang qui coulait du nez d'un homme. Qui était-ce – sinon Ben, l'homme à la cervelle en polystyrène. Finalement, il s'était trouvé quelqu'un qui n'avait eu d'autre choix que de donner à ce trou du cul un bon coup sur le nez.

Maintenant, il répandait son putain d'ADN dans tout l'hôtel.

Une fois entrés dans la chambre, Collette s'assit sur le lit. Elle enleva ses chaussures et défit discrètement un ou deux boutons de son chemisier, pour montrer qu'elle avait un anneau au nombril. Elle portait une courte jupe noire et Brogan entrevit sa culotte rouge quand elle s'allongea. Il lui donna tous les oreillers et s'assura qu'elle était à l'aise, prête à l'écouter, les jambes étendues sur le lit et les mains en berceau sur sa poitrine. Elle portait un soutien-gorge de marque Affinity. Elle était pleine d'affinité, en réalité, et tripotait les ongles rouges de ses orteils en réponse à chacune de ses paroles, pendant qu'il arpentait la chambre en parlant. C'était comme s'il lui lisait un conte de fées.

« Elle a téléphoné à la radio, révéla finalement Brogan. Elle leur a tout raconté sur moi.

– Qui ?

– Mon amie. Mon ex-amie. Je sais que c'était elle. Je suis capable de reconnaître entre mille la voix de mon amie à la radio. Tu ne me crois pas ? Je te le jure. Elle leur a tout raconté.

– Quoi par exemple ?

– Elle leur a dit que j'essayais tout le temps de saouler son chat. Il paraît que, chaque fois qu'elle n'était pas à la maison, je faisais tout ce que je pouvais pour rendre le chat alcoolique en le nourrissant de diplomate et de pâtée pour chat marinée dans de la Beck's éventée.

– Et c'était vrai ?

– Collette, à ton avis ? Est-ce que j'ai l'air d'un homme qui ferait une chose pareille ?

– Absolument pas ! Comment a-t-elle pu croire ça ?

– Elle a aussi dit que je n'avais pas de cœur. Elle n'avait jamais rencontré d'homme sans cœur à ce point. Elle a dit que j'étais un sale type et que j'urinais sur le chat. Je te jure. Elle m'a accusé de pisser sur son Moggi.

– Ce n'est pas bien de traiter quelqu'un de sale type, dit Collette. C'est un préjudice.

– Elle a dit que je n'avais pas de cœur et pas de respect. Nom de Dieu, Collette, le respect me sort par tous les pores de la peau. Je suis une vraie hémorragie de respect.

– De respect pour quoi ? » demanda-t-elle.

À l'extérieur, ils entendaient des gens rentrer chez eux. Des gens sortaient du Upstarts en discutant et en riant. Des taxis laissaient tourner leur moteur. Des portières claquaient. La soirée était finie et la ville commençait à fermer boutique. Les trois Michelle et la brune rentraient chez elles. Il n'y aurait pas de médaille cette nuit. Toute la génération E continuait à s'agiter au point de s'écrouler à l'arrière des taxis, à se crisper pour faire baisser sa tension.

Collette regarda Brogan avec beaucoup de compassion. Elle tapota la couette et lui dit de s'asseoir à côté d'elle, pour qu'elle puisse lui caresser le bras et l'encourager. Avec quel genre de goule avait-il frayé ? Il était beaucoup mieux sans cette femme. Elle n'était pas bonne pour lui. Il avait fait ce qu'il fallait en s'enfuyant. Maintenant, Collette était là pour le protéger. Elle était prête à enfoncer un talon aiguille dans le front de Miss Pisse de chat. Ça s'appelait combat dans la boue, boxe féminine ; elle était prête à se battre au corps à corps au bord d'un dangereux précipice pour défendre l'honneur de Brogan. Et brusquement, il se sentit transporté à l'idée qu'elle aille combattre pour son compte.

« Qu'est-ce qu'elle a dit d'autre ?

– Nom de Dieu, plein de trucs. Par exemple que je ne nettoyais pas après m'être rasé. Que je laissais des poils dans le lavabo et des trucs comme ça. C'est elle qui laissait des poils dans le lavabo quand elle rasait ses jambes de cactus avec mes lames de rasoir. Je te jure. Et puis elle a eu le culot de m'accuser de laisser le lavabo comme le visage de George Michael. La bonde pleine de mousse.

– La vache !

– C'était très blessant.

– Mais qu'est-ce qui lui a pris de téléphoner à la radio ? C'est ce que je ne comprends pas. Je veux dire, tu ne lui as rien fait ?

– Je lui ai dit qu'elle était très sexy quand elle était en colère. C'est tout. J'essayais d'être gentil avec elle. Elle était dans la chambre, le chat sur les genoux, et je lui ai dit qu'elle était super. Je lui ai dit que j'aimerais bien être son chat. Et elle m'a dit de foutre le camp. Elle continuait à râler à cause de l'histoire du lavabo et, plus je disais que je la désirais, plus elle se mettait en colère.

– Alors, qu'est-ce qui s'est passé ?

– Elle a piqué sa crise. La merde totale. Une vraie cata. Elle s'est mise à faire la gueule et, le lendemain, elle a téléphoné à Marian Finucane pendant *Liveline*.

– La garce !

– Je sais. C'est scandaleux. Et maintenant, je me fous pas mal de ce qu'elle a dit. Je sais que je suis un perdant. Je suis le premier à l'admettre. Ce qui m'embête, c'est qu'au boulot, tous les gars l'ont entendue. Ils écoutaient tous. Tout le pays l'a entendue. C'était vraiment des trucs intimes. Et elle n'avait pas le droit de les divulguer. »

Brogan se remit à marcher de long en large et, soudain, le chat se fit entendre dans l'armoire. Il n'avait pas le choix : il le laissa sortir. Le chat bondit sur le rebord de la fenêtre et se mit à regarder la rivière. Il avait été enfermé tout seul si longtemps que la vue du pont et de la gare éclairés par des lampadaires jaunes était pour lui comme un film. Tout le monde était rentré chez soi. Le dernier taxi était parti et il n'y avait pas trace de la voiture-balai.

« Viens, Minou, dit Collette.

– Il s'appelle Moggi », corrigea Brogan.

Le chat commença par hésiter. Après un moment de réflexion, il tenta sa chance et pensa préférable d'aller vers elle en ronronnant pour provoquer sa compassion, la queue dressée comme une auto tamponneuse. Collette se mit à le caresser, et Moggi se rendit parfaitement ridicule. Elle le laissa frotter sa tête contre elle. Il écarta ses seins et se nicha juste en dessous du soutien-gorge Affinity pour se faire protéger. La culotte rouge de Collette brillait et scintillait, comme une lampe éternelle du Sacré Cœur sur le palier. Ses doigts de pied se recroquevillaient.

« Tu as pris son chat, dit Collette.

– Et comment que je l'ai pris. Ça, tu l'as dit !

– Pour récupérer ta minette ?

– Elle ne reverra pas ce chat vivant. Ça, c'est sûr. » Brogan lança au chat un regard vraiment mauvais. Pour tout dire, il envisageait toujours un dénouement à la Hannibal Lecter ou à la Ballymaloe. Il venait de tomber en panne de « respect » à l'instant même. Le chat pouvait se nicher tant qu'il voulait. Le moment du jugement approchait très vite.

Il regarda la rivière par la fenêtre en écoutant le chat ronronner, jusqu'au moment où il s'aperçut que Collette repoussait Moggi et lui faisait signe. Elle lui fit un clin d'œil et lui demanda de s'allonger à côté d'elle. Elle défit les boutons de sa chemise et se mit à caresser son confortable tapis de poils. Le chat décida de ne pas prendre part à ce jeu et de s'installer près de la fenêtre pour regarder d'un œil lascif les mouettes qui remontaient la rivière ; quant à Brogan, il était allongé sur le lit à la place du chat, niché contre Collette, les yeux fermés, et il ronronnait.

En bas, le portier s'était assoupi. Il était seul dans le hall. Tous les voyous de la boîte de nuit avaient fini par rentrer chez eux, ce qui lui donnait l'occasion de décompresser. Toutes les bagarres et les disputes devant la boîte avaient cessé. Un intermède de paix absolue enveloppait le Finbar's Hotel ; soudain, un coup irritant fut frappé à la porte de verre avec une clé ou une pièce de monnaie. Il n'y a rien de pire que le bruit impie du métal sur le verre. Le portier loucha pour tenter de voir qui était là, en espérant qu'ils allaient partir. Revenez demain matin, nom de Dieu. Mais on continua à frapper et il fut forcé d'aller voir, au cas où il y aurait un rapport avec le dangereux salaud de la chambre 107. Au lieu de cela, il trouva une femme furieuse et son ami en veste de mouton. Le portier avait à peine ouvert la porte qu'elle entrait en tirant son ami derrière elle; elle criait à tue-tête et jurait qu'elle allait tout casser.

« Vous avez un Mr Brogan à l'hôtel, non ? demanda-t-elle d'un ton péremptoire.

– Eh, une seconde, dit le portier, ahuri.

– Comment ça, une seconde, dit-elle en se dirigeant à grands pas vers la réception. Je veux savoir dans quelle chambre il est parce qu'il a mon chat.

– Écoutez, madame. Les animaux sont interdits dans cet hôtel. »

Elle dévisagea le portier, l'air parfaitement dégoûté et écœuré. On aurait dit qu'elle avait marché sur un préservatif usagé dans la rue. Et son visage exprimait seulement maintenant qu'elle avait compris d'où venait le gargouillis. Comme si elle avait peur de baisser les yeux et de devoir reconnaître la présence sordide de la vie sexuelle minable de quelqu'un d'autre sous son pied.

« Vous allez avoir de gros ennuis si vous ne me dites pas où il est. Tout de suite. À l'instant ! dit-elle.

– Elle ne plaisante pas », renchérit son compagnon en veste de mouton, en donnant un conseil d'homme à homme. Une expression douloureuse était peinte sur son visage, comme s'il essayait de communiquer quelque chose d'important au portier sur la détermination féminine. « Écoutez, je comprends les femmes, semblait-il dire. Ce n'est pas une mince affaire. Ça pourrait faire du vilain. »

Le portier les étudia tous les deux et pesa le pour et le contre. Il savait que Brogan détenait un chat en otage dans sa chambre. Toute cette histoire de poisson ne prenait pas avec lui. Mais l'idée d'un match avec prolongations à grand renfort de cris dans le couloir de l'étage à cette heure nocturne ne lui plaisait pas. En outre, c'était une question de loyauté. Brogan et lui étaient devenus d'excellents camarades plus tôt dans la soirée autour de quelques verres. Un lien viril inattaquable s'était forgé entre eux.

Quelle importance de savoir à qui appartenait le minet à cette heure-ci ? Et en plus, cette femme hystérique avait tiré le portier d'une agréable rêverie noyée dans la vodka. Elle l'avait ramené à la réalité et lui avait rappelé qu'il était en train de mourir d'un cancer : erreur impardonnable.

Si seulement Brogan avait été présent. Il aurait tout simplement dit à Miss Jambes de cactus d'aller se faire foutre. Emmène ton copain minable avec ses fesses gonflées au butane. Et fais attention de ne pas glisser sur la capote dehors.

« Je crois que vous devriez partir, dit le portier. Vous n'avez rien à faire ici. »

Mais elle ne voulait pas laisser tomber. Elle se mit à tempêter, essaya de passer derrière le bureau de la réception et demanda le directeur. L'homme à la veste en peau de mouton tentait de la calmer, de la tirer dehors avant qu'elle ne fasse des dégâts, tandis que le portier la menaçait d'appeler la police. Ne trouvant pas le registre, elle dit qu'elle allait réveiller tout l'hôtel, frapper à toutes les portes jusqu'à ce qu'elle trouve le salaud qui avait pris son chat.

« J'appelle la police », dit finalement le portier en décrochant le téléphone.

« Eh bien je l'attends, répondit-elle rageusement. Vous avez chez vous un tueur de chat.

– Voyons, Patricia. » L'homme aux fesses de cheval essaya de la supplier. Il la tirait de nouveau vers la porte, de toutes ses forces, en chuchotant et en l'encourageant à partir. Ils trouveraient d'autres façons de venger son chat en temps voulu.

« Je vais téléphoner à *Liveline* pour leur raconter ça, cria-t-elle de la porte. Je vais ruiner cet hôtel. Je vais le faire fermer. »

Le visage du portier prit une expression de résistance laconique. Comme s'il allait se mettre à rire.

Brogan aurait été ravi de voir ça. « Oooh..., aurait-il dit. Nous sommes tous morts de peur et nous tremblons comme des feuilles. Nous en chions dans notre froc. Je t'en prie, tout mais pas la radio. » Ecoutez, Miss Irlande, cet hôtel est foutu depuis longtemps. C'est Simon qui vous le dit. Ni vous ni votre trou du cul d'émission de radio ne pouvez aggraver les choses. Vous croyez que Simon en a quelque chose à foutre, de ce que Marian Finucane va raconter sur le Finbar's Hotel ?

« J'attendrai dehors jusqu'à ce que j'obtienne satisfaction. » Ce furent les derniers mots de la femme.

Le portier réussit à fermer la porte derrière eux. Il regarda par la vitre et les vit s'éloigner jusqu'à une voiture en stationnement. Ils y montèrent et attendirent. S'ils avaient levé les yeux, ils auraient vu le chat assis à la fenêtre juste au-dessus d'eux. Mais la femme hystérique ne quittait pas de ses yeux fous la porte de l'hôtel, dans l'attente de voir Brogan en sortir.

Une ou deux heures plus tard, Brogan se réveilla et s'habilla. Il laissa Collette endormie dans le lit. Il laissa beaucoup d'argent sur la table de nuit et écrivit quelques mots brefs sur le papier à lettres du Finbar's Hotel. Il sortit dans le couloir avec son ghetto-blaster et sa valise. Quand il arriva dans le hall, le portier vint le prévenir. Simon semblait un peu énervé.

« Elle est dehors dans la voiture, elle attend, expliqua-t-il. Avec son nouveau poids lourd de petit ami. »

Mais Brogan ne semblait plus très inquiet. Il sourit et voulut savoir à quel pub allait le portier. Il demanda à Simon à quel moment il n'était généralement pas de service, parce qu'il voulait boire un coup avec lui un de ces jours. Ils se retrouveraient au Wind Jammer le mardi soir suivant. En attendant, le portier devait faire attention à sa santé. Prendre tous les traitements possibles. Et bonne chance pour son diplôme.

« Prenez soin du chat, dit le portier en montrant la valise de Brogan.

– J’en ai bien l’intention », répondit Brogan avec un sourire.

Le portier lui ouvrit la porte et Brogan partit vers la rivière. Il le regarda s’éloigner d’un air avantageux et passer devant la voiture rouge. Les occupants devaient dormir, car personne ne sortit de la voiture. En fait, dans une autre voiture, un homme regardait tranquillement toute la scène sans bouger. Brogan eut même le temps de se retourner et de lever les yeux vers la fenêtre de sa chambre. Les mouettes avaient commencé à s’abattre sur les rues désertes ; elles cherchaient des restes, fouillaient les ordures, espérant trouver des frites ramollies, des fragments de hamburgers maculés de ketchup, n’importe quoi sauf une capote usagée. Brogan leva les yeux vers la chambre qu’il avait occupée et reprit sa marche obstinée vers les quais.

Miss Jambes de cactus finit par se réveiller et le vit. Elle jaillit de la voiture, y retourna et réveilla son copain. Qu’est-ce que c’était que cette opération de surveillance ? On s’endormait et on laissait Brogan filer au moment crucial ? On laissait le plus fieffé tueur de chat de tous les temps échapper au filet ? Elle se mit à crier à Brogan de faire demi-tour. Elle ordonna à son petit ami de piquer un sprint pour le rattraper dans les rues silencieuses; ils laissèrent les portières de la voiture ouvertes derrière eux.

Brogan avait atteint la rivière. Il ne se donna pas la peine de hâter le pas et n’envisagea même pas de jeter un coup d’œil derrière lui jusqu’au moment où il arriva sur les berges et regarda l’eau d’un brun orangé. En face, de la vapeur montait de la brasserie. Quelques camions matinaux progressaient le long des quais. Alors seulement, il regarda derrière lui et vit le couple courir pour le rattraper. Il attendit un instant et jeta la valise dans la rivière. Il la regarda flotter avant qu’elle ne commence à couler. Les mouettes décrivaient des cercles dans le ciel. L'une d'elles essaya d'atterrir sur la poignée de la valise, puis s'envola et se remit à tournoyer.

Brogan reprit sa marche vers la ville en flânant, son ghetto-blaster à la main.

Miss Jambes de cactus s'arrêta à l'endroit précis où la valise était encore en partie visible à la surface de la rivière. Elle cria des mots orduriers en direction de Brogan. Quelque chose d'obscène sur son détecteur de tension. Mais il y avait plus urgent. Elle se mit à taper sur son copain fessu en lui ordonnant de descendre sauver le chat, le pressant de descendre par une échelle en acier placée sur le quai jusqu'à l'eau sombre en dessous. Lorsqu'il arriva au niveau de la rivière, il essaya d'atteindre la poignée de la valise.

« Allez, prends-la, cria-t-elle.

– Je ne peux pas », dit-il d'une voix plaintive. La valise était juste hors de portée ; elle dérivait et coulait rapidement.

« Oh, pour l'amour du ciel. Qu'est-ce que c'est que ce type ?

– Écoute, Patricia. Je fais ce que je peux. » Mais la valise avait presque disparu sous l'eau. Des bulles s'échappaient avec impatience par les côtés.

« T'es vraiment bon à rien. »

Il leva les yeux et la vit lui jeter un regard glacial et furieux. De là où il était, il était difficile de dire ce qui était pire : l'expression mauvaise sur le visage de son amie ou l'aspect sale et vaseux de la rivière d'un vert glauque.

« Allez, hurla-t-elle. Ne remonte pas cette échelle les mains vides. »

À la porte de l'hôtel, le portier regardait. Les mains derrière le dos, il respirait l'air frais du matin. C'était presque l'aube. Le ciel commençait à pâlir et il se dit qu'il boirait bien une petite tasse de thé avant que tout se remette en route. Il ne terminait son service qu'à onze heures à cause du manque de personnel. Il rentra et entendit s'ouvrir les portes de l'ascenseur.

Un taxi s'arrêta devant l'hôtel au moment où Collette traversait le hall, le chat sur le bras. En sortant, elle parla brièvement au portier.

« Bonne nuit, Simon », dit-elle en s'arrêtant pour lui montrer son nouveau chat.

Il ronronnait si fort qu'on l'entendait dans le hall désert, comme un écho au moteur Diesel du taxi qui ronronnait dehors. La tête de Moggi exprimait un parfait contentement ; il s'étira et s'accrocha des griffes à la veste en cuir de Collette. Collette sourit au portier qui lui ouvrait la porte. Elle sortit, s'assit sur la banquette arrière, parla au chauffeur et caressa le chat pendant que le taxi démarrait.

La Nuit du directeur

Quelque chose clochait chez l'homme à la queue de cheval qui prenait une chambre pour la nuit. Des dizaines d'années d'expérience, bien avant qu'il n'ait même rêvé de devenir directeur du Finbar's Hotel, avaient enseigné cela à Johnny Farrell. Ces années lui avaient aussi appris à rester en retrait en regardant Aideen, la réceptionniste, lui donner la fiche à remplir. Elle tendit le bras derrière elle pour prendre la clé de la 104 et la posa sur le comptoir à côté du bras de l'homme vêtu d'une veste en cuir. Il semblait seul et son unique bagage à main avait déjà beaucoup servi.

Il se pencha et parla, mais seul Johnny comprit au sourire d'Aideen que la blague qu'il avait tenté de faire n'était pas drôle. Depuis qu'elle travaillait à l'hôtel, Aideen était toujours restée sur son quant-à-soi et on ne l'impressionnait pas facilement. Il se demanda si une fille peut-être plus jeune, tout juste sortie de l'école, aurait été suspendue à chaque mot de ce client. En effet, même à cette distance, il semblait posséder un charme soigneusement cultivé et une aura vaguement familière que Johnny trouvait troublants, même s'il n'était pas encore certain de savoir pourquoi.

La soirée s'annonçait étrange. Certaines nuits étaient ainsi ; on percevait les ennuis comme des miasmes dans l'atmosphère. Johnny savait que l'homme qui avait pris la chambre 101 plus tôt dans la soirée, comme un écolier faisant l'école buissonnière, n'avait pas vraiment de raison d'être là. Peut-être sa femme l'avait-elle mis à la porte, mais il n'avait pas cet air de chien battu que Johnny repérait facilement. Il n'avait pas non plus le regard furtif de quelqu'un qui attend un rendez-vous galant plus tard dans la soirée. Selon toute vraisemblance, il était inoffensif, mais Johnny prit note de garder un œil discret sur lui, au cas où. Le travail d'un directeur d'hôtel consistait souvent à se placer à l'endroit voulu comme un bon gardien de but, pour que sa tâche paraisse facile.

Le client que Simon avait désigné en un murmure mystérieux comme le « cow-boy de la 103 » était potentiellement plus inquiétant. L'instinct de Johnny lui soufflait aussi que quelque chose ne collait pas chez les deux journalistes hollandais de la chambre 205. Toutefois, il ne s'agissait là que des menus problèmes de n'importe quelle nuit de travail au Finbar's et Johnny serait volontiers rentré chez lui, en laissant Simon superviser d'un œil cynique les affaires, s'il n'y avait eu le Dublinois trapu qui occupait sa chambre favorite, la 107, au bout du couloir du premier étage. Des années auparavant, quand il était enfant, Johnny avait appris en observant le premier propriétaire de l'hôtel, le vieux Finbar FitzSimons (auquel l'hôtel devait son nom), l'importance de rester sur place aussi longtemps qu'il existait un risque d'ennuis graves.

Il était étonné qu'aucun membre du personnel ne semblât savoir qui était ce Dublinois, sauf Simon, bien sûr ; le portier de nuit et lui-même avaient passé un accord tacite : ne jamais mentionner ces questions, ne jamais en discuter.

Au comptoir, l'homme à la queue de cheval avait pris la clé de la 104. Johnny remarqua qu'il ne regardait pas autour de lui, bien qu'il ait fixé un moment le portrait défraîchi du fils unique de Finbar FitzSimons, Finbar Og, toujours accroché derrière la réception. C'était un des quelques détails pitoyables sur lesquels Finbar Og avait insisté lorsque le groupement des cadres du personnel avait acheté l'hôtel à la famille FitzSimons plus de vingt ans auparavant : que son portrait reste au-dessus de la réception et que le nom de son père demeure au-dessus de la porte de l'hôtel. Simon surgit de l'alcôve voisine du bureau d'Aideen et jeta un bref coup d'œil à l'homme à la queue de cheval au moment où il ramassait son sac. Johnny aperçut son profil ; il était beaucoup plus vieux que ne le laissait supposer sa queue de cheval noire et lisse. Il devait se teindre les cheveux, car ses quarante ans étaient derrière lui depuis longtemps. Il se dirigea tranquillement vers l'ascenseur et attendit un moment, le temps que les portes s'ouvrent et laissent sortir quelques Américains qui allèrent rejoindre les autres passagers de leur car assis dans le hall. L'idée que l'homme pourrait se sentir observé traversa l'esprit de Johnny. Au moment où l'homme entra dans l'ascenseur et quand les portes se fermèrent, il détourna les yeux, comme s'il avait peur d'être pris sur le fait. L'ascenseur monta et il ne resta à Johnny que de vagues impressions : la vision fugitive du nez, l'arrondi du dos, la façon de marcher et une sensation de malaise irrationnelle et presque paralysante.

Simon surgit avec du café et des biscuits destinés à une des tables d'Américains âgés. Il était légèrement voûté sous le poids du plateau, ce qui ne se voyait pas un an auparavant.

Cependant, rien sur le visage du vieux portier ne permettait de deviner la douleur qu'il éprouvait peut-être. C'était une raison supplémentaire pour que Johnny Farrell se réjouisse de la fermeture du Finbar's Hotel après Noël; tout le personnel allait être licencié et les nouveaux propriétaires repartiraient de zéro. Sans quoi, Simon refuserait d'arrêter de travailler jusqu'à ce que son cancer s'aggrave au point de le faire s'effondrer pour de bon sur place. Si Johnny n'avait pas peur des décisions brutales, il savait néanmoins que Simon était la seule personne ici qu'il ne pourrait jamais se résoudre à virer.

Johnny se dirigea vers l'alcôve en boiserie, royaume privé de Simon. D'autres portiers travaillaient aussi dans ce réduit, mais ils connaissaient les étagères de Simon et savaient qu'il ne fallait pas y toucher. En regardant les cafetières et les biscuits bon marché en attente de transfert dans des boîtes de luxe, Johnny se souvenait de lui-même et de Roisin FitzSimons, la fille de Finbar Og, cachés à cet endroit avec Simon quand ils avaient tous deux six ans. Roisin avait baptisé Simon « Albert » à cause du fidèle maître d'hôtel dans *Batman et Robin* ; Simon était le seul à ne s'être jamais moqué quand Roisin faisait Batman et Johnny était Robin.

Il y avait plus de trente ans de cela ; tout brillait encore dans l'hôtel tout neuf de Finbar Og, beau comme un éléphant blanc, après l'incendie qui avait détruit le bâtiment d'origine. Le logo des FitzSimons et les initiales du propriétaire « FF » étaient tissés en caractères celtiques, tel un motif dominateur, jusque sur les tapis de Navan aux couleurs vives. D'énormes bouquets de fleurs artificielles trônaient sur le bureau de la réception et Johnny se souvenait de son père et de son grand-père, tous deux employés de l'hôtel, de nouveau souriants, heureux de travailler une fois encore pour les FitzSimons après les dix-huit mois nécessaires au remboursement par la compagnie d'assurances et à la construction du nouvel hôtel.

En y repensant, les deux semaines avant la réouverture avaient été les plus heureuses de sa vie. Roisin FitzSimons considérait le nouveau bâtiment comme son royaume personnel. Il y avait quatre étages de chambres peintes de frais à explorer, des lits jumeaux sur lesquels sauter et des méchants de bande dessinée comme le Joker et Two Face à poursuivre dans les ascenseurs. Les femmes de chambre les grondaient et les ouvriers juraient, mais le vieux Finbar FitzSimons les protégeait. En effet, si Finbar Og n'avait de temps que pour son fils Alfie – le grand frère de Roisin, que Finbar Og formait pour qu'il reprenne l'affaire un jour – le vieux Finbar adorait sa petite-fille, Roisin, et personne n'osait contrarier le vieux Finbar, même si le nom de Finbar Og figurait officiellement sur les actes notariés du nouvel hôtel.

Simon revint dans l'alcôve avec son plateau vide et aperçut Johnny qui tournait en rond. « Quels radins de merde, ces Amerloques », marmonna-t-il avec aigreur en laissant tomber une pièce dans sa boîte à pourboires. « Ce n'est pas avec ça que je vais pouvoir me payer l'université. » Le diplôme de littérature irlandaise que Simon prétendait préparer était depuis longtemps sa blague favorite ; il l'avait trouvée dans les sitcoms américaines. Il but une gorgée du verre posé devant lui. Johnny ne savait plus depuis quand Simon prétendait que le liquide limpide dans le verre posé en permanence devant lui était de l'eau. Au début, Simon chapardait si discrètement la vodka que Johnny n'avait compris que par instinct ce qui se passait. Depuis l'année dernière, c'était si flagrant que même les barmans s'était plaints de lui. Néanmoins, la vodka n'était pas un analgésique plus mauvais qu'un autre et Johnny continuait donc à tenir son rôle dans la supercherie.

Il avait du mal à ne pas se sentir coupable envers Simon, même si, dans les années 1970, les membres du personnel lui avaient proposé de se joindre à eux pour racheter l'hôtel à

Finbar Og FitzSimons. « La seule chose qui m'intéresse ici, c'est un salaire et pas d'emmerdements », avait dit Simon au père de Johnny qui coordonnait le rachat. Depuis lors, son choix avait presque toujours paru judicieux. Avec un seul propriétaire, le Finbar's Hotel serait peut-être redevenu une affaire en pleine activité, mais le groupement du personnel devenu vieux avait lui-même reconnu que son style de direction collective manquait trop de souplesse pour faire face à la concurrence. Les employés touchaient leur salaire, mais cet hôtel jadis réputé ne survivait que grâce aux forfaits week-end et aux bénéfices de l'Upstarts, la boîte de nuit du sous-sol. Personne ne pouvait prévoir le boom de l'hôtellerie à Dublin et le fait que – lorsque le Finbar's serait vendu aux enchères à un chanteur de rock hollandais – quatre des cinq membres d'origine du groupement, ainsi que Johnny en tant qu'héritier de la part de son père, seraient sur le point de prendre leur retraite avec une véritable fortune correspondant à leur part de l'affaire.

Simon ne toucherait que le chômage prévu par la loi, même si le vieux portier n'en parlait jamais à Johnny. Comme il ne lui restait raisonnablement que quelques mois à vivre et personne à qui léguer l'argent, cela lui semblait peut-être sans importance, mais Johnny soupçonnait depuis longtemps une amertume au plus profond de lui-même. Personne n'aurait pu dire ce qui était enfoui en Simon, mais Johnny savait que chaque pourboire était inscrit dans sa tête et chaque client jugé en conséquence. Le portier but encore une gorgée mesurée de vodka en regardant Johnny comme s'il le mettait au défi de faire un commentaire.

« Les queues de cheval. Je ne les ai jamais aimées, même sur les chevaux », murmura Johnny en tentant de tirer une réponse de Simon.

Simon se leva en ignorant Johnny et se pencha en avant pour écouter une vieille Américaine venue devant l'alcôve pour demander quelque chose. Johnny s'esquiva et s'arrêta à côté du bureau de la réception. Il fit signe à Aideen de lui montrer la dernière fiche remplie : Edward McCann, avec une adresse dans la banlieue londonienne. Code postal 0181.

« Un Eddie stable, se moqua Aideen en regardant Johnny lire le nom. On dirait le plus vieux type "in" de la ville.

– Qu'est-ce que vous en pensez ?

– Il va effrayer une pauvre fille à l'Upstarts un peu plus tard. Elle va croire que c'est la nuit des morts-vivants quand son dentier va briller dans les lumières stroboscopiques. Est-ce qu'il pose un problème ? Vous le connaissez ?

– Non. Simple curiosité. » Johnny était pressé de changer de sujet. « Vous savez que je vous donnerai des références quand vous voudrez. »

Aideen sourit. « Il y a le temps, Mr Farrell. J'ai une sœur à Londres ; j'irai la retrouver là-bas après Noël et je verrai bien ce qui se passe.

– Ça ne pose aucun problème de dire un mot pour vous aux nouveaux propriétaires, dit Johnny. Il faudra attendre quelques mois avant la réouverture, mais vous êtes compétente.

– Il est temps que je déploie mes ailes minuscules et que je m'envole », répondit Aideen en prenant une voix chantante pour rire. « Je veux dire, personne n'a envie de faire toute sa vie le même travail. »

Johnny hocha la tête et lui rendit la fiche. Elle ne s'était même pas rendu compte qu'elle l'avait blessé, même si on ne pouvait pas dire sincèrement que Johnny avait fait le même travail toute sa vie. Seulement dans le même hôtel. Personne n'aurait pu deviner qu'un jour il serait directeur, même si les destins des familles FitzSimons et Farrell étaient liés depuis 1924, date à laquelle le vieux Finbar avait ouvert son hôtel sur un terre-plein de Victoria Quay, en face de ce qu'on appelait à l'époque la gare de chemin de fer de Kingsbridge.

Il y avait encore des photographies de Finbar et de sa femme datant de cette première année; ils regardaient la ville affamée, démolie par la guerre civile qui avait écartelé l'Irlande. C'était un moment mal choisi pour démarrer une affaire et l'hôtel aurait très vite fait faillite s'il n'avait été à proximité de la gare et s'il n'avait été réputé pour sa discrétion, établie par le vieux Finbar et par le grand-père de Johnny, James « Le comte » Farrell, le portier en chef. Au lieu de péricliter, il devint vite le havre des vicaires de campagne en virée à Dublin lors de leurs beuveries annuelles. Le public pénétrait rarement dans le salon réservé aux clients de l'hôtel et le personnel masculin d'âge mûr, trié sur le volet, ne parlait jamais de ce qui se passait dans ce sanctuaire intime.

Dans sa vieillesse, le Comte racontait souvent à Johnny comment les cols cléricaux étaient discrètement retirés en arrivant à Dublin, durant le bref trajet de la gare à l'hôtel. Ils étaient remis tout aussi discrètement par Finbar en personne, qui avait vérifié auparavant que la note avait été payée et que le vicaire avait raisonnablement dessaoulé à grand renfort de café noir. Le Comte les accompagnait toujours sur le quai pour s'assurer qu'aucun scandale imprévu ne se produisait et que les clients étaient expédiés à bon port jusqu'à l'année suivante. Johnny connut la première déception de sa vie en découvrant que le titre de chevalier de la papauté de son grand-père n'était qu'un surnom « gagné pour services rendus à notre Mère l'Église », comme le vieil homme disait souvent en ricanant de cette plaisanterie que le jeune Johnny ne comprenait pas.

En observant par les portes ouvertes du pub la fête de bureau qui commençait à s'animer, Johnny se demanda ce que le Comte aurait pensé de l'actuel Finbar's Hotel. Pete Spencer, le plus jeune des barmans, était amer à l'idée de perdre son emploi en janvier. Johnny pressentait qu'il était capable d'escroquer les clients en leur rendant la monnaie s'il pouvait l'empocher plus tard dans la soirée. Gerry, le vieux barman de Cork, entretenait encore l'espoir de retrouver son travail quand l'hôtel rouvrirait. Il en avait parlé à Johnny plusieurs fois, mais ce n'était pas le moment de lui faire prendre conscience qu'il n'avait pas une chance. Le nouveau propriétaire n'accepterait pas qu'un employé du bar en sache davantage que lui-même sur les recettes. L'acheteur avait beau être une star du rock, il n'en restait pas moins hollandais quand il s'agissait d'argent. Aideen avait des chances sérieuses si Johnny glissait un mot en sa faveur. Cependant, l'avenir d'Aideen n'était pas son problème ; pourquoi donc avait-il proposé d'en prendre la responsabilité ?

Il se retourna et s'aperçut qu'elle essayait de capter son regard. Le bureau était désert et il revint vers elle.

« J'ai dit une bêtise quand j'ai parlé des gens qui travaillent toujours au même endroit. Je ne voulais pas vous offenser, vous êtes fait pour l'hôtellerie, c'est évident. Simplement, j'aimerais essayer autre chose.

– Vous avez raison de vouloir essayer différents métiers, dit Johnny. Souvent, je regrette de ne pas l'avoir fait. »

La réceptionniste rit avec gentillesse, comme si elle sentait qu'il cherchait à lui faire plaisir.

« N'y pensez plus, dit-elle. Cet hôtel vous va comme un gant. Je ne peux même pas imaginer que vous fassiez autre chose. » Aideen le regarda avec la franchise d'une employée sachant que bientôt elle ne l'aurait plus comme chef. Johnny fut surpris de trouver chez elle un signe d'affection sincère.

« Le Finbar's va vous manquer terriblement quand ce sera fini.

– Non, répondit-il.

– Ne me racontez pas d'histoires. Votre vie tout entière passée ici. Vous devez avoir tellement de souvenirs.

– En réalité, je ne me souviens pas de grand-chose. Simplement des visages entrant et sortant.

– Il paraît que tous les gros bonnets de la politique venaient boire ici quand ils étaient plus jeunes.

– Il n'y a plus de gros bonnets de la politique. » Johnny minimisait l'importance du passé. « C'était une époque plus innocente. »

Le vieux Finbar n'avait jamais été d'accord pour que son fils fasse tisser ses initiales « FF » sur le tapis, sachant que le parti Fianna Fail au pouvoir n'avait pas besoin de cette flatterie et ne l'approuvait pas. Dans les années 1960, ce n'était pas l'allégeance au parti qui attirait Brian Lenihan, Donagh O'Malley, Charles Haughey et d'autres jeunes turcs du Fianna Fail dans le salon de derrière du premier hôtel pour y boire. C'était la discrétion reconnue du vieux Finbar et du Comte, celle qui fut toujours hors de portée de Finbar Og et qu'aujourd'hui seuls Johnny et Simon comprenaient véritablement.

« Simon dit toujours qu'à l'époque il n'avait pas trois étoiles mais trois P », dit Aideen, pas très sûre de ce que signifiait cette plaisanterie. C'était le Comte qui avait inventé cette phrase. Dans les années 1950, le Finbar's était connu comme débit de boisson ouvert tard dans la nuit où se retrouvaient les officiers de police et – après la mort de la mère du vieux Finbar – les femmes respectables de la nuit.

« Le Finbar's n'a jamais obtenu le double P qui convient aux prêtres de paroisse, lui expliqua Johnny. Nous avons eu le triple P : prêtres, policiers et prostituées. »

Aideen rit. Il vit qu'elle ne savait pas si elle devait le croire. À l'époque, à mesure que le salon des clients gagnait la réputation d'avoir des heures d'ouverture souples, le Finbar's reçut tout naturellement deux autres P pour les politiciens prometteurs.

« Est-ce que la vieille histoire sur Brian Lenihan est vraie ? demanda Aideen. On dit qu'un jeune policier a fait une descente ici parce qu'on servait à boire après l'heure de fermeture et qu'on lui a demandé s'il voulait une bière ou un transfert aux îles Aran ? »

Quand le Comte racontait cette histoire, le ministre en cause était parfois Lenihan et parfois Donagh O'Malley. Mais le Comte ne la racontait qu'en privé. Ce fut Finbar Og qui répéta si souvent et si fort cette frasque que les jeunes turcs en furent contrariés et seraient partis définitivement en faisant claquer une dernière fois leurs bretelles colorées si le vieux Finbar n'était pas intervenu pour faire taire son fils.

« Ce n'est qu'une légende, lui dit Johnny. Je suis sûr que ça ne s'est jamais produit. »

Il y avait tant de monde au Finbar's ce soir-là que par la suite personne ne sut vraiment qui avait menacé le jeune policier ou s'il avait seulement jeté un coup d'œil dans la pièce et s'était enfui. L'avertissement donné par Finbar à son fils avait été efficace quelque temps, jusqu'à ce que l'argent versé par l'assurance après l'incendie (qui s'était produit comme par hasard au moment où Finbar Og rencontrait de l'opposition avec son projet de démolition du premier hôtel) lui monte à la tête. Pendant le temps qu'il fallut pour reconstruire l'hôtel, l'alcool prit une telle emprise sur Finbar Og qu'il devint vite impossible de le faire taire et de juguler l'hémorragie de son porte-monnaie.

Johnny leva les yeux sur le portrait de Finbar Og derrière le comptoir. Quelque chose dans ces épaules lui avait toujours fait peur. Non que Finbar Og ait jamais menacé Johnny ou même réellement remarqué sa présence dans l'hôtel quand il était petit. C'était pareil avec le fils de Finbar Og, Alfie, qui – bien que n'ayant que deux ans de plus que Johnny – l'avait toujours traité avec le mépris d'un adulte pour un enfant inconséquent. Aideen se tourna aussi pour regarder le portrait.

« Cet exploiteur me donne la chair de poule certains soirs, dit-elle. Est-ce qu'il n'était pas le fils du propriétaire ou quelque chose comme ça ? »

Johnny sentait que la fermeture imminente de l'hôtel commençait à rendre le personnel nostalgique. Mais ce soir, plus encore que les autres soirs, il n'avait pas envie de parler de Finbar Og. Il détourna le regard de ces épaules et rassembla une fois de plus les indices sur le client qui venait de prendre une chambre : la queue de cheval, la vision fugitive de son visage, sa manière de marcher jusqu'à l'ascenseur. Il fut content lorsque deux Américaines occupèrent l'attention d'Aideen ; elles cherchaient Ray Dempsey, leur accompagnateur. Johnny avait remarqué un peu plus tôt l'accompagnateur qui filait au restaurant, mais il ne dit rien. Quand il ne souriait pas en public, Dempsey arborait un air de patience à toute épreuve. Qu'il profite au moins tranquillement de son repas.

Johnny se dirigea vers le salon. Il n'y avait pas trace du Dublinois trapu de la chambre 107. Johnny avait envie qu'il descende, comme il le faisait souvent, et qu'il laisse sa clé sans un mot sur le bureau. Le 107 ne payait jamais en partant. Il réglait toujours sa note à l'avance et on savait qu'il était parti quand il laissait sa clé. Johnny se sentit soudain très las. Il ne voulait pas seulement quitter l'hôtel pour la nuit, il voulait que le bâtiment soit fermé, que les affreux tapis soient arrachés, qu'il y ait de la poussière partout et que les planchers et les murs soient démolis par les maçons, comme pour tout exorciser. Il voulait en finir avec ses responsabilités. Il n'avait jamais eu l'impression que le Finbar's lui appartenait vraiment. Peut-être que tous les membres du groupement pensaient la même chose. C'était pour cela que, même lorsqu'ils avaient fait venir Sean Blake, l'un des meilleurs photographes de Dublin, pour faire un portrait du groupe, ils n'avaient jamais pu se résoudre à l'accrocher au mur à côté du tableau de Katherine Proctor représentant Finbar Og.

Pourtant, c'était l'hôtel de Johnny, encore pour quelques semaines. Il pouvait mettre à la porte qui il voulait. Il pouvait monter à la chambre 104 à l'instant même et dire qu'il y avait eu une erreur, une double réservation. Rien ne l'en empêchait, le passé n'avait aucun rapport. Alors pourquoi avait-il si peur de le faire ?

Le salon était presque désert à part quelques Américains qui, tranquillement, faisaient durer leurs verres. Il fit signe à Eddie le barman de prendre sa pause et regarda l'assortiment de bouteilles de cognac. Ça ne lui ressemblait pas d'avoir envie de boire quelque chose aussi tôt dans la soirée. Il résista à son désir. Deux clientes entrèrent, des femmes qui ne semblaient rien avoir en commun. La plus jeune, bien habillée et sûre d'elle, faisait toute la conversation ; la plus vieille paraissait énervée et déplacée. Une protestante, venant de l'ouest de l'Irlande, trop fatiguée pour continuer à sauver les apparences. Avant d'avoir épousé Prudence, il n'aurait jamais remarqué ces détails. Il leur apporta des cognacs et prit une commande pour leur monter quelque chose dans leur chambre. Il aurait dû la confier à Simon, mais il attendit le retour du barman et descendit lui-même aux cuisines.

C'était ridicule, mais il lui fallait une excuse pour monter. Il attendit que le plateau soit prêt, puis porta la soupe, les sandwiches et le vin à la porte de la chambre 102. Il avança dans le couloir, sans vouloir s'aventurer trop près de la 107. De la musique venait de la 103. Il s'arrêta devant la 104. Il se sentait mal à l'aise, comme si l'occupant le regardait par le judas. C'était pourtant ainsi que l'homme à la queue de cheval s'attendait à trouver Johnny : servile, portant un plateau, attendant la permission d'entrer.

Johnny attendit un moment, paralysé par l'impossibilité de savoir ce que Roisin FitzSimons avait raconté à son frère à leur sujet, si même elle en avait parlé, puis revint silencieusement à la 102 et utilisa son passe pour entrer. Il posa le plateau et plia soigneusement les serviettes blanches à côté des verres à vin. Ses mains tremblaient. Roisin. Il avait l'impression d'évoquer un fantôme. C'était comme cela qu'il pensait à elle, comme si elle était morte. Non, ce n'était pas vrai. Il s'était seulement entraîné à ne jamais penser à elle, parmi tant d'autres choses. Il savait qu'il devait quitter la chambre avant le retour des deux femmes, mais il s'assit sur un lit, incapable d'empêcher les souvenirs d'affluer.

Il avait huit ans l'été où le vieux Finbar les avait emmenés, Roisin et lui, sur son vieux vélo à Aras an Uachtarain au Phoenix Park quand de Valera était président. Roisin était assise sur la veste pliée de Finbar sur la barre et chantait *My Boy Lollipop* et Johnny était perché comme un ajout de dernière minute sur le porte-bagages. Finbar avait près de quatre-vingts ans, mais il était fort comme un taureau. Quand Johnny osait tendre le cou, il voyait les cheveux roux de Roisin rejetés en arrière, tandis que le vélo plongeait vers la Furry Glen.

À l'époque, la mort de sa femme avait éveillé un intérêt pour la religion chez le vieil homme, même si cela ne l'empêchait pas de présider à d'abominables séances de poker qui duraient toute la nuit avec les membres du Taoiseach, Sean Lemass et autres hommes d'affaires dans une suite de l'hôtel. Mais chaque quinzaine, il partait en vélo pour aller s'asseoir dans la cuisine des Aras avec de Valera qui aimait par-dessus tout faire frire pour eux d'énormes quantités de pommes de terre, de bacon et de saucisses pendant qu'ils bavardaient en irlandais tard dans la nuit. Le fait que la femme de de Valera ait appris à Finbar les danses irlandaises et que Finbar et Sean O'Casey aient jadis rivalisé pour obtenir sa main ne faisait que rapprocher les hommes dans leur vieillesse.

Johnny se souvenait de sa terreur pendant le trajet. Il avait l'impression qu'on l'emmenait voir Dieu ; le vieil homme chantait avec sa petite-fille, tous deux ayant oublié la présence de Johnny sur le porte-bagages. Néanmoins, lorsqu'ils arrivèrent aux Aras, de Valera n'était même pas là – « trop occupé à pelleter la terre sur le cercueil d'un pauvre type » – et l'après-midi fut employé à apprendre à Roisin et à lui-même à pédaler sur le vieux vélo autour du lac privé du président.

Voilà ce qu'était la vie avec les FitzSimons : il avait parfois accès à des endroits auxquels le public ne rêvait même pas. Roisin s'était ennuyée pendant l'excursion, tandis que Johnny était terrifié et qu'il s'attendait à être jeté dehors. Son frère Charles, de quatre ans plus vieux qu'Alfie FitzSimons, ne semblait jamais éprouver la même appréhension lorsqu'il se mêlait aux FitzSimons. Il était peut-être fils de portier, mais tout le monde savait qu'il était destiné à faire mieux. Déjà, le vieux Finbar avait pris des dispositions pour qu'il fasse son apprentissage dans un grand hôtel de Londres. Une étoile semblait suspendue au-dessus de la tête de Charles. Même Alfie FitzSimons le suivait comme un toutou. Charles aurait tellement impressionné de Valera que le président aurait demandé de ses nouvelles pendant des années, alors que Johnny s'était tapi dans les fougères au bord du lac chaque fois qu'une voiture approchait des grilles des Aras.

Un bruit dans le couloir poussa Johnny à regarder autour de lui. Une femme dans la quarantaine passa devant la porte ouverte et se dirigea vers l'ascenseur. Les deux femmes allaient bientôt remonter. Aucun bruit ne provenait de la chambre 104. Il s'était peut-être trompé sur l'identité de son occupant. La fermeture du Finbar's l'ébranlait peut-être plus qu'il ne le pensait. Johnny ferma doucement la porte et redescendit par l'escalier dans le salon en tripotant la brochure de l'agence immobilière dans la poche intérieure de sa veste. La vente avait été signée deux mois auparavant et pourtant Johnny portait encore sur lui la brochure ; il n'avait montré à personne au

Finbar's la photographie de la villa palladienne nichée en pleine forêt dans les collines près d'Enniscorthy.

Prudence et lui auraient huit chambres d'hôte quand la rénovation de la villa serait terminée et dix-huit couverts pour des dîners gastronomiques dans la bibliothèque donnant sur le petit étang une fois qu'il serait dégagé. Dix-huit était la bonne taille. Plus de dix-huit couverts et l'impression d'intimité disparaîtrait. Remplir les chambres en Irlande n'était plus un problème. Il suffisait de cibler une clientèle avisée. Les Européens étaient plus disposés à payer pour l'ambiance d'une villa dans la campagne irlandaise. Les Américains étaient en général si riches qu'ils voulaient retrouver le confort américain au Shelburne, ou alors ils ressemblaient aux tristes membres du car de touristes qui sirotaient leur café au salon ; Johnny fit signe aux deux femmes de la 102 et leur indiqua du doigt que leur commande les attendait en haut.

Le barman revint et Johnny pénétra dans le hall. Il pensait que les visiteurs européens appréciaient mieux les bons vins et le cognac, à condition de pratiquer des prix suffisamment élevés pour écarter les clients en sandales. Prudence avait été surprise quand il avait insisté pour que la villa porte son nom à elle quand elle ouvrirait. « Appelons-la Mount Farrell, avait-elle protesté. Dieu sait que tu as trimé assez longtemps sous le nom d'un autre. » Mais c'était bien le problème : Farrell's lui semblait un écho de Finbar's. Appelons-la Cuffe's, un nom protestant avec de la classe et sans bagages. Johnny ne voulait emporter à Enniscorthy ni bonnes volontés ni contacts ; il ne voulait pas non plus écrire un baratin publicitaire sur la famille Farrell qui pouvait se prévaloir de trois quarts de siècle d'expérience dans l'accueil des visiteurs. Il voulait tirer un trait définitif sur le passé et tout recommencer ailleurs. Il voulait des clients anonymes qui veillaient tard près d'un feu de bois en discutant affaires dans un mélange de langues étrangères pendant qu'une fontaine illuminée gargouillait sereinement dehors. Il avait vu toute sa vie des gens tristes qui payaient en espèces. Il voulait des cartes American Express Gold. Il voulait douze et demi pour cent pour le service sans Simon quémandant un pourboire. Il voulait des menus aux lettres d'or en relief sur papier cartonné et filigrané et des convives qui étudiaient les plats de poisson avant les prix.

Johnny fit une grimace en se souvenant de la coquille qu'il avait découverte sur le menu du soir du restaurant. Ces erreurs blessaient son amour-propre. Il devait se rappeler que les employés en cuisine savaient qu'ils allaient perdre leur travail et il n'avait pas l'intention de les virer entre aujourd'hui et Noël. Encore six semaines et ce serait terminé. Ça n'avait donc pas d'importance si tous les vestiges de la famille FitzSimons voulaient réserver la chambre 104. Il avait appris, et c'était important, à se concentrer sur le travail à faire. Les conseils du vieux Finbar, trente ans plus tôt, lui avaient toujours été très utiles. Johnny se dirigea vers la porte du restaurant et regarda à l'intérieur. Tout était calme ; le personnel s'apprêtait à mettre la table du petit déjeuner. À une table, un représentant parlait sans arrêt, plus fort qu'il n'était nécessaire. S'approcher d'un homme qui trouvait toujours ses propres histoires plus drôles que les autres présentait toujours un danger. Sept ou huit minutes seraient nécessaires à Johnny pour s'échapper après une pause de courtoisie.

Il se décida donc pour Dempsey, l'accompagnateur du car de touristes américains ; il semblait avoir trouvé de la compagnie en la personne de la femme entre deux âges que Johnny avait aperçue dans le couloir devant la 102. Johnny se dirigea vers eux, le sourire aux lèvres et cependant plein de sollicitude.

« Tout va bien ? demanda-t-il. On s'occupe bien de vous ? »

Tous deux hochèrent la tête, l'air un peu gêné d'être vus ensemble. Le verre de la femme était mal lavé, mais apparemment elle ne s'en était pas rendu compte. Johnny sourit et s'éloigna. Les clients de la Cuffe's Villa s'attendraient tout naturellement à ce que leur hôte vienne à leur table et réponde à des questions sur l'ancienneté de la maison, le golf et la pêche dans la région, qu'il les conseille sur les vins et propose immédiatement de renvoyer en cuisine tout plat jugé décevant. On serait bien loin de l'époque où Finbar retournait aux cuisines d'un air vilement flatteur avec un steak refusé par un membre d'autrefois du Fine Gael en donnant l'ordre au chef : « Frotte vite ce truc sur tes couilles pour lui donner du goût et attends cinq minutes avant de le renvoyer au connard de la table six. »

Johnny et sa femme avaient soigneusement préparé leur reconversion ; ils avaient attendu de trouver sur le marché une affaire leur convenant. Sa femme parlait couramment français et allemand et Johnny avait appris à éviter les problèmes de langue. Récemment, Prudence avait voulu venir aux cuisines du Finbar's et s'entraîner à confectionner ses menus, mais Johnny lui avait dit qu'elle y désapprendrait très vite toutes les bonnes habitudes qu'elle avait acquises aux cours supérieurs de cuisine de Ballymaloe House. Il regarda de nouveau sa montre. Son service était terminé depuis longtemps. Il n'avait qu'à sortir de l'hôtel. Qu'est-ce que ça pouvait bien faire s'il y avait un incident plus tard ? L'hôtel était vendu. Il ne devait plus rien à personne. Johnny savait pourtant que ce n'était pas dans sa nature de partir. Il ferma les yeux et se pencha une fois de plus sur les indices concernant l'homme à la queue de cheval. Se pouvait-il qu'Edward McCann soit son vrai nom ? Les ressemblances physiques étaient peut-être une coïncidence. Mais le frisson qui parcourait le corps de Johnny lui disait que son instinct ne le trompait pas.

Toutefois, s'il savait qui était cet homme, il ne savait pas pourquoi il était là. À quoi cela rimait-il de revenir maintenant ? Johnny quitta le restaurant, mais il s'aperçut qu'il était incapable de rester tranquille. Simon parlait au téléphone et remplissait une fiche bleu pâle correspondant aux commandes des chambres. Johnny entra au bar. Au comptoir, une fille blonde avait commandé une tournée colossale pour la fête de bureau à laquelle elle participait. Pete Spencer, le plus jeune des barmans, venait de la servir.

« Vérifiez toujours votre monnaie, mademoiselle », l'avertit tranquillement Johnny dans son dos. « Et vérifiez régulièrement votre sac à main tout au long de la soirée. J'ai bien peur qu'il y ait des pickpockets dans tous les hôtels, à l'approche du week-end. »

La fille hocha la tête et commença à transporter les boissons. Pete posa les verres sur un plateau et jeta un coup d'œil à Johnny. Il en avait dit juste assez pour semer le doute dans la tête du barman quant à savoir si on le surveillait, mais pas suffisamment pour que ces paroles puissent être considérées comme une accusation. Johnny savait que Spencer avait des doutes: ses employeurs avaient-ils appris que son cousin avait été tué l'année précédente lors d'un vol à Malahide ? Il se trouvait plus ou moins à bord d'une voiture volée qu'il ne savait même pas conduire. Le Comte avait appris à Johnny des années auparavant à ignorer les gros titres qui ne concernaient pas les gens ordinaires et à toujours lire les petits articles des journaux, à faire le lien entre les noms mais à ne jamais permettre à qui que ce soit d'avoir la moindre idée de ce qu'il savait. Johnny avait besoin de Spencer jusqu'au 1er janvier, même s'il se disait qu'il serait peut-être sage de le virer tranquillement une semaine avant la fermeture. Il vérifia les cendriers, puis revint dans le hall en suivant Simon qui portait une commande pour une chambre. Le cow-boy au tee-shirt Temple Bar était à la réception quand Johnny rattrapa Simon et jeta un coup d'œil à la fiche sur le plateau. Du café et un double whisky pour la chambre 104.

« Je vais le monter, Simon. »

Le portier le regarda d'un air interrogateur, se demandant si c'était une insulte à sa santé.

« Eh bien, allez-y », dit le portier.

Johnny prit le plateau et se dirigea vers l'ascenseur, conscient d'être étroitement surveillé par Simon et par le guignol au tee-shirt Temple Bar. Il n'avait pas prévu de plan pour rester maître de la situation si ses soupçons étaient fondés. Des éclats de voix ivres fusaient derrière la porte de la 102. Il se passait quelque chose là-dedans. Il continua jusqu'à la chambre 104 et frappa ; il attendit que l'homme à la queue de cheval ouvre la porte. Au premier coup d'œil, Johnny sut que son instinct ne l'avait pas trompé, même si l'homme avait vieilli durant les vingt années pendant lesquelles il ne l'avait pas vu. Même quand il était enfant, ses cheveux n'étaient pas si noirs. Johnny trouvait pathétique sa manière de s'habiller, tentative désespérée de paraître jeune et dans le vent. Néanmoins, les poches sous les yeux étaient celles d'un homme beaucoup plus vieux, les vêtements étaient du genre de ceux qu'on voit dans les friperies des ventes de charité où flânaient de riches étudiants en mal d'originalité. Johnny traversa la chambre avec le plateau, le posa sur la table devant la fenêtre et tendit poliment la fiche pour la faire signer. Il avait apprécié la situation en évitant l'échange de regards. Il ne fallait pas remuer le passé. Il se dit qu'il n'avait pas envie de savoir pourquoi l'homme était revenu. Sa signature était un gribouillage tout à fait plausible. Johnny était déjà dans le couloir quand l'homme l'appela par son nom. Sa voix n'avait pas changé ; elle était toujours un peu condescendante sous un ton faussement sociable.

« Bon sang, tu ne changeras jamais, hein, Johnny Farrell ? Tu étais déjà vieux à la naissance. Putain, tu es toujours aussi impénétrable. »

Johnny se retourna pour regarder Alfie FitzSimons, intrigué par ce qui, dans son attitude, avait conduit FitzSimons à s'apercevoir que Johnny savait qui il était.

« Alfie FitzSimons, n'est-ce pas ? Eh bien ça alors, je ne t'aurais jamais reconnu.

– Toi, ça serait difficile de te prendre pour quelqu'un d'autre. Nom de Dieu, je croyais qu'on avait enterré le Comte dans ce costume.

– Mon grand-père ne s'habillait jamais en gris. » Il s'en voulait de la note involontairement sur la défensive qui s'était glissée dans sa voix. Le couloir était vide. Johnny avait envie de se retrouver dans son bureau ou dans n'importe quel endroit où il pourrait verrouiller la porte et réfléchir. En mettant le pied dans la chambre 104, il savait qu'il était sur le territoire de l'hôte payant. Mais il sentait qu'Alfie ne se laisserait pas entraîner au bar. Alfie sourit.

« Je plaisante, dit-il. Ne sois pas si sérieux. Je trouve que tu es vraiment bien, tu t'es bien débrouillé. C'est étonnant de te revoir. J'ai parlé de toi toute la nuit dernière. »

Même selon les critères d'Alfie, ce dernier mensonge était un peu gros. Des années plus tôt, si Alfie se retrouvait sans personne avec qui jouer ou s'il avait un message à porter, il lui arrivait de s'adresser à Johnny. Le reste du temps, il se déplaçait dans les pièces où se trouvait Johnny comme si celui-ci était invisible. Johnny se demandait ce qu'il lui voulait maintenant.

« Entre boire un verre avec moi, dit Alfie. De toute façon, je n'avais pas vraiment envie de ce café. Prends-le, ou le whisky si tu préfères. C'est vraiment étonnant de te voir. Tu as tellement bonne mine, mon vieux. »

Johnny entra et ferma la porte. Le lit était froissé à l'endroit où Alfie s'était allongé. La télévision était allumée, sans le son, sur des vidéos de MTV. Le sac encore fermé d'Alfie était jeté dans un coin et sa veste en cuir était pendue. Une nuit gratuite dans un autre hôtel plus cinquante livres – non, cent –

c'était le maximum que Johnny était prêt à payer pour se débarrasser de lui.

« Bon, nous y voilà, les vieux copains de nouveau ensemble, hein ? » Alfie versa le café et le lui tendit. Johnny prit la soucoupe et regarda Alfie traverser la chambre. Il s'arrêta devant le poste de télévision pour observer les danseuses. « Bon Dieu, quels culs elles ont, les jeunes d'aujourd'hui, dit-il. Il faudrait un couteau et une fourchette pour s'en dégager. » Les images aguichantes s'effacèrent pour céder la place à une vidéo de Sinead O'Connor. Alfie éteignit le poste en grognant. « Une vraie virago, hein ? » Assis au bord du lit, il but une petite gorgée de whisky et regarda autour de lui.

« Tu m'as donné la chambre de Rosie Lynch », dit-il, et Johnny rit de manière circonspecte avec lui. En 1968, un prêtre de Leitrim d'un certain âge avait eu une crise cardiaque pendant qu'il s'amusait avec Rosie Lynch, call-girl débutante, dans la chambre 104. Il avait fallu toute l'expérience du vieux Finbar, plus les relations des jeunes Turcs, pour que sa mort reste une rumeur qui ne faisait rire que les gens bien informés de Dublin. « Fais-moi peur », avait, paraît-il, demandé le prêtre à la jeune fille quand elle lui eut attaché les poignets aux montants du lit. « Fais-moi encore plus peur », avait-il insisté, disait-on, jusqu'à ce que les seins de la call-girl touchent son visage et qu'elle murmure trois mots : « John Charles McQuaid. »

Alfie répéta en gloussant le nom de l'ancien archevêque autocrate de Dublin. « John Charles McQuaid. C'était l'ultime triple pontage, nom de Dieu, hein ? En tout cas, on a passé de sacrés moments dans ce bon vieil hôtel. » Il se tut et regarda Johnny, l'air de s'excuser. « J'espère que tu ne m'en veux pas de ne pas avoir donné mon vrai nom à la réception. Je voulais rester incognito – non pas que le personnel me connaisse, mais, comme tu le sais, il y a tellement de souvenirs. J'ai vu que tu as laissé le portrait de papa dans le hall.

– C'était dans le contrat. »

Alfie rit de nouveau. « Allons donc, ne t'en fais pas. Je ne cherche pas à te fliquer. Tu sais, papa est mort depuis longtemps et plus personne ne se soucie de savoir si un jour tu as mis le feu à ce tableau.

– Les clients l'aiment bien, dit Johnny. Ils posent souvent des questions à son sujet.

– Qu'est-ce que tu leur dis ? »

La question était sans malice, mais Johnny était mal à l'aise et prudent comme il se doit quand on se retrouve au pub, en face d'un ivrogne engoncé dans sa dignité. Dieu sait si Finbar Og était assez souvent engoncé dans sa dignité ici, même après avoir été contraint de vendre l'hôtel, comme un jeune roi Lear, ressemblant fort peu au portrait de Proctor ; ses anciens employés veillaient au grain pour qu'il n'embête pas trop les clients et que les clients le laissent tranquille. Le père de Johnny s'assurait tous les soirs qu'on l'avait bien persuadé de monter dans un taxi payé par l'hôtel. Les anciens propriétaires devraient toujours mourir ou disparaître le plus loin possible.

« Nous disons aux clients que c'est le portrait du fils du premier propriétaire, l'homme qui a fait reconstruire l'hôtel après l'incendie, dit Johnny.

– Ces putains de pompiers, dit Alfie. Tu te rappelles ce connard de Drimnagh, là-haut sur son échelle, qui voulait jouer les héros. Le salaud, il a failli le sauver, ce putain de taudis.

– Ton père aurait de toute façon obtenu l'autorisation de le démolir, dit Johnny. Il n'y avait que quelques intellos de Trinity College qui radotaient dans les journaux sur l'héritage architectural.

– Qu'est-ce que tu racontes ? dit soudain Alfie.

– Je ne raconte rien.

– L'incendie s'est déclenché accidentellement. Mais quand ça se produit, on n'y peut rien. À quoi ça aurait servi de sauver la moitié du bâtiment ?

– Il l'a bien reconstruit, dit Johnny prudemment.

– C'est vrai. À la santé de papa. » Alfie leva son verre en un toast silencieux avant de reprendre un coup de whisky. « Il n'a pas eu de chance. Ça aurait pu marcher. Ton père et les autres l'ont prouvé. »

Johnny ne répondit pas, ne sachant pas si Alfie cherchait à entamer une querelle. Finbar Og n'avait effectivement pas eu de chance, au sens où la réouverture de son nouvel hôtel avait été retardée par une grève des maçons qui avait obligé les jeunes Turcs à trouver d'autres endroits pour boire. Finbar Og n'avait pas lésiné sur les dépenses et le plan en labyrinthe de l'hôtel avait été conçu pour favoriser les tête-à-tête clandestins ou autres activités politiques nocturnes. Le problème était que les jeunes Turcs n'étaient jamais vraiment revenus. Ils s'étaient installés dans d'autres bars et avaient obtenu des postes plus en vue. Puis le Nord était entré en éruption et l'Arms Trial était arrivé. Les jeunes Turcs s'étaient divisés et dispersés. L'unique vice des membres du Taoiseach, fumer la pipe, n'encourageait guère la culture de la débauche, et le gouvernement Cosgrave qui suivit (selon les termes de Finbar Og) « ne laissait même pas perdre la vapeur de sa propre pisse ».

Vatican II ne fit pas non plus reprendre les affaires ; les curés se mirent à jouer de la guitare et à se montrer dans les pubs. Finbar Og n'eut pas non plus de chance lorsque, peu après la mort du vieux Finbar, il y eut des descentes à l'hôtel parce qu'on y servait à boire trop tard dans la nuit. La troisième fois que cela se produisit, les jeunes Turcs ne se donnèrent pas même la peine d'intervenir et Finbar Og faillit perdre sa licence à cause du juge Eamon Redmond. À ce moment-là, le père de Johnny et les autres entrèrent en scène et, si on continuait à boire après la fermeture, c'était seulement le fait de Finbar Og. Ce fut l'année où il fit exécuter son portrait par Proctor, en insistant pour qu'elle s'inspire d'une photo vieille de dix ans. Il vieillissait si vite qu'il était déjà méconnaissable sur le portrait, avant même qu'il ne soit terminé.

Johnny retrouvait certains traits de Finbar Og chez Alfie qui finissait son whisky. Ses doigts tremblaient légèrement, bien qu'il ne montrât aucun symptôme d'alcoolisme. La vie n'était pas censée se dérouler comme ça. Alfie aurait dû porter ce costume, posséder cet hôtel et Roisin être mariée au fils d'une grande famille de Dublin. Mais une fois encore, la vie ne s'était pas déroulée comme prévu.

« J'ai su pour Charles, dit Alfie. J'ai toujours eu de l'estime pour lui. J'ai eu de la peine. »

Johnny hocha la tête, ne sachant pas si c'était une façon pour Alfie de le pousser à parler de Roisin en échange. Le groupement avait toujours espéré que Charles Farrell reviendrait en sauveur. Si leur père était mort plus tôt, Charles serait peut-être rentré réclamer son héritage et racheter les parts des autres. Johnny ne le saurait jamais. Son frère avait toujours été un étranger pour lui. Les cinq années de différence entre eux constituaient un fossé trop grand pour être comblé avant l'âge mûr et Charles était alors parti au Canada en ne laissant que son ombre derrière lui. Sous-directeur au Lord Nelson de Halifax en Nouvelle-Ecosse, puis directeur du Hilton de Montréal. Les frères ne s'écrivent pas, surtout s'ils n'ont rien en commun. Lors des rares visites de Charles en Irlande, Johnny avait traité son frère avec circonspection, comme on le fait avec son futur patron. À la mort de leur mère, le père de Johnny avait pleuré des jours entiers. Pourtant, il avait réagi très différemment au coup de téléphone l'informant de la mort de Charles ; il s'était enfermé dans un silence terrible dont il n'était jamais vraiment sorti. Johnny l'avait observé en sachant que sa propre mort n'aurait jamais autant affecté son père. Johnny s'était marié et lui avait donné des petits-enfants, mais il était tout de même resté quantité négligeable.

« Au moins, Simon est toujours solide », dit Alfie, soucieux de briser le silence dans lequel Johnny semblait s'être perdu. « Je l'ai aperçu tout à l'heure.

– Ce type va sûrement vivre centenaire, répondit Johnny. Un de ces enfants de pauvres indestructibles.»

Les gens qui meurent sont toujours ceux qu'on s'attend le moins à voir disparaître. Johnny avait rarement pensé à Charles quand il était en vie, sachant que la comparaison serait toujours en sa défaveur. Il avait pris l'avion pour le Canada afin de trier les affaires de son frère et s'était retrouvé dans l'appartement d'un étranger. Si Charles avait eu des secrets dans sa vie de célibataire, ils avaient été soigneusement détruits avant son arrivée, même si les livres et les tableaux conservaient certains indices. Johnny n'avait trouvé ni lettre ni journal ; pourtant, ses collègues du Hilton étaient au courant de sa maladie bien avant sa famille. Il ne restait de son frère que les volumes sur les étagères encombrées ; progressivement, dans les paquets ici et là, Johnny avait commencé à reconnaître avec un sentiment d'hébétude les titres de livres inconnus qu'il possédait lui-même chez lui. Il croyait être le seul à avoir hérité de la fascination du Comte pour les voyages en Irlande et à l'étranger écrits par des Irlandais, mais là, devant lui, salie à force d'avoir été feuilletée et soulignée à maints endroits, se trouvait la première édition de *Nine Rivers from Jordan* de Denis Johnston, pour laquelle Johnny avait harcelé un libraire à Londres. Des titres comme *History of Railways in Ireland* de Conroy, édité en 1928 à Londres, *Calcutta, Bombay et Madras* provenaient peut-être de la collection particulière du Comte, d'autres comme *The Lough Swilly Railway* de Patterson avaient pu être achetés avant le départ de Charles pour le Canada. Mais Johnny avait été abasourdi par le mal qu'avait dû se donner Charles pour acquérir des titres récents comme *Ireland Royal Canal* de Ruth Delaney, édité à Dublin, ou le tirage limité de l'étude de Frank Forde sur les navires irlandais pendant la guerre, *The Long Watch*.

La nuit était tombée sur Montréal pendant qu'il feuilletait *The Fighting Irish* de Patrick Myler, ainsi que des biographies de Stephen Roche, Barry McGuigan et de presque tous les champions sportifs irlandais modernes. Ils auraient eu tant de choses à se dire au téléphone, remplis d'excitation les soirs où l'Irlande remportait une médaille, ou si Johnny s'était accordé des vacances. Même leur collection de disques paraissait presque identique. Johnny, assis dans l'appartement de Charles, avait pleuré, comme il ne s'était jamais permis de pleurer depuis son enfance, la perte d'une âme sœur qu'il n'avait jamais connue.

Johnny leva les yeux. Il ne savait pas depuis combien de temps Alfie le regardait. Alfie détourna le regard en tripotant la glace dans son verre. « Merde, dit-il à Johnny. Faisons monter une bouteille de whisky, en souvenir du passé. Appelons Simon pour qu'il l'apporte dans la chambre. C'est ma tournée.

– J'aimerais bien, mentit Johnny. Mais ce soir, je suis débordé. Les déclarations de fin de mois qui approchent. Descendons prendre un verre au bar à la place. Franchement, je n'ai pas le temps de faire plus.

– Tu ne devrais pas travailler autant, dit Alfie inquiet. Tu as vraiment l'air tourmenté. Détends-toi, assieds-toi et bois quelque chose. C'est l'affaire d'un soir seulement, nom d'un chien, mon vieux.

– Un autre soir, mais pas… », commença Johnny, mais Alfie l'interrompit.

« Écoute, pour l'instant tu es ici. Oublie ton putain d'hôtel cinq minutes. Tu t'assois, c'est compris ! » Alfie était agité. Il n'arrivait pas à rester tranquille. « C'est comme ça qu'on fait avec les vieux amis. Peu importe si on les aime ou non, ce sont quand même de vieux amis. »

Le voilà, l'aiguillon, pensa Johnny. Tout ce dont il avait hérité était dû au hasard. Il s'était simplement trouvé au bout du rang, tel un cheval de trait borné avançant péniblement, et l'argent lui était tombé tout cuit dans le bec. Pendant des années, il s'était attendu à ce que quelqu'un déterre le fait incontestable qu'il n'avait aucun droit dessus. Pas seulement ses parts dans l'hôtel, mais les trois cent mille dollars canadiens de la succession *ab intestat* de Charles. À Montréal, il avait entendu parler d'un testament, mais l'homme d'affaires qui avait soigné Charles jusqu'à sa mort avant de téléphoner à Dublin l'avait prétendument déchiré, ne voulant rien. Johnny ne savait pas combien de gens il lui faudrait acheter avant de se sentir à l'aise avec cette fortune destinée à quelqu'un d'autre. À contrecœur, il se cala dans son fauteuil. Le café était froid, mais il le but tout de même.

« Je sais que tu es un homme très occupé, dit Alfie. Je suis étonné de voir comment tu as remis cet hôtel sur pied, mais ne pouvais-tu pas trouver le temps de rendre visite une seule fois à Roisin ? Tu sais, Johnny, tu es le seul dont elle parle. »

Johnny ne s'attendait pas à cette approche. Elle le déconcerta et il tenta de comprendre comment elle allait ramener Alfie à son véritable objectif.

« Roisin ne me reconnaîtrait pas, répondit Johnny. Je ne l'ai pas vue depuis dix-neuf ans.

– Le temps ne compte pas, dit Alfie. Dix-neuf ou quatre-vingt-dix ans, c'est pareil pour elle. Sa vie s'est arrêtée à l'âge de dix-sept ans, tu ne comprends donc pas ? Il ne s'est plus rien passé depuis. J'ai voulu l'emmener à Londres plusieurs fois, mais les médecins… enfin, c'est comme si ce cocktail chimique la maintenait. Elle a besoin d'un soutien médical. Mais elle est sortie de l'hôpital, tu le savais ?

– Non. » Johnny secoua la tête. Il décida qu'il était prêt à payer deux cent cinquante livres, simplement pour se débarrasser de lui.

« C'est une sorte de centre de réadaptation, dit Alfie, mais elle n'ira jamais plus loin. Ils sont huit en foyer médicalisé, avec une infirmière de service en permanence. De l'extérieur, on jurerait une maison ordinaire. On est vraiment gentil avec elle, là-bas, mais je suis le seul à lui rendre visite.

– Tu vis à Londres, protesta Johnny.

– Il y a des avions, répliqua Alfie, presque violemment. Des billets apex. Elle est ma seule sœur, bon sang. Six fois par an, chaque année, je rentre en Irlande pour elle. Le premier de chaque mois, elle écrit. Je pense que les infirmières l'ont fait écrire au début dans le cadre de la thérapie. J'ai des lettres sur moi, si tu veux les voir.

– Non, dit Johnny au moment où Alfie semblait prêt à prendre son sac. Elles sont intimes. Des affaires de famille.

– Si tu ne fais pas partie de la famille, putain, qui est-ce qui en fait partie ? », répliqua Alfie en regardant de nouveau son verre vide. Il n'était pas possible de demander à Simon de monter seulement une tournée. Mais avec une bouteille entière, il serait pris au piège ici toute la nuit. Dans les années soixante-dix, Alfie s'était mis à aller et venir entre Londres et Dublin ; il s'occupait d'éclairages et prétendait même être le manager de groupes de jeunes Irlandais dont personne n'entendit plus parler. Il descendait à l'hôtel, parlait bruyamment d'affaires qu'il était toujours sur le point de monter. Il avait été vu pour la dernière fois au repas qui avait suivi les obsèques de Finbar Og ; il avait retenu la plus grande suite pour la réunion de famille des FitzSimons et, par esprit de vengeance, il avait chargé la note à l'excès ; les membres du groupement s'étaient réunis pour lui serrer la main tout en sachant que son chèque serait refusé par la banque. Cette grosse dette ne les préoccupait pas, car ils savaient qu'elle les débarrasserait définitivement des FitzSimons. Depuis lors, Johnny n'avait su ce qu'il faisait que par ouï-dire ; on l'avait vu vendre des encyclopédies à Londres ou travailler dans des fast-food. Il avait toujours craint la cupidité d'Alfie, mais c'était seulement maintenant qu'il se trouvait en face de lui que Johnny se permit d'admettre à quel point il avait fini par le mépriser. Malgré tout, il était convaincu qu'Alfie disait la vérité sur le fait qu'il revenait tous les ans voir Roisin.

Or, si Johnny pouvait empêcher Alfie d'ouvrir les lettres de Roisin, il ne pouvait pas l'empêcher d'en dévoiler le contenu.

« Elle ne parle jamais de rien de ce qui s'est passé ces vingt dernières années, tu comprends ? Même depuis qu'elle est installée au centre de réadaptation, elle ne parle jamais de sa chambre ni des autres résidents. À part ce qui s'est passé avant son dix-septième anniversaire, rien n'existe pour elle. Tout ce qu'elle fait, c'est de parler de vous deux. Je n'ai pas même la moindre chance. Tu comprends ce que j'essaie de te dire, mon vieux ? »

Johnny ne comprenait pas ou n'en était pas sûr. Il laissait Alfie parler pour ne rien dire et trouvait sa conversation déroutante. La moitié des choses que, selon Alfie, Roisin disait qu'ils avaient faites étaient des souvenirs si lointains que, pour lui, ils auraient pu ne jamais exister. De menus événements sans importance dont il n'avait aucune raison de se souvenir. Néanmoins, il était choqué de se voir parfaitement conservé sous la forme d'un jeune garçon dans l'imagination de Roisin, au point qu'elle paraissait posséder son passé plus que lui-même. Il avait l'impression de voir le corps embaumé d'un enfant tout juste extrait d'une tourbière. Il n'avait aucun moyen de savoir ce que Roisin avait raconté à Alfie. Les FitzSimons avaient toujours fait confiance à Johnny, au point d'ignorer sa présence quand il était là, comme s'il était invisible, lors des violentes disputes entre les parents de Roisin.

Déjà tout petit, il avait l'air sérieux et responsable et il était content quand il recevait l'autorisation d'aider aux cuisines ou de nettoyer les toilettes si on manquait de personnel. Son dévouement à Roisin allait de soi ; pourtant, il était entendu implicitement que Johnny savait se tenir à sa place. À partir de cinq ans, ils avaient été inséparables et avaient vécu leurs fantasmes d'enfants, mais socialement, leurs parents étaient séparés par un gouffre. La venue de la puberté n'avait pas même causé d'inquiétude chez les FitzSimons quand Roisin et Johnny partaient en week-end en auberge de jeunesse. Il était davantage considéré comme un chaperon que comme un prétendant, un contrepoids insignifiant à l'extravagance naturelle de Roisin, garantissant qu'elle serait toujours pure quand le moment viendrait pour les FitzSimons de la marier à un membre de l'élite de Dublin.

« Tu te souviens du jour où vous vous êtes tous les deux perdus dans une tourbière vers Wicklow ? dit Alfie. Elle en parle tout le temps. On jurerait que c'était hier. »

Johnny tenta d'apaiser le nœud de frayeur sourde qu'il sentait en lui. Un souvenir lui revint, vieux de plusieurs siècles ; les phares d'une voiture mettaient une éternité à les atteindre, ils apparaissaient et disparaissaient dans les virages de la route de montagne, puis tous deux étaient assis sur la banquette arrière de la voiture qui les emmenait à l'auberge, muets et frigorifiés après avoir frissonné pendant des heures dans le noir.

Pendant qu'Alfie parlait, il tentait de retrouver ce qu'il avait ressenti quand il était ce jeune garçon pétrifié dans l'imagination de Roisin, mais seul restait vivant le souvenir de Roisin à quatorze ans sur l'étendue plate de la tourbière dans la pénombre. Soudain, il se souvint de tous les détails de son corps, au moment où il surgit de derrière un tas d'herbe coupée et découvrit qu'elle avait enlevé son pull et son chemisier. Le jour tombait ; la tourbe avait viré au brun chocolat et sa peau était devenue plus sombre qu'il n'aurait pu l'imaginer. Même le bout de ses petits seins était brun dans la lumière ; elle commença à descendre la fermeture Éclair de son jean et le mit au défi d'en faire autant. Ils ne firent pas l'amour, ils ne s'embrassèrent même pas. Il n'avait pas encore découvert la masturbation et n'avait pas l'idée de lui demander de le prendre dans sa bouche. Ils avaient ri comme des fous et avaient donné des coups de pied dans la liberté de l'air du crépuscule ; leurs corps ne s'étaient jamais réellement touchés pendant qu'ils dansaient et tournoyaient jusqu'à ce qu'il fasse si sombre qu'ils avaient eu du mal à retrouver leurs vêtements.

« Je ne m'en souviens pas du tout, répondit Johnny. Je suis navré, mais c'était il y a des années. »

Alfie le regardait attentivement, presque comme s'il lui ordonnait de continuer à parler.

« J'étais peut-être trop proche d'elle pour remarquer quelque chose, dit Johnny. Tout ce que je me rappelle de Wicklow, c'est d'avoir entendu des filles se plaindre dans l'une des auberges que Roisin les empêchait de dormir dans le dortoir parce qu'elle parlait et riait dans son sommeil.

– Certains signes nous ont échappé à tous, admit Alfie. Aucun de nous ne voulait les voir. »

En écoutant les filles de l'auberge, Johnny avait eu si peur que Roisin révèle leur secret dans son sommeil qu'il n'avait pas eu le temps de penser à autre chose. Les gens prétendaient que la dépression nerveuse de Roisin était due au fait que Finbar Og avait été obligé de vendre l'hôtel, mais en réalité elle était déjà déséquilibrée avant et sa famille avait été incapable d'affronter la honte de reconnaître qu'elle avait besoin d'aide. Avant le crépuscule dans la tourbière, Johnny avait déjà commencé à se sentir mal à l'aise avec elle. Les choses avaient changé entre eux depuis qu'elle était entrée au collège de Loreto Convent à Stephen's Green et s'était mise à se vanter de ses nouvelles et riches amies. Parfois, l'après-midi, pendant que Johnny aidait son père après l'école, les camarades de classe de Roisin venaient à l'hôtel, groupe de jambes et d'uniformes turbulents qui se massait dans l'ascenseur et qu'on traitait comme la famille royale dans l'appartement des FitzSimons. Ces jours-là, Roisin l'ignorait et il gardait la tête basse.

Les visites cessèrent quand les rumeurs sur Finbar Og commencèrent à Loreto. Roisin rentrait seule, l'air inquiet, et voulait à tout prix s'évader dans le monde imaginaire que Johnny partageait si volontiers avec elle un an plus tôt, mais pour lequel il savait qu'ils étaient devenus trop grands. Au moment où l'empire des FitzSimons s'effondrait, il secouait la tête quand on lui demandait s'il avait remarqué quelque chose de bizarre chez elle, mais il avait l'impression que dix ans d'amitié avaient été éclipsés par une heure où ils avaient dansé nus sur la tourbière de Wicklow. Il savait que son père perdrait son travail si Roisin prononçait un seul mot.

« Il a fallu cette obsession de se protéger du soleil avant que les gens s'en aperçoivent, dit Johnny. Elle s'était mise à tellement parler que je n'écoutais qu'à moitié, mais elle n'arrêtait pas de répéter que le soleil faisait bouillir son sang.

– Papa était simplement… » Alfie se tut. Il avait l'air de souffrir réellement. Johnny aurait bien voulu être capable de montrer comme lui sa souffrance. « Papa était comme un roi pour moi, dit Alfie. Est-ce que tu sais ce que ça fait de voir un roi brisé ? Il venait dans ma chambre à trois ou quatre heures du matin. Il n'y avait pas un pauvre type plus seul que lui. Je n'étais qu'un gosse, mais je me levais, nous allions nous asseoir et nous parlions. Il avait de ces projets… Tu sais, si tu trouves quelqu'un qui écoute assez longtemps tes projets, tu finis par y croire toi-même. Je ne sais pas s'il me parlait à moi ou seulement à lui-même, mais je me sentais comme un chevalier à ses côtés. Le dernier chevalier fidèle dans un pays imaginaire. »

Même quand sa mère était morte, puis Charles, Johnny ne se souvenait pas d'une seule fois où son père lui avait véritablement parlé. Il n'avait jamais eu le temps. Seuls le Comte et le vieux Finbar tenaient de longues conversations et, en examinant le passé, il se rendait compte que c'était seulement à cause de la solitude de la vieillesse. À eux deux, ils avaient fait de lui un vieil homme.

« Pendant tout ce temps, mon père était comme un navire faisant naufrage, disait Alfie. J'aurais peut-être pu sauver Roisin. Putain, Johnny, ça m'a hanté pendant des années ; j'étais tellement entraîné dans les putains de batailles minables de mon père. Je ne voulais pas lui attirer davantage de souffrances. Mais il était évident qu'elle avait une psychose aiguë, qu'elle se faisait des illusions, nom d'un chien, qu'elle avait des hallucinations, et tout ce qui leur importait, c'était de s'assurer qu'il n'y aurait pas de scandale, qu'il ne serait pas question d'hôpital, comme si quelqu'un de sensé allait venir épouser la fille d'un alcoolique en faillite. »

Alfie se prit la tête dans les mains et resta silencieux. Johnny le regarda et réprima l'envie d'avoir pitié de lui. Alfie FitzSimons. Johnny se souvenait que sa mère le frottait, le coiffait avec inquiétude avant qu'il ne soit obligé d'assister aux goûters d'anniversaire d'Alfie ; il se souvenait de la façon dont Alfie déchirait avec indifférence le papier d'emballage coûteux que sa mère avait acheté, prenait tout juste la peine de jeter un coup d'œil au cadeau avant de filer jouer avec ses amis. La pitié avait disparu. Un écho de la peur qu'il éprouvait vingt ans plus tôt lui revint quand il se demanda ce que Roisin avait raconté à Alfie. Au cours de l'année suivante, quand ils se trouvaient seuls dans l'appartement des FitzSimons, elle avait de nouveau dansé nue à sa manière enfantine une douzaine de fois. Un jour, Alfie était entré et Johnny avait dû se cacher derrière le lit de Roisin pendant qu'elle prétendait qu'elle allait prendre une douche. Leurs jeux auraient pu être sexuels, mais en réalité ils ne l'étaient pas pour elle. Il se rendit compte rapidement que Roisin ne lui aurait pas résisté s'il avait essayé de faire l'amour avec elle. Toutefois, elle s'accrochait davantage à lui comme une enfant terrifiée ; elle savait qu'elle était en train de perdre tout ce qu'il y avait autour d'elle et essayait de retenir le temps. Roisin insistait toujours pour qu'ils soient nus tous les deux, mais elle ne prêtait jamais la moindre attention à son érection d'adolescent. Chaque fois, il devait lutter contre lui-même en sachant quel cauchemar ce serait si elle se retrouvait enceinte. Finalement, ce fut la peur qui censura ses sentiments et le poussa à l'éviter. Il ne s'agissait pas d'abandon. C'était une question de survie pour son père et pour son frère Charles qui se faisait déjà un nom dans les hôtels de Londres grâce aux relations des FitzSimons.

Alfie s'était remis à parler, comme s'il ne pouvait pas s'arrêter. Johnny le maudissait d'être reparu au moment même où il était enfin sur le point de fermer l'hôtel et il se rendait compte qu'il avait toujours détesté cet endroit. Il avait lui aussi vraiment besoin de boire quelque chose.

« Je dois bientôt retourner travailler, Alfie, dit-il en interrompant le flot de paroles. Descendons au bar pour boire un dernier verre ensemble.

– Nous le prendrons ici, comme j'ai dit, répondit Alfie. Je commande une bouteille à Simon. Je la paierai. J'ai de l'argent. Je ne demande pas de faveurs, tu sais.

– Je ne te dois pas de faveurs, répliqua Johnny d'un ton plus cassant qu'il ne le voulait. Aucun de nous ne t'en doit. Le groupement de mon père a payé cet hôtel un bon prix.

– Il en avait largement les moyens, jeta Alfie d'un ton tout aussi mordant. Compte tenu de tout ce que vous avez volé à mon père des années durant. »

Johnny se mit debout, furieux, et Alfie se leva du lit, les mains tendues en signe d'excuse.

« Écoute, je suis désolé, c'est vrai », dit-il précipitamment ; il ressemblait à son père qui avait failli être exclu une douzaine de fois. « Je plaisantais. Je n'aurais pas dû dire ça. Je sais que tu ne me dois rien, mais pour Roisin, hein ?

– Je t'ai dit que je ne connais même plus ta sœur.

– Mon œil, grogna Alfie. Vous étiez comme les doigts de la main. Je vous ai surpris un après-midi en haut, non ? Tu en as pincé pour elle pendant des années, allons, mon vieux, reconnais-le.

– Je ne m'en souviens pas.

– Apparemment, tu as pourtant l'air de très bien te rappeler ce qui te plaît.

– Je me souviens de toi et du Comte, dit Johnny.

– Quoi ? » Alfie eut l'air déconcerté.

« Le lendemain du jour où il a pris sa retraite, il est retourné aux cuisines dire bonjour. Il travaillait ici depuis 1924, nom d'un chien. Tu es passé et tu lui as dit : "Cet endroit est réservé au personnel en activité. Vous devez attendre au bar."

– Nom de Dieu, je n'étais qu'un gosse à l'époque.

– Ton père ne lui aurait pas dit ça, ni ton grand-père. Presque cinquante ans à l'hôtel et, pour toi, il n'était qu'un employé comme les autres.

– Ça n'a rien à voir avec Roisin, protesta Alfie. Tu te sers de cette histoire contre moi.

– Roisin n'était pas du même monde que moi, et ta famille a tout fait pour que je le sache.

– Pas du même monde ? Alfie rit avec amertume. Regarde-toi. Tu y as pris goût et tu as épousé une fille riche du sud de Dublin, genre Fine Gael Horse Prod. Exactement le genre de garce avec des vrais bijoux et des orgasmes simulés qui nous regardait toujours de haut.

– Tu ne connais pas ma femme, cria presque Johnny en se contenant de toutes ses forces. Tu ne sais pas comment elle est. Tu ne sais rien de ce que je suis devenu. Ce que j'ai fait de ma vie ne te regarde pas.

– Tu es toujours le même, railla Alfie comme s'il essayait de s'introduire dans sa peau.

– Et toi aussi, FitzSimons, murmura Johnny en retenant sa colère. Alfie avec un E. » Le calme dans sa voix suffit à troubler Alfie.

« Qu'est-ce que tu veux dire par là ? demanda-t-il.

– Je veux dire qu'il y a eu une double réservation pour cette chambre. » Johnny regarda son costume, ses chaussures coûteuses qu'il avait soigneusement cirées. Tout cela lui rappela qui il était et que la règle en ces circonstances était de ne jamais laisser une discussion devenir personnelle. « Il y a eu une erreur, dit-il. Aideen à la réception n'aurait jamais dû te la donner.

– Je n'ai rendez-vous avec personne d'autre.

– Nous sommes entièrement responsables. Nous allons faire en sorte qu'un taxi t'emmène dans un autre hôtel et la chambre sera à nos frais.

– Les taxis. C'est le truc que vous utilisiez pour vous débarrasser de mon père le soir après l'avoir escroqué, dit Alfie. Eh bien, il se trouve que je suis très bien ici. Moi et le fantôme de Rosie Lynch, hé.

– Quelle est la vraie raison de ta présence ici ce soir ? demanda Johnny.

– Je voulais te parler, Farrell, juste une fois, d'homme à homme, à propos de Roisin. Tu ne comprends donc pas qu'il ne reste plus personne d'autre pour s'occuper d'elle ? Ne pourrais-tu pas aller la voir, ne serait-ce qu'une fois, en souvenir du passé ?

– Comment se fait-il que tu aies utilisé un nom d'emprunt si tu es venu ici pour me voir ? demanda Johnny.

– Parce que je ne savais pas si je passerais cette putain de porte, riposta Alfie. Je n'ai pas oublié la grosse ardoise que j'ai laissée depuis les obsèques de mon père. Je sais qu'elle est vieille de vingt ans, mais tu as toujours été un petit con tatillon et il n'y a aucune chance que tu aies pu oublier. Tu ne peux quand même pas me reprocher de vouloir jeter un coup d'œil ici avant que l'hôtel ne soit complètement démoli dans quelques semaines ? Ou bien, est-ce que tu as oublié qu'à une époque, tout ça était censé me revenir ?

– Le Finbar's a changé, répondit Johnny. Seul le nom est resté.

– Il m'a l'air d'être pareil.

– Il y a eu de gros changements. La boîte de nuit Upstarts au sous-sol, par exemple.

– Alors ? dit Alfie.

– Peut-être avais-tu l'intention d'y faire un tour un peu plus tard ?

– Peut-être. Tu ne sais pas que les filles d'aujourd'hui en pincent pour les hommes qui ont plus d'expérience ? » Alfie cligna de l'œil en conspirateur, mais Johnny ne trouvait pas cette blague puérile à son goût. « Ou peut-être que tu n'as pas encore compris à quoi servait ta queue ?

– Maintenant, sors d'ici. » Johnny tentait de ne pas donner trop de sens à cette remarque. Respire profondément, avait toujours conseillé le vieux Finbar, ne laisse jamais les clients voir que tu es ébranlé.

« Tu as les chevilles qui enflent, Farrell, répliqua Alfie. Ou alors, tu veux enfiler les bottes de ton frère ?

– Laisse nos familles en dehors de tout ça, dit Johnny. Ça n'a rien à voir avec Charles, ni avec Roisin d'ailleurs. Je ne sais même pas si tu vas jamais la voir.

– Je viens de te le dire, non ? dit Alfie. Putain, qu'est-ce que tu cherches ? J'ai toujours dit que c'était parce qu'elle traînait avec un vieux pépé comme toi que Roisin est devenue folle. »

Johnny traversa vivement la chambre pour attraper le sac toujours fermé d'Alfie. Il ouvrit la porte et sortit en posant le sac dans le couloir à côté de lui.

« Il y a une station de taxis dehors, dit-il. C'est ta dernière chance. Nous te logeons gratuitement dans un autre hôtel, mais je veux que tu sortes d'ici.

– Mon père a construit cet hôtel, Farrell, cria Alfie. Et mon argent vaut bien celui de n'importe qui.

– Ton père a brûlé cet hôtel, répliqua Johnny. Quand c'était un hôtel digne de ce nom. Ton grand-père et mon grand-père l'avaient fait prospérer ensemble. Il n'a reconstruit à la place qu'un château de cartes et ce sont des gens comme mon père qui l'ont empêché de s'écrouler.

– Fous le camp aux cuisines, ta place est là-bas », dit Alfie. Sa voix n'était qu'un murmure, son visage était blanc de colère. « Dis à Simon en passant que je veux qu'on me monte une bouteille de whisky tout de suite.

– L'entrée du Finbar's Hotel t'est interdite depuis l'enterrement de ton père, l'avertit Johnny. Et je t'interdis l'accès de l'Upstarts à partir de maintenant.

– Toi ? M'interdire ? railla Alfie. Toi avec quelle armée ?

– Moi et la police.

– De quoi vas-tu m'accuser ? D'avoir regardé dans la chambre de ma sœur pendant que le garçon de cuisine abusait d'elle ?

– De la même chose dont tu as été accusé l'année dernière dans la boîte de nuit de Luton. »

Alfie se tut et toute trace de raillerie disparut de son visage. L'expression qui la remplaça n'était pas tant de la haine que de l'angoisse. Ce qui est important pour les gens ordinaires se trouve toujours caché dans les petits paragraphes, disait toujours le Comte. Peu de lecteurs avaient dû remarquer le minuscule article dans l'*Evening Herald* : un Irlandais avait été accusé d'avoir tenté de vendre des comprimés d'ecstasy dans une boîte de nuit minable de Luton. Simon avait dû repérer le nom lui aussi, lors de sa lecture minutieuse du journal du soir toutes les nuits dans son réduit, mais Simon parlait rarement de ces choses.

« Salaud, dit Alfie doucement. Tout le monde peut faire une erreur un jour. Mais ça n'a rien à voir avec l'envie de passer une dernière nuit ici.

– Je ne veux pas savoir ce qu'il y a dans ton sac, dit Johnny en le touchant du pied. Je ne veux pas être obligé de l'ouvrir et de m'apercevoir que mes soupçons étaient exacts.

– Il y a des lettres qui ne parlent que de toi, dans ce sac, si seulement tu voulais te donner la peine de les lire.

– Vraiment ? Johnny regarda le sac. Alors je l'ouvre ? »

Alfie lui lança un œil furieux que Johnny lui rendit en essayant de soutenir son regard dans cette partie de bluff. Il ne savait pas ce qu'il avait le plus peur de trouver s'il était obligé d'ouvrir le sac.

« Il y a aussi des objets personnels dedans, dit Alfie. Tout ce qui me reste. Je rentre à Dublin. C'est ma première nuit ici. Allez, rends-moi mon sac.

– Sors et viens le chercher », lui dit Johnny. Il était toujours plus facile de contrôler ce genre de situation dans un couloir. Johnny s'aperçut qu'il avait les mains moites. L'idée absurde lui vint qu'il y avait dans le sac à ses pieds des photos de Roisin, avec ses petits seins de fille de quatorze ans tout bruns, dans la tourbière au crépuscule, son visage où se lisait un air interrogateur et désorienté. Les aborigènes croyaient jadis que leur âme pouvait être volée par une photographie. Johnny avait l'impression que son âme, ou du moins la personne qu'il était jadis, lui avait été arrachée. Cet enfant ne vivait plus que dans ces lettres, si elles existaient vraiment, avec tous les souvenirs qu'il avait soigneusement mis de côté, toutes les humiliations de son enfance. Ses mains tremblaient quand il s'agenouilla comme pour ouvrir la fermeture Éclair. Ce geste fit sortir Alfie dans le couloir comme Johnny l'avait prévu. Il poussa Johnny et ramassa le sac.

« Ce sac est personnel, dit-il en l'étreignant presque. Je suis le seul à pouvoir l'ouvrir.

– N'entre pas dans ma boîte de nuit, lui dit Johnny. Nous fermons le Finbar's Hotel dans quelques semaines avec une licence vieille de vingt ans et sans tache. Nous avons sorti assez de petits malins et de rigolos qui essayaient de vendre leurs trucs en bas.

– Si j'ai fait une erreur, j'ai payé pour elle, dit Alfie amèrement. Mon passé ne te regarde pas. Je rentre chez moi. Mon grand-père a démarré avec rien et tu me vois faire pareil. J'ai des projets dont tu n'as pas idée. Tu as toujours été le frère handicapé, sans autre disposition que d'être un gâte-sauce aux cuisines. »

La porte d'une chambre s'ouvrit au bout du couloir et Alfie tourna la tête. Johnny surprit un regard de reconnaissance puis une terreur réelle dans les yeux d'Alfie. Il était le premier dans l'hôtel à reconnaître le client de la chambre 107. Les deux journalistes hollandais surgirent derrière le Dublinois trapu. Alfie serra son sac plus fort contre lui. Sa porte était grande ouverte, sa veste en cuir était encore pendue, mais Alfie se mit à marcher. Rien sur le visage du Dublinois trapu ne permettait de savoir s'il avait reconnu Alfie, mais une fois encore, ce visage ne révélait jamais rien. Johnny suivit Alfie; il sentait qu'il essayait de ne pas courir. Il arriva à l'ascenseur, mais préféra l'escalier, comme s'il avait peur de devoir y entrer avec lui.

Johnny se tenait quatre ou cinq pas derrière lui. Ils arrivèrent dans le hall qui bruissait de l'agitation de la fête au bar. Alfie s'arrêta et Johnny le regarda.

« Va voir Roisin une fois, pour moi, hein ? marmonna Alfie vaincu.

– La proposition d'une chambre ailleurs pour la nuit tient toujours.

– Va te faire foutre avec ta charité. » Alfie jeta un coup d'œil au portrait de son père. « Aucun de nous n'a jamais eu besoin de l'aumône de gens comme toi. »

Les portes de l'ascenseur s'ouvrirent. Alfie n'attendit pas de voir qui en sortait. Il marcha rapidement vers la sortie. Johnny le regarda, sachant qu'il reconnaîtrait n'importe où ces épaules arrondies. Ce dos rond était celui de Finbar Og, toutes les nuits où le père de Johnny le persuadait de monter dans un taxi déjà payé pour rentrer dans son appartement miteux d'Islandbridge ; c'est là qu'on l'avait trouvé mort quand le personnel de l'hôtel ne l'avait pas vu venir chercher son remède plusieurs matins de suite. Le Dublinois de la 107 sortit de l'ascenseur. Cette fois-ci, il ne laissa pas sa clé, mais se dirigea vers les portes à tambour ; les journalistes hollandais le suivaient de près, comme s'ils n'étaient pas avec lui.

Johnny s'aperçut qu'il tremblait. Il se retira dans le réduit de Simon pour se verser un grand verre de cognac dont on gardait une bouteille pour les cas d'urgence. Aideen vint chercher quelque chose et regarda le verre avec surprise. Johnny l'engloutit sans plus se soucier de se conduire d'une façon qui ne lui ressemblait pas du tout. Il se versa un autre cognac. Pete Spencer pouvait arnaquer toute la clientèle du bar, il s'en fichait. Simon pouvait descendre tout le stock de vodka de l'hôtel. Ce tapis idiot avec son FF qui ne voulait pas s'user pouvait prendre feu. Les murs de l'hôtel pouvaient s'écrouler, et Johnny savait que tout cela ne le débarrasserait pas de son sentiment de culpabilité. Simon revint et posa son plateau vide. Seul quelqu'un connaissant bien le portier était capable de remarquer à quel point il était ivre. Il regarda le verre dans la main de Johnny.

« Il est parti », dit-il et Johnny hocha la tête. Simon jeta un coup d'œil à la réception. « J'ai toujours détesté ce petit con prétentieux », ajouta-t-il tranquillement.

Johnny regarda la nuque du vieil homme, sachant que, au fond de lui-même, Simon pensait la même chose de lui.

« Ça va ? Vous êtes sûr que vous pouvez travailler jusqu'à

onze heures du matin ? » demanda-t-il en se rendant compte que Simon était la seule personne du Finbar's Hotel qui lui manquerait.

« Moi ? répondit Simon. En pleine forme. C'est normal, je mène une vie de chat. » Le portier miaula doucement comme si la blague était destinée à lui seul, puis s'éloigna. Johnny termina le cognac, se ressaisit et chassa la visite d'Alfie de son esprit. Le client de la 107 n'avait pas laissé sa clé. Cela signifiait qu'il allait revenir. Ces derniers temps, la police venait faire un tour juste après l'heure de fermeture. Il fallait trouver un juste équilibre entre les bénéfices et la prudence et savoir à quel moment arrêter de servir. Deux Américaines s'approchèrent du comptoir, à la recherche de Simon. Johnny regarda fixement la bouteille de cognac, puis la fit disparaître. Des dizaines d'années d'expérience prirent le dessus lorsqu'il se pencha vers les dames et sourit, d'un sourire aussi lisse que le vieux Finbar en personne, l'esprit entièrement occupé par cet hôtel qu'il fallait encore faire tourner.

L'EXAMEN

Bien que le Finbar's Hotel fût sur la liste de Maureen Connolly depuis plusieurs mois, elle ne l'avait pas encore essayé. Elle l'avait remarqué par un chaud après-midi engourdi, à peu près au moment où elle avait appris les mauvais résultats de l'examen, et elle s'était dit, malgré son état de choc et de confusion, qu'il pourrait convenir à ses projets. En le regardant maintenant, elle n'en était plus aussi sûre. La façade n'était pas du tout impressionnante sous cette lumière, se dit-elle en quittant rapidement la gare dans l'air humide et froid de ce soir d'octobre à Dublin. L'hôtel avait connu des jours meilleurs et montrait des signes prononcés de délabrement. Tout le bâtiment avait l'air un peu las. En réalité, pour être tout à fait franc, il semblait sur le point de s'écrouler dans la rue. Mais soyons honnête, se dit-elle; après tout, on était peut-être en droit d'en penser autant d'elle. Elle éprouvait des sentiments mêlés, elle ne pouvait le nier. Mais au moins, elle avait des sentiments. Les sentiments mêlés valaient mieux que pas de sentiments du tout.

Cependant, dès qu'elle franchit les lourdes portes à tambour, elle sut qu'elle avait eu tout à fait raison de venir. Le Finbar's Hotel méritait de figurer sur sa liste, elle en était certaine. Oui, même ici, dans le hall petit, triste et défraîchi qui évoquait la moisissure, le délabrement et les espoirs perdus, elle ressentit le frisson merveilleux qu'elle avait attendu toute la semaine. Son cœur en fut saisi. Il s'enroula autour de sa colonne vertébrale comme une main chaude. Il n'y avait pas de doute. Le Finbar's Hotel était une bonne idée.

En faisant la queue à la réception et en demandant une chambre, elle s'était sentie clandestine et quelque peu furtive, surtout quand la réceptionniste lui avait annoncé qu'il ne restait qu'une chambre double avec un lit de taille royale. Une terrible bouffée de chaleur lui était soudain montée au visage, elle s'était à moitié détournée du bureau pour sentir le souffle d'air venant des portes à tambour et s'était trouvée face à un jeune homme souriant derrière elle, affublé d'une coiffure insensée et d'un affreux tee-shirt Temple Bar. Il lui avait fait un clin d'œil, elle en était certaine. Ou peut-être ce clin d'œil était-il destiné à la réceptionniste pour une raison inconnue? Mais peut-être clignait-il des yeux parce qu'il avait un problème; d'après son allure, c'était très possible. Un instant, elle pensa qu'il pouvait s'agir d'un fou récemment placé dans un foyer rattaché à un programme social. Ces temps-ci, les gens avaient toute sorte d'idées modernes sur les fous et ce qu'il fallait en faire. À Dublin en particulier. Ici à Dublin, à peu près tout était possible. De toute façon, elle était certaine d'avoir rougi encore plus fort quand elle s'était de nouveau tournée vers le bureau et avait dit à la jeune fille que le lit de taille royale lui convenait très bien.

«Parfait, dit la réceptionniste d'une voix gaie. Chambre 105. Premier étage. L'ascenseur est par ici.»

L'homme souriant et bizarre la suivit jusqu'à l'ascenseur et y entra. Ses cheveux insensés et couverts de gel ressemblaient à un plat de tagliatelles froides. Presque tout de suite, il fit claquer sa langue d'une façon vaguement mélodramatique, posa lourdement sa valise et son ghetto-blaster, sortit un détecteur de tension de sa poche et se mit à taper en rythme sur les portes et le tableau de commande, en fredonnant pour lui-même. Elle crut reconnaître l'air. Il tapa plus fort et renifla plusieurs fois d'une manière impressionnante. À l'évidence, il cherchait à attirer son attention. Elle se détourna et feignit de l'ignorer. Elle regarda son reflet dans la glace et se trouva encore séduisante – elle dut le reconnaître. Son mari ne cherchait peut-être pas seulement à être poli et à apaiser sa conscience quand il le lui disait. Elle savait que le sentiment de culpabilité de son mari pour ce qu'il faisait en secret devait être épouvantable. Au fond, ce n'était pas un mauvais homme, bien moins mauvais qu'il ne l'aurait voulu. Il était de ces Irlandais qui se trouvent embarrassés par leur décence innée. Elle s'approcha de la glace, se mouilla le doigt et lissa son sourcil droit. Derrière elle, elle entendit un faible miaulement venant du fou. Le pauvre garçon était manifestement dérangé.

L'ascenseur s'arrêta au premier étage. Consternée, elle vit son compagnon sortir. Elle hésita à le suivre, mais finit par le faire. Il n'avait pas l'air dangereux. Le fait de l'entendre siffler la rassurait en quelque sorte. Les fous dangereux ne sifflaient pas, se dit-elle. Charles Manson, par exemple, il était difficile de l'imaginer en train de siffloter. Il s'engagea devant elle dans le couloir d'un pas tranquille, avec l'assurance avantageuse d'un membre du personnel plus que d'un client. Soudain, elle se demanda si elle avait eu tort de le prendre pour un fou. Il avait peut-être un rapport avec le chanteur de rock hollandais qui avait apparemment acheté cet hôtel délabré quelque temps auparavant, se dit-elle. D'ailleurs, il ressemblait lui-même un peu à un musicien de rock hollandais ou au moins à l'associé d'un musicien de rock hollandais. Oui, elle s'était peut-être trompée sur sa folie. Après tout, les musiciens de rock avaient fréquemment l'air complètement dérangés sur les photographies des journaux, et leurs associés encore plus; en fait, pour tout dire, les Hollandais avaient dans l'ensemble l'air plus qu'un peu instable, sinon carrément psychotique, non qu'elle y connût grand-chose. Il s'arrêta deux portes avant la sienne et entra. Elle se rendit compte qu'elle était soulagée d'être débarrassée de lui.

Quand elle fut enfin seule dans sa chambre, l'impatience lui donna soudain le vertige. Elle s'aperçut qu'elle rêvassait en pensant au musicien de rock hollandais étrange et souriant, et se demandait ce qu'il faisait au même instant deux chambres avant la sienne. Peut-être composait-il une chanson. Peut-être prenait-il de la drogue. La combinaison de la nationalité hollandaise et de la créativité musicale n'autorisait certainement pas l'optimisme. La pensée de ce qui se passait tout autour d'elle, dans les chambres au-dessus et en dessous et dans celles de part et d'autre de la sienne, était si excitante que, très vite, sa tête se mit à tourner. Elle aurait voulu que les murs soient transparents. Elle savait que c'était ridicule, tout à fait irrationnel, mais elle sentait pétiller en elle, comme le champagne débordant du verre, l'excitation d'être seule dans une chambre d'hôtel inconnue.

Quelque chose dans le fait d'être dans une chambre d'hôtel lui redonnait de la fraîcheur. C'était toujours pareil; dès qu'elle franchissait le seuil d'un hôtel – ce qu'elle faisait, ici ou là en Irlande, au moins une fois par semaine et parfois deux si son mari et sa nouvelle maîtresse n'étaient pas en ville – elle ressentait chaque fois un pincement de désir familier et paisible qui papillotait à fleur de nerfs. Elle était réconfortée par cette sensation, réconfortée comme n'importe quel intoxiqué, de nouveau vivante, remise sur pied, réinventée, branchée de nouveau à son énergie vitale. Bien en vie. Elle prononça ces mots tout haut. Elle les dit tout haut pour voir s'ils étaient vrais.

Elle alla à la fenêtre et regarda dehors. La rivière était très boueuse, remplie de remous et de tourbillons huileux. Des mouettes volaient tout près de la surface, comme pour l'attaquer. Ici et là, une branche ou un rameau meurtri passait à toute vitesse en tourbillonnant dans l'eau écumeuse, conséquence, se dit-elle, des orages récents et d'une violence inhabituelle de l'automne. Elle s'assit sur le lit et regarda autour d'elle.

La pièce était petite et beaucoup trop chauffée. Elle sentait la poussière, la cigarette refroidie, le linge lavé mais mal séché. Elle s'allongea sur le lit et scruta le plafond. Sous la laque épaisse couleur crème, elle avait l'impression de distinguer les contours fantomatiques des moulures d'origine, des motifs de palmette, myrte, saule et citronnier qui semblaient tous se démener pour s'échapper.

Elle était étendue sans bouger, les yeux rivés sur les formes étranges. Des vers de Keats dont elle se souvenait à moitié lui vinrent à l'esprit. *Ode à une urne grecque*. Quel transport délirant. Quelle énergie pour s'échapper. Elle se dit qu'elle devait en parler à ses élèves d'anglais de terminale la prochaine fois qu'elle les verrait, lundi matin en première heure. C'était son cours préféré de la semaine ; les élèves levaient leurs visages curieux vers elle, encore émoustillés par les baisers du week-end et avides de poésie. Enfin, avides de poésie comme elles ne le seraient jamais plus. Ayant envie d'en avaler, en tout cas. À quoi leur servirait la poésie? Elle s'était souvent trouvée confrontée à cette question – À quoi va nous servir la poésie à un entretien d'embauche, Maureen (elle avait insisté pour que ses élèves l'appellent par son prénom), ou sur le bateau pour Londres? – et elle avait répondu que la poésie était la nourriture de l'âme, que la poésie était là pour les moments de la vie où la langue habituelle ne suffisait pas. Au fond d'elle-même, elle savait toutefois qu'elles avaient raison, comme c'était presque toujours le cas avec les jeunes d'aujourd'hui. Y avait-il seulement un employeur à Galway qui voulait savoir ce que ses filles pensaient de Yeats ou de Hopkins? (Peut-être son mari, mais c'était une exception. Rares étaient les hommes, même à Galway, qui choisiraient comme maîtresse une élève de leur femme récemment sortie de l'école.) Mais quel technocrate ambitieux dirigeant une usine à capitaux européens dans le Connemara serait prêt à parler de Patrick Kavanagh? Pouvait-on mentionner son intérêt pour Chaucer sur son curriculum vitae? Elle eut soudain une vision nette d'elle-même debout devant sa classe, une femme entre deux âges fervente et idiote débitant des expressions de seconde main, disséquant avec rigueur les images et les comparaisons que des jeunes gens étaient allés puiser dans les profondeurs de l'amour et de la peur. Le visage de son mari avec ses bajoues et son ricanement surgit dans sa tête, image d'une de leurs récentes querelles, suivie, un peu plus tard, par le tableau sinistre de son cul en sueur oscillant entre les cuisses ouvertes d'une adolescente à qui elle avait appris peu de temps auparavant la définition de l'anthropomorphisme.

Allait-elle rester à Dublin tout le week-end ? Peut-être. On était jeudi soir, après tout, et elle n'avait pas de cours le vendredi. Rester à Dublin semblait une idée séduisante. Passer voir quelques vieux copains. Peut-être assister à une pièce de théâtre ou à un concert au National Concert Hall. Remonter Grafton Street, peut-être se promener à Saint Stephen's Green s'il faisait beau demain, regarder les tas de feuilles jaunies et dorées. Peut-être tomberait-elle sur d'autres hôtels à mettre sur sa liste. On bâtissait sans cesse de nouveaux hôtels à Temple Bar. On les construisait si vite que les guides n'arrivaient pas à les inscrire dans leurs pages. Elle aimait bien Temple Bar, ses petites boutiques peinturlurées, son agitation hystérique, ses jeunes gens calmes qui rôdaient, furtifs, les yeux cachés derrière des lunettes noires, qu'il y ait ou non du soleil. Oui, Temple Bar se montrerait peut-être fécond, elle irait y faire un tour le lendemain avec son carnet pour voir ce qu'elle pourrait trouver pour sa liste. Elle pensa à Galway, à la pluie froide de l'Atlantique tombant dans les rues étroites et inextricables de la vieille ville de pierre. Cela lui semblait très loin.

Sous la douche, elle éprouva de nouveau une poussée intense d'excitation sensuelle quand l'eau chaude éclaboussa son visage fatigué et ses seins. Du savon lui piqua les yeux et la fit gémir doucement ; cela lui plut tellement qu'elle recommença. Elle pensa à la voix suppliante de son fils au téléphone. Est-ce qu'ils pouvaient aller en France en famille l'été prochain? Il y avait tant de bruit devant la gare qu'il était difficile de parler et elle en avait été ravie; elle n'aurait pas pu se résoudre à lui annoncer la cruelle vérité: pour elle, il n'y aurait peut-être pas d'été prochain. Quand elle avait dit qu'elle avait un problème de train, que le train était en retard à cause d'un arbre tombé sur la voie, qu'elle était obligée de passer la nuit à Dublin, au Finbar's Hotel, juste à côté de la gare, son fils avait dit d'une voix hystérique d'adolescent: « Quoi, M'man ? Quoi ? »; elle avait répondu de la voix la plus désinvolte qu'elle avait pu: « Tu sais, le Finbar's, l'hôtel que le chanteur de rock hollandais veut acheter ? Ricky Van Quelque Chose ? Ou peut-être Rocky Van Quelque Chose ? » et elle s'était trouvée à court de monnaie.

En sortant de la douche, elle se sécha sans enthousiasme et ne s'habilla pas. Elle s'allongea de nouveau sur le lit et laissa ses doigts explorer son corps. Elle toucha les petits rouleaux de graisse flasque de son ventre, les ganglions de ses aisselles, les poils raides de son pubis. Elle pensa à ce que le médecin lui avait dit par un bel après-midi six mois plus tôt. Elle pensa à son corps et à la façon dont il la lâchait lentement. Un autre vers lui vint à l'esprit. « *Mon âme est liée à un animal mourant* ». Yeats avait écrit ces mots magnifiques et glacés vers la fin de sa vie. À travers le plancher, elle crut entendre la radio. Elle était sûre que c'était une chanson d'Oasis, *Wonderwall*, sa classe de seconde l'adorait et elle avait permis à ses élèves de consacrer un cours à étudier les paroles, bien qu'elle-même ne fût pas certaine de savoir très bien ce qu'était un « mur des merveilles ». Le vent projeta une poignée de poussière et de feuilles contre la fenêtre. Elle tenta sans conviction de se rappeler les paroles de la chanson – et après tout, tu es mon mur des merveilles; qu'est-ce que ça pouvait bien vouloir dire ? – mais elle avait oublié la suite. Elle en fut d'abord contrariée, mais une autre chanson démarra en bas, ou dans un autre coin de l'hôtel et elle oublia complètement Oasis. Elle écoutait la nouvelle chanson et se sentait au chaud, à l'aise et rêveuse. Ses doigts s'égarèrent vers son sexe. Elle se caressa. Quelques minutes plus tard, avec l'impression de sortir en sursaut d'une sorte de transe, elle s'aperçut qu'elle pleurait.

Elle s'assit et commença à s'habiller; elle décida de ne pas s'encombrer de sous-vêtements et enfila simplement un pantalon et un haut. Tout d'un coup, elle s'ennuyait. Elle regarda le téléphone posé sur la table à côté du lit – c'était un téléphone moderne, un pavé luisant de plastique blanc avec un clavier qui semblait bien trop compliqué. Elle se dit qu'elle devrait vraiment appeler de nouveau son fils ou sa fille pour bien leur faire comprendre qu'elle passait la nuit à Dublin. Elle était soulagée, au moins, de ne pas avoir à mentir sur l'endroit où elle se trouvait. Elle leur avait dit qu'elle allait à

Dublin pour faire des courses tout l'après-midi. Ce n'était qu'un demi-mensonge. Mais quand elle décrocha, elle entendit un homme parler sur une autre ligne. Elle faillit raccrocher par un réflexe de politesse irréfléchi. Mais finalement, en souriant, en savourant sa faute, en sentant son cœur battre plus fort, elle se mit à écouter:

« J'étais à Cork hier sur une piste. Y'a une nouvelle boutique qui ouvre là-bas le mois prochain, mais comme le patron n'était pas là, j'ai dû chercher sa baraque. Et tu sais comment elles sont les baraques là-bas, impossibles à trouver. En tout cas, j'crevais de faim quand j'ai trouvé. J'avais une telle dalle que j'aurais avalé des roubignoles de macaque. »

Une autre voix d'homme rit et dit: «Putain, t'es vraiment impayable. Où est ta chambre, à propos?

– Dernier étage. Ouais. Donc, j'en étais où, ah oui, voilà, j'trouve la baraque, un type indien ouvre la porte. Pakistanais, ou un truc comme ça. La famille a un restaurant là-bas à Cork. The Montenotte Raj, ça s'appelle, mais maintenant il se lance dans les couplés. »

À ce moment-là, la deuxième voix l'interrompit. « Viens me retrouver en bas, on en parlera en dînant. Ils ont presque fini le service. Je te parle de mon portable, en bas, au restaurant. »

Elle raccrocha le téléphone mais s'aperçut qu'elle éprouvait une certaine curiosité pour les deux hommes. Qui étaient-ils ? Des représentants, ça, c'était sûr. Mais que vendaient-ils ? L'un d'eux n'avait-il pas parlé de couplets ? Étaient-ils représentants en musique ? Ils avaient tous deux un fort accent de Dublin, et pourtant ils avaient l'air de dormir à l'hôtel. Pourquoi quelqu'un vivant à Dublin devrait-il dormir dans un hôtel de Dublin ? Enfin, à y réfléchir, quelle raison avait-elle d'y dormir elle-même? Aucune raison. Absolument aucune raison qu'elle puisse comprendre. Avaient-ils dit qu'ils descendaient dîner ? Au restaurant de l'hôtel? Ce serait peut-être amusant d'y descendre aussi et de voir si elle réussissait à les reconnaître dans la foule.

Dans l'ascenseur, elle se regarda de nouveau dans la glace. Le plus bizarre, se dit-elle, c'était qu'elle n'avait pas l'air d'une femme en train de mourir. D'accord, elle avait l'air fatigué, pâle et un peu usé sur les bords; mais pas comme une femme à qui il reste moins d'un an à vivre. Est-ce que c'était vrai? Comment est-ce que ça pouvait être vrai ? Elle eut tout d'un coup une vision nette et métallique des cellules cancéreuses sous la forme de petits monstres ronds et dévoreurs comme dans le jeu vidéo de Pacman que son fils avait tant aimé quand il était petit. Ces nécrophages gloutons avec leur bip-bip fonçaient sur l'écran en dévorant impitoyablement tout ce qui était sur leur passage. Il lui était difficile d'accepter et de croire que maintenant elle aussi se faisait ronger. Pourtant, elle avait vu de ses propres yeux les ombres sombres et troubles sur la radioscopie. Vous êtes en train de mourir, lui avait dit le médecin. Il n'y avait aucun doute. Il lui restait dix mois peut-être. Elle s'était même excusée. Elle était désolée qu'il ait dû lui faire part de cette nouvelle. Ça devait être très dur pour lui d'annoncer de telles nouvelles tous les jours.

Dans le hall, un groupe d'Américains affreusement bronzés s'était attroupé devant un tableau où figurait une affiche de la triple spirale sculptée dans l'énorme pierre à l'extérieur de la tombe de Newgrange. D'autres membres du groupe, moins nombreux, se rassemblaient autour d'un bel homme trapu qui, à en croire la façon dont ils jacassaient et le montraient du doigt, devait être quelqu'un d'important. Était-il un accompagnateur, quelqu'un d'une agence de voyages ? Dehors, le vent soufflait en rafales si violentes que les portes à tambour tournaient lentement, comme actionnées par un dieu invisible. Elle sourit pour elle-même en entendant un des touristes, un vieil homme sans humour au visage terreux, vêtu d'un pull de golf turquoise, demander au barman: « Hé, monsieur, donnez-moi un Irish coffee sans whisky. »

Le petit restaurant carré sentait le graillon et le désinfectant. Le personnel mettait la table du petit déjeuner. Deux hommes d'un certain âge, l'un petit et mince avec un visage chevalin, l'autre aussi imposant qu'un joueur de rugby, étaient assis à une table ronde au milieu de la pièce; ils se parlaient à voix basse, mais elle crut reconnaître les voyelles et les intonations de Dublin dans leurs voix et se dit que oui, c'était eux dont elle avait surpris la conversation téléphonique. Ils avaient l'air tellement à l'aise ensemble, si heureux et détendus dans leur intimité purement virile, qu'elle eut honte d'avoir écouté ce qu'ils se disaient. Elle jeta un coup d'œil dans la pièce. De mauvais portraits au fusain de célèbres écrivains irlandais étaient accrochés aux murs; elle reconnut tout de suite Joyce et Brendan Behan, mais elle confondit Beckett et Sean O'Casey et ne rectifia son erreur qu'en s'approchant pour voir si elle arrivait à déchiffrer la signature de l'artiste.

La serveuse avait l'air âgé, un nez aplati avec des veines pourpres variqueuses et proéminentes sous la peau.

« Nous sommes fermés, dit-elle.

– Oh, vous arriverez bien à me trouver une petite place, dit Maureen avec un sourire. Allez. Voyez si c'est possible. »

La femme soupira et accepta à condition qu'elle se dépêche et elle lui désigna une table ronde. Maureen demanda si elle pouvait s'asseoir dans un box.

« Vous s'rez pas bien dans un box, ma belle, dit la serveuse. Les tables du milieu sont mieux.

– Je préfère un box, dit-elle. Si ça ne vous fait rien. »

La serveuse émit encore un soupir retentissant et lui indiqua un box; elle déplia avec de grands gestes la serviette en forme de cône et la posa sur ses genoux. Le menu était en plastique – elle remarqua avec un petit frisson qu'il proposait « des bouchers à la reine ». Elle poursuivit sa lecture en essayant sincèrement de ne pas écouter les deux représentants, mais s'aperçut qu'il était presque impossible d'ignorer le petit bonhomme au visage chevalin quand il élevait la voix.

« Alors je montre au Pakistanais tous les catalogues et je lui donne les prix de base; il hoche la tête tout le temps, vachement poli, le type, tu vois, tout le temps s'il vous plaît ceci, s'il vous plaît cela et la même chose que vous. »

Elle ouvrit *Hello !*, son journal, mais s'aperçut qu'elle n'arrivait pas à se concentrer. Le représentant au visage chevalin qui racontait l'histoire s'animait et s'enthousiasmait sans cesse davantage; il parlait avec les mains et s'agitait en tous sens.

« Enfin, pendant tout ce temps-là, sa bonne femme est à la cuisine et elle prépare un curry. Ça sent bon, t'as pas idée. Et voilà qu'il me dit: "Mr Dunne, nous serions ravis si vous veniez manger un morceau avec nous." Et moi: "Ah non, putain", parce que je voulais pas m'imposer, tu vois, même si j'avais tellement les crocs que j'aurais bouffé un cul de nonne à travers la grille d'un couvent.

– Grands dieux, tu es impayable, dit le gros homme. Impayable, putain, c'est le mot qui te convient. »

C'est alors que l'homme trapu qu'elle avait vu dans le hall et qui, à son avis, était accompagnateur entra au restaurant d'un pas tranquille. Il croisa son regard, sourit, fit un rapide signe de tête bizarrement cérémonieux dans sa direction. La serveuse s'approcha de lui et lui indiqua une table. Elle se demanda pourquoi on ne lui avait pas dit, à lui, que le restaurant était fermé. Elle se sentit un peu lésée. Le représentant au visage chevalin se pencha tout contre son collègue et se mit à parler si bas qu'elle ne l'entendit pas.

En tournant la tête pour attirer l'attention de la serveuse, elle remarqua avec un tressaillement que l'accompagnateur semblait lui sourire. Il avait un visage rougeaud et bienveillant qu'un romancier aurait pu qualifier de rubicond, des cheveux gris clair épais mais bien coupés, des sourcils qui se rejoignaient presque au-dessus de son long nez droit. Il pointa son doigt vers elle.

« Elle sortait avec Bryan Ferry, non ? dit-il. Bryan Ferry, le type qui faisait partie de Roxy Music ? Vous vous souvenez de ce groupe ? »

Il avait l'accent de la côte Est des Etats-Unis, sa voix était aussi douce qu'un torchon neuf.

« Qui ? demanda-t-elle.

– Jerry Hall. Le mannequin, dit-il.

– Vraiment ? »

Il sourit de nouveau. «Je suis désolé. C'est parce que je l'ai vue là-dessus.» Il pointa encore son doigt. « Je veux dire sur la couverture de votre magazine. Et je ne sais pas pourquoi, ça m'est venu à l'esprit.

– Qu'elle sortait avec Bryan Ferry de Roxy Music ?

– Oui.

– Je vois.

– Il valait mieux qu'ils ne se marient pas, non ? dit-il.

– Pourquoi donc ?

– Eh bien, parce qu'elle se serait appelée Jerry Ferry, non ? » Ses joues cramoisies se plissèrent en un sourire.

Elle ne put s'empêcher de rire.

« Vous avez sans doute raison, dit-elle.

– C'est vrai, gloussa-t-il. Ma gamine m'a dit ça un jour. Elle est bonne, non?

– Elle n'est pas mauvaise. »

Son sourire timide avait quelque chose d'encourageant. Elle se dit qu'il avait l'air d'un petit garçon, enfin d'une certaine manière, mais aussi d'un homme sincèrement à l'aise avec les femmes.

« Voudriez-vous m'accompagner ce soir ? demanda-t-il. Si vous dînez seule ?

– Oh, non merci, dit-elle. Je ne veux pas vous déranger.

– Pas du tout, dit-il. Comme vous le voyez, je suis seul, moi aussi. »

Elle réfléchit un moment à sa proposition. Ce n'était pas du tout ce qu'elle avait prévu. Mais où était le mal? Ils étaient dans un lieu public, après tout. Que pouvait-il arriver? Il y avait vraiment longtemps qu'elle n'avait pas dîné avec un Américain séduisant doté du sens de l'humour. Si toutefois elle l'avait jamais fait. Avant qu'elle ait vraiment décidé d'accepter son invitation, il s'était levé et tirait la seconde chaise de sa table.

« Je vous en prie, vous acceptez? demanda-t-il encore. Vous me feriez vraiment plaisir. Je déteste manger seul. »

Il s'appelait Ray Dempsey. Lorsqu'elle lui dit son nom, il le répéta plusieurs fois – « Maureen Connolly, Maureen Connolly, comme c'est charmant. » Sa poignée de main était très ferme et chaleureuse. Ses yeux paraissaient d'un noir d'encre et ses petites dents régulières très blanches. Il venait de New York, lui dit-il. Oui, elle avait parfaitement deviné, il était accompagnateur. Il avait travaillé dans de nombreux pays: Mexique, Argentine, Espagne, Pérou. Il avait un diplôme universitaire d'espagnol. Mais il aimait l'Irlande plus que tout. Depuis dix ans, il accompagnait à l'automne un groupe de vacanciers en Irlande. Il aimait passer du temps à Dublin – c'est une grande ville européenne, je veux dire – mais il aimait tout particulièrement le Connemara.

« Un désert à la Beckett, dit-il. C'est une phrase que j'ai lue dans une nouvelle. Une nouvelle de John Updike, je crois. Peu importe. Mais ça décrit bien le Connemara, vous ne trouvez pas ?

– Oui, dit-elle surprise par la justesse de la phrase. Oui, c'est vrai.

– Un désert à la Beckett, répéta-t-il et il sourit. Ça me plaît beaucoup. »

Elle réfléchit à toute allure durant les quelques minutes qu'ils mirent à consulter le menu. En même temps, elle s'était sentie tout de suite à l'aise avec lui. Il était si peu menaçant. C'était en rapport avec ses grandes mains, ses gestes ébauchés, la légère maladresse de son maintien car il paraissait toujours abandonner un mouvement en cours de route. Elle dit à la serveuse qu'elle voulait une sole grillée sans sauce avec de la salade. L'Américain commanda un gros steak bleu avec de la purée, des carottes et des oignons frits.

« Nous avons de la chance d'être servis, ils m'ont dit qu'ils fermaient, dit-elle quand la serveuse fut partie.

– Ils sont généralement compréhensifs avec moi, dit-il. C'est un des avantages d'être accompagnateur. Le personnel des hôtels est aux petits soins. Et j'en suis ravi, parce que, bon sang, j'ai une de ces faims, ce soir ! J'ai de l'appétit, ici. »

Il lui fit un sourire radieux. « En fait, ce soir, c'est une grande fête juive. Je suis juif.

– Ah bon ? C'est vrai ? dit-elle.

– Enfin, en quelque sorte. Je suis d'origine juive plus que juif.

– Alors, quelle est cette fête ?

– Oh, eh bien, aujourd'hui c'est le premier jour de Souccoth. La fête de la fin des moissons.

– Ah bon? Et c'est le même jour tous les ans?

– Non, non. Ça commence le quinzième jour du mois juif de tishri, à l'automne. Ça dure huit jours si on est réformé. Neuf si on est orthodoxe.

– Et vous êtes quoi?

– Eh bien, ma famille n'était pas orthodoxe.

– Oh, dit-elle en souriant. La mienne non plus. »

Il rit. « Très bien. Chez qui l'est-on ?

– Dites-m'en davantage sur votre fête. J'aimerais savoir. »

Il hocha la tête. « Eh bien, voyons, le dernier jour de la fête est appelé Simchat Torah – Réjouissez-vous de la Loi. Et ce jour-là, le cycle annuel de lecture de la Torah recommence.» Il prit une expression de sévérité feinte et il leva et baissa les sourcils en agitant le doigt.

« Parmi les danses et les chants », entonna-t-il et le rire plissa de nouveau son visage, de fines pattes d'oie apparurent au coin de ses yeux pétillants de malice. «C'est ce que le rabbin nous disait quand nous étions gosses. C'était comme s'il nous donnait un ordre. Le judaïsme est la seule religion que je connaisse dans laquelle on vous donne carrément l'ordre de vous amuser. Sous peine de mort !

– Le catholicisme n'est pas comme ça, je vous assure, dit-elle.

– Oui, je sais, dit-il en souriant. Mon père était catholique irlandais. »

Elle fut déconcertée par cette phrase, mais elle pensa que c'était peut-être impoli de le dire. Pourtant, il parut s'appuyer sur sa surprise. Il expliqua que son père venait de Mayo et qu'il avait émigré à New York dans les années vingt. Il avait travaillé un certain temps sur des chantiers et dans des bars et, brièvement, comme débardeur sur l'Hudson. Il avait rencontré une fille juive polonaise, s'était converti au judaïsme et l'avait épousée. Après leur mariage, il avait essayé plusieurs fois d'entrer dans la police, mais il n'avait jamais réussi les examens à cause de ses pieds. Il racontait l'histoire de son père et de ses mauvais pieds avec charme et confiance, en s'interrompant de temps en temps pour lui demander s'il ne l'ennuyait pas. Elle disait toujours non, pas du tout, ce qui était vrai. Sa voix était si belle et douce. Elle l'écoutait parler d'un sujet a priori sans intérêt comme les mauvais pieds de son père et cela lui rappelait étrangement le moment où elle était sous la douche chaude et sentait avec délice l'eau couler sur elle. Elle remarqua que, en parlant, il avait l'habitude américaine d'ajouter un point d'interrogation superflu à la fin des phrases. Elle trouvait que cela impliquait bizarrement l'auditeur et déclenchait en elle un besoin d'émettre un « oui », un « je comprends » ou un « je vois ce que vous voulez dire », là où d'ordinaire elle serait restée silencieuse dans une conversation avec un inconnu parlant des pieds de son père ou, en fait, à dire vrai, de n'importe quel attribut de son père.

Lorsque les plats arrivèrent dans des assiettes presque grésillantes de la chaleur du micro-ondes, il continua à parler de son père. « Il avait des idées bizarres sur l'Irlande. Une sorte d'amour-haine ? La plupart du temps, il disait: "Oh, l'Irlande, ce bled épouvantable, je ferais pleuvoir des bombes sur ce repaire de curés si je le pouvais." Mais quand il était ivre, c'était différent. Quand il était ivre, c'était longue vie à l'IRA et trois hourras pour Michael Collins et tout ça. Il recevait de Belfast des journaux républicains, je crois, et les lisait. "Je suis démocrate dans n'importe quel foutu pays du monde, fiston", c'est ce qu'il me disait, "mais en Irlande du Nord, je suis républicain, nom d'un chien. Et tu le seras aussi." »

Il la regarda. « Ça suffit, dit-il. Je ne sais pas ce qui me prend ce soir. À vous ennuyer comme ça.

– Oh, non, vous ne m'ennuyez pas, vraiment.

– Vous êtes très gentille, dit-il en souriant. Mais parlez-moi de vous. »

Elle réfléchit à cette requête en poussant la nourriture dans son assiette. Elle réfléchit vraiment. Un instant, elle eut l'envie irrésistible d'être absolument honnête avec lui et de dire: « Ray, voici qui je suis: je m'appelle Maureen Connolly et je suis mariée à Hugh, un homme abîmé, silencieux, conseiller régional et directeur de supermarché, qui fait l'amour presque toutes les nuits dans sa Mitsubishi Lancer avec une femme plus jeune que notre propre fille, une vraie gamine, j'ai été son professeur; elle travaille dans un magasin de disques à Galway et ça ne me ferait plus vraiment grand-chose, sauf que parfois je trouve ses empreintes de pieds sur la boîte à gants, Ray, il ne se donne même pas la peine de les nettoyer. Et je suis en train de mourir, Ray. Je suis en train de mourir. Mes enfants ne savent pas que dans moins d'un an je serai morte. Je n'arrive pas à me résoudre à le leur dire. J'ai un cancer. Il n'y a pas d'espoir, aucun. Je le sais depuis un certain temps. Je ne veux pas mourir, Ray. J'adore être en vie. J'ai si peur. Je veux vivre. Mais j'ai un cancer. Et une fois par semaine, quand mon mari croit que je subis un traitement nécessitant une nuit à l'hôpital, je vais à la gare de Galway, j'y laisse ma voiture et je monte dans le premier train. Peu importe où il va. Je mange un sandwich et je bois un café dans le train. Je pense à des choses. Et quand j'arrive là où va le train, je passe la nuit à l'hôtel. Souvent, c'est Dublin. La plupart du temps, c'est Dublin. J'ai une longue liste d'hôtels à Dublin, Ray. Je vais à l'hôtel parce que, d'une certaine manière, ça me donne l'impression d'être vivante. Ils sont si pleins de vie, vous ne trouvez pas, Ray ? Si pleins de vie. »

Elle le regarda; il la fixait des yeux, ses sourcils broussailleux levés en une question.

« Il n'y a pas grand-chose à dire, dit-elle. J'ai une vie sans grand intérêt par rapport à la vôtre, j'en suis sûre.

– Bon, qu'est-ce que vous faites, Maureen ? Vous travaillez ?

– J'en ai peur, oui, dit-elle en riant. J'enseigne à temps partiel. À Galway. »

Il hocha la tête. « Oh, vous enseignez. Quoi ? Au lycée ou à l'université ?

– J'enseigne aux filles de quinze à dix-huit ans. La littérature anglaise.

– Oh, c'est fabuleux. C'est vraiment merveilleux. Est-ce que ça vous plaît, Maureen ? »

Personne ne lui avait jamais posé cette question, du moins elle ne s'en souvenait pas. « Je crois, oui, dit-elle. Enfin, les gosses sont fantastiques. Ils nous empêchent de nous endormir, à notre époque. Ils sont tellement en alerte. Ils grandissent si vite maintenant; parfois j'ai de la peine pour eux. »

Il montra le plafond. « "*Par une crevasse trop large, il n'arrive pas de miracle*", dit-il lentement.

– Patrick Kavanagh, dit-elle en souriant.

– L'un des préférés de mon père, dit-il. Et l'un des miens aussi, je crois.

– Oh oui, et l'un des miens. J'adore Kavanagh. Ça résume bien les choses, non ? Les gosses d'aujourd'hui obtiennent tout si vite, qu'ils en veuillent ou non.

– C'est vrai, dit-il. J'ai moi-même une fille de dix-huit ans. J'essaie de rester dans le coup, mais ça me rend dingue. Alors, j'imagine la gageure que ça doit être pour vous. Vous avez des enfants, Maureen?»

Elle réfléchit un moment et regarda la fenêtre. «Oui, dit-elle enfin. Un garçon et une fille.» Elle se tut avant de laisser passer le mensonge. « Ils sont grands. Mariés tous les deux. Ils vivent en Angleterre. »

Le directeur de l'hôtel s'approcha d'un air digne de la table, comme un bourreau, et leur demanda si tout allait bien. Ils hochèrent tous les deux la tête et murmurèrent quelques mots de satisfaction, même si en réalité le repas n'était pas très bien préparé. Le directeur regarda leurs assiettes et s'éloigna avec un salut.

Son excès d'empressement les amusait; quand il fut parti, ils se permirent un petit rire secret à ses dépens. Son compagnon semblait savoir rire sans se montrer ni cruel ni supérieur et elle trouvait ça agréable. Après le dîner, ils parlèrent encore un peu, mais elle s'aperçut qu'elle n'arrivait pas à se concentrer. Elle ne cessait de se demander pourquoi elle avait menti sur l'âge de ses enfants. Pourquoi avait-elle dit qu'ils étaient mariés? Il lui arrivait depuis peu de raconter des mensonges vraiment ridicules sans aucune raison. Un serveur vint leur verser le café.

Elle trouva bizarrement émouvante la politesse de l'homme qu'elle venait de rencontrer envers le serveur ; il lui disait « s'il vous plaît », « merci » et « monsieur ». Après le départ du serveur, il prit une petite gorgée de café et la regarda.

« Maureen, dit-il, l'air un peu nerveux. J'aimerais vous poser une question un peu osée.

– Laquelle ?

– J'ai un secret coupable. Vous me promettez de ne pas le répéter ?

– Oui, sans doute. »

Il se pencha en avant.

« Est-ce que ça vous dérange si je fume une cigarette ? demanda-t-il. Je vais vous dire la vérité. J'ai un point faible ; j'aime fumer une cigarette avec mon café.

– Pas du tout. Fumez, je vous en prie, dit-elle en riant. »

Il sourit. « Vous aviez l'air inquiète.

– Mon Dieu, vraiment ? Eh bien, je ne savais pas ce que vous alliez dire. »

Avec un petit rire, il sortit un paquet de Marlboro de la poche de sa veste et alluma une cigarette.

« Oh, mince alors, je suis vraiment désolé, Maureen. Vous en voulez une ? Vous fumez ? »

Une nouvelle fois, elle visualisa les minuscules monstres voraces et jaunes qui se frayaient un chemin en grignotant son poumon blême et racorni. Elle ferma les yeux une seconde et les supplia de toutes ses forces de partir.

« Vous savez quoi ? dit-elle. Je crois que oui, Ray. Je n'ai pas fumé depuis des années, mais j'en ai envie ce soir. »

Il lui tendit une cigarette et l'alluma ; il frôla presque les phalanges de Maureen en protégeant de ses longs doigts la flamme vacillante. Elle tira fort sur la cigarette et aspira profondément l'épaisse fumée. La serveuse apporta l'addition, la plaqua sur la table et partit très vite.

Il posa la main sur l'addition.

« À vrai dire, j'aimerais avoir l'honneur de vous inviter, Maureen. Est-ce possible ? Pour me racheter de vous avoir ennuyée avec mon père ?

– Oh non, je ne peux pas vous laisser faire, merci. Et ce n'était pas du tout ennuyeux.

– Vraiment, ça me ferait plaisir.

– Non, sincèrement. J'aime mieux pas. Mais merci tout de même.

– Bon, eh bien, peut-être me laisserez-vous vous offrir un verre ? Un digestif ?

– Je ne sais pas, dit-elle.

– Oh, bon, si vous avez des projets, dit-il. Je comprends. Mais merci pour votre compagnie pendant le dîner. Je dois dire que c'était vraiment un plaisir de vous rencontrer, Maureen. »

Elle regarda sa montre et haussa les épaules. C'était l'heure à laquelle son mari rentrait. Elle connaissait mieux que lui ses habitudes. Il entrait dans la cuisine, allait directement à l'évier et se lavait soigneusement les mains. Elle s'était demandé pendant des mois après le début de sa liaison pourquoi il agissait ainsi. Un soir, il oublia et lui caressa le visage dans son sommeil en murmurant, comme il le faisait encore parfois, surtout quand il se sentait coupable ; elle avait alors senti l'odeur faible mais reconnaissable du préservatif en caoutchouc sur ses doigts. Cela lui avait brisé le cœur. Cette nuit-là, elle était restée étendue à côté de lui et avait pleuré comme une petite fille. Le lendemain, il lui avait apporté des fleurs qu'il avait achetées chez le fleuriste. C'était un autre signe révélateur.

« Bon, alors d'accord, dit-elle en riant. Je pense que je peux me le permettre si on se dépêche. »

Il eut un sourire rayonnant. « On ne vit qu'une fois, hein ? »

Ils quittèrent le restaurant et traversèrent le hall vers le bar. À mi-chemin, il lui tendit le bras et elle le prit. Derrière le bureau de la réception, un poste de radio passait une chanson qu'elle crut reconnaître ; elle datait de l'époque où elle était étudiante, mais elle ne retrouvait pas son nom. Des années auparavant, son mari lui avait acheté le disque en cadeau d'anniversaire. Était-ce peu de temps après leurs fiançailles ? Ou leur mariage ? Elle n'était pas certaine. Était-ce à l'époque de sa première grossesse ? Il l'avait emmenée dans un restaurant de Barna Pier et le lui avait donné au dessert. Elle trouvait étrange de se souvenir de l'aspect du disque enveloppé dans du papier bleu et argent, mais elle ne se rappelait pas le nom de la chanson.

Elle demanda à l'Américain.

« Je crois que c'est *You're so Vain* de Carly Simon », dit-il.

Elle lui serra le bras. « C'est ça, c'est bien ça.

– À vrai dire, je crois que Carly Simon est ma chanteuse préférée, dit-il.

– Vraiment ? C'est aussi la mienne. »

Maureen Connolly, se dit-elle, quelle incroyable menteuse tu es parfois.

Ils pénétrèrent dans le petit bar enfumé et se déplacèrent lentement dans la foule. Il était presque plein – des gens semblaient complètement ivres et quelqu'un essayait d'entonner une chanson –, mais, comme par miracle, deux tabourets étaient libres près du bar et ils s'y installèrent. Il lui demanda ce qu'elle voulait et elle répondit qu'elle aimerait boire un verre de vin blanc sec. C'est ce qu'il commanda, ainsi qu'un verre de Schweppes avec de la glace pour lui.

« À quoi pensez-vous ? demanda-t-il.

– Juste à Carly Simon, répondit-elle. Ça me rappelle des souvenirs.

– À moi aussi, dit-il. C'était avant cette affreuse musique de rap, hein ?

– Vous n'aimez pas le rap ? Les filles de l'école ont l'air d'adorer ça. »

Il eut de nouveau un petit rire. Elle aimait beaucoup sa façon de rire. « Vous savez, Maureen, j'en entends un peu à la maison avec mes enfants. Mais ce n'est pas mon truc. MC Hammer et les autres me rendent dingue. Je préfère *You're so Vain*. En même temps, je suppose que c'est parce que Carly est de mon époque. Le jurassique, me disent mes gosses.

– Oui. Est-ce que vous saviez qu'elle a été fiancée à Bob Marley jadis, Ray ? »

Il se tourna pour la regarder dans les yeux. « Ouah, c'est vrai ? Non, je ne le savais pas. »

Elle sentit qu'elle rougissait un peu. « Non, non. C'est une blague. Carly Marley, vous comprenez.

– Carly Marley ? »

Il rejeta la tête en arrière et rit tout haut. Ils trinquèrent et sourirent.

« Vous m'avez eu, dit-il. Là, vous m'avez eu. »

Il vida son verre d'une traite, lui demanda si elle voulait un autre verre de vin et commanda un autre Schweppes. « Vous n'aimez pas l'alcool ? demanda-t-elle.

– Oh non, non, ce n'est pas ça. » Il mit le doigt dans son verre et remua les glaçons. « À vrai dire, il y a eu une époque de ma vie où je l'aimais trop. Et donc, je ne peux plus en boire. Je suis alcoolique. »

Elle se sentit bête et gênée. « Oh, je suis désolée, Ray, dit-elle.

– Voyons, ce n'est pas la peine. Tout va bien. Pourquoi êtes-vous désolée ?

– Je suis morte de honte de m'être moquée de vous comme ça. Vous devez me trouver épouvantable.

– Bien sûr que non. » Il la regarda dans les yeux un certain temps. « À vrai dire, je vous trouve tout à fait charmante. Je vous assure. »

Sa façon de flirter la troubla et elle détourna les yeux pour rassembler ses idées. Comment s'appelait ce restaurant à Barna ? Elle n'arrivait pas à s'en souvenir. Après le dîner, ils s'étaient promenés sur la jetée et avaient contemplé un moment les îles Aran. Le mot « fin » était badigeonné à la chaux sur le mur en ruine au bout de la jetée. Ils en avaient ri ensemble. Elle se rappelait que le rire de son mari faisait écho à la mer. Puis ils avaient pris la voiture jusqu'au bois de Barna et ils avaient fait l'amour sur la banquette.

« J'ai un oncle alcoolique, dit-elle.

– Oh, vraiment ? L'Américain hocha la tête. Je le chercherai dans l'annuaire. »

Elle rit et lui donna une tape sur la main.

« Ce n'est pas ce que je voulais dire. Ne soyez pas méchant. »

Il lui proposa une autre cigarette et elle la prit. Elle sentit la fumée lui brûler le fond de la gorge. « Pourquoi avez-vous finalement abandonné la bouteille, Ray ? Est-ce que vous le savez ?

– Eh bien, dit-il, vous souvenez-vous où vous étiez quand vous avez appris l'assassinat de Kennedy ?

– Bien sûr, dit-elle.

– Moi pas. » Il sourit et tira une grande bouffée.

« Vraiment ?

– Non, dit-il. Je plaisante.

– Alors pourquoi ? Vraiment ? Je peux vous poser cette question ? »

Il soupira. « Mon alcoolisme m'a coûté mon premier mariage. Rita – c'était ma première femme – m'a quitté et a emmené nos deux filles. Je ne lui reproche rien. J'ai fait des bêtises. C'était quelqu'un de merveilleux. Elle était bonne, compatissante. Mais être mariée à un ivrogne est un travail à plein temps. Et j'imagine que ce n'est pas pour ça qu'elle m'avait épousé. »

Il sortit son portefeuille, l'ouvrit, en tira une photographie froissée de ses filles prise au Polaroid ; la plus grande portait une toge et une toque universitaires. « À droite c'est Lisa et à gauche Cathy le jour de la remise de son diplôme.

– Ce sont de très jolies filles.

– Oui, dit-il. Elles ressemblent à leur maman.

– Est-ce que vous la voyez quelquefois ?

– Non, non. Elle s'est remariée avec un type bien. Elle vit dans l'Oregon. À vrai dire, avec les années, nous nous sommes perdus de vue. »

Il rangea la photographie dans son portefeuille et but une gorgée.

« Vous êtes-vous remarié, Ray ?

– Oui, oui.

– Eh bien, c'est une bonne chose, non ? Ça ne l'embête pas que vous voyagiez autant ? »

Il écrasa lentement sa cigarette dans le cendrier du bar. « Elle a disparu, malheureusement. Il y a trois ans. Elle a été tuée dans un accident de voiture. Par un ivrogne.

– Oh, Ray, je suis navrée. C'est épouvantable. »

Il secoua la tête sans rien dire.

Elle lui toucha le bras. « C'est vraiment terrible pour vous.

– Oui, c'est dur, dit-il. Ça a été très dur. » Il parut soudain à court de mots. Il parcourut la pièce du regard et prit une expression étrangement perplexe, comme s'il ne savait pas très bien comment il était arrivé là. « Je ne sais pas ce que je peux vous en dire d'autre.

– Non. Bien sûr.

– La vie doit continuer, j'imagine », dit-il. Il regarda ses ongles et secoua de nouveau la tête. « Enfin, en réalité, je n'en sais rien. Mais apparemment, elle continue. »

Son humeur soudain sombre, les coins tombants de sa bouche la mirent mal à l'aise. Il alluma une autre cigarette et inhala profondément la fumée. Il la tenait entre le majeur et le pouce et la faisait rouler entre ses doigts en fixant du regard le bout rougeoyant. Elle ne trouvait rien à dire. Elle cherchait désespérément autour d'elle un sujet de conversation. « Êtes-vous croyant, Ray ? La religion est-elle une consolation pour vous ? »

Il regarda l'intérieur de son verre. « Non, Maureen. Pas vraiment. »

Quand il leva les yeux, elle vit qu'il essayait de sourire, mais elle s'aperçut avec horreur que ses yeux sombres étaient pleins de larmes. « J'espère que je ne vous choque pas, Maureen, mais je trouve que la religion engendre la peur là où il n'y a rien à craindre » – il s'interrompit et tira une bouffée sur sa cigarette – « et donne de l'espoir quand en réalité il n'y a rien à espérer.

– Je n'ai jamais vu les choses sous cet angle, dit-elle.

– Non. Enfin. » Il se pinça l'arête du nez et sourit de nouveau. « Ni politique ni religion au bar, d'accord ? C'est bien le conseil qu'on donne, non ? » Il enleva la cendre sur ses genoux. « Donc, est-ce que vous êtes mariée, Maureen ? Si je peux me permettre cette question ?

– Eh bien, répondit-elle. Je suis engagée. »

Il hocha la tête rapidement et avec diplomatie, comme s'il s'attendait à une réponse comme celle-ci. « Une de ces situations compliquées. »

Elle considéra un instant ces mots. « Sans doute, oui. Une de ces situations compliquées. Cela ne vous fait rien si nous n'en parlons pas ? »

Il hocha la tête. « J'ai vécu un divorce, dit-il. Je comprends ce genre de douleur. La douleur d'être abandonné, oui. Bien sûr, oui. Mais c'est aussi douloureux de partir, non ? Cela demande un réel courage, de dire au revoir.

– Je pense que oui. » Elle but un peu de vin et jeta un coup d'œil autour du bar.

« Alors, est-ce que vous voulez me parler un peu de votre… votre engagement ?

– Engagement n'est peut-être pas le mot juste, dit-elle.

– D'accord, dit-il. Alors dites-moi le mot juste. »

Elle contempla son visage généreux et innocent. Elle se dit qu'il ressemblait à son médecin, le médecin qui lui avait annoncé la nouvelle. Ils auraient très bien pu être frères.

« Je suis religieuse », dit-elle.

(Mon Dieu, pensa-t-elle.)

Il gloussa dans son verre.

« Oui, dit-elle. C'est la vérité. »

(Seigneur Jésus, ma vieille, qu'est-ce que tu lui racontes ?)

« Allons donc.

– Ray, je suis religieuse.

– Bon, dit-il. Et moi je suis Mère Teresa.

– Sincèrement, c'est vrai », dit-elle en riant.

Il la regarda bouche bée, le visage dénué d'expression. Puis il tendit le doigt vers elle. « Ha ! Pas si vite. Je vous tiens.

– Que voulez-vous dire ?

– Eh bien, vous m'avez dit que vous aviez deux enfants, Mère Supérieure. Comment les avez-vous eus, hein ? L'immaculée conception ? »

(Non, Maureen. Arrête. *Non*. Ça suffit.)

Elle ouvrit la bouche et décida de laisser venir les mots.

« Mon mari est mort il y a douze ans, dit-elle. D'un cancer. Un cancer des poumons. Il... le jour où il l'a appris, il est rentré à la maison et me l'a dit. J'étais dans la cuisine. Devant l'évier. Je me lavais les mains. Et je... mes mains sentaient le caoutchouc, vous comprenez. À cause des gants. J'avais fait la vaisselle et mes mains sentaient le caoutchouc. J'ai été trop bouleversée pour dire quoi que ce soit. Je l'ai simplement serré dans mes bras un long moment. Fort. Je lui ai dit que je l'aimais. Je me souviens d'avoir pensé que, si j'avais été à sa place, c'est ce que j'aurais voulu. Avoir quelqu'un qui me tienne dans ses bras. Et qui me dise : "Je t'aime, Maureen, je vais prendre soin de toi." Mais il ne l'a pas fait. Je veux dire, je ne l'ai pas fait. Et les mois qui ont suivi, nous... nous nous sommes mal entendus. Nous nous sommes éloignés l'un de l'autre. C'était comme s'il pensait que je lui reprochais d'être malade. Je ne comprenais même pas ce que ça lui faisait. Je suis certaine que j'ai dû paraître froide. Il se peut qu'il n'ait pas vu à quel point je l'aimais, je l'aimais éperdument. Peut-être que je ne pouvais pas le lui montrer. Je ne sais pas bien exprimer mes sentiments. Et j'ai dû lui paraître insensible, alors qu'au fond de moi, bien sûr, je l'aimais tant que... que si j'avais pu mourir à sa place, je l'aurais fait. Mais c'était impossible, bien sûr. C'était impossible. Et il est mort. Sans que j'aie jamais été capable de lui dire ce que je ressentais. Sans même que nous nous soyons vraiment dit au revoir. Nous n'en avons jamais parlé réellement, même si nous avons su pendant un an ce qui allait arriver. Ça n'a jamais été dit. Rien n'a été exprimé. Et un jour il est mort. Mes enfants étaient grands, vous comprenez. Alors je suis entrée au couvent. »

Le visage de Ray était blême d'émotion. « Vous êtes religieuse », dit-il.

Elle sentit les larmes tièdes couler sur ses joues. « C'est vrai.

– Maureen, je... je suis vraiment navré d'avoir été aussi cavalier.

– Pas de problème.

– C'est terrible pour vous. Votre mari qui a disparu comme ça.

– Oui, dit-elle. Il était... il était amoureux de la vie. Il adorait littéralement être vivant. Contrairement à d'autres gens en Irlande. Mais lui, oui, Ray. Lui oui. Pendant les derniers mois, je crois qu'il aimait encore plus la vie. Ça se manifestait de façon étrange. Presque tout le monde trouverait ça étrange. Je... Par exemple, une fois par semaine, il était censé passer la nuit à l'hôpital. Mais sans rien dire à personne, il a cessé de le faire. Il ne voulait pas y aller. Un matin, je suis passée le voir et j'ai découvert qu'il n'y venait plus depuis une éternité. Il m'avait menti sur l'endroit où il était.

– Alors, où était-il ?

– J'ai découvert qu'il s'en allait. Il prenait la voiture jusqu'à la gare de Galway et montait dans un train. Le premier train. Pour n'importe où. Quand je lui ai dit que je le savais, il m'a répondu qu'il voulait voir la campagne une dernière fois. Avant de mourir. Il descendait dans un hôtel quelque part, un petit hôtel généralement, et y passait la nuit tout seul. Apparemment, ça lui procurait quelque chose qu'il ne trouvait pas à la maison. »

Il lui proposa un mouchoir et elle s'essuya les yeux.

« Ça va, dit-elle. Vraiment, je vais bien. Simplement, je n'ai pas parlé de tout ça depuis une éternité. Je vais bien. Parlons d'autre chose maintenant. D'accord ? »

En tentant d'entamer une autre conversation avec elle, il paraissait abattu par la stupeur. « Eh bien, vous êtes devenue religieuse. Ça, c'est vraiment quelque chose, non ?

– Oui. Bien sûr.

– Et est-ce que j'ai le droit d'être assis dans un bar avec une religieuse ? N'est-ce pas une sorte de péché ?

– Moi, ça me convient, dit-elle. Si ça ne vous gêne pas.

– Je crois que j'ai besoin d'aller aux toilettes, dit-il. Voulez-vous m'excuser un instant ? »

Elle le regarda sortir rapidement par la porte. La chaleur semblait monter dans le bar. Deux policiers robustes apparurent dans le hall ; leur veste jaune faite pour être vue la nuit était luisante de pluie. Un vent de panique lui fit tourner la tête. Soudain, elle remarqua que les représentants dont elle avait surpris la conversation plus tôt étaient assis à une table près d'elle avec un autre homme. Tous trois étaient manifestement ivres. L'homme au visage chevalin avait l'air de raconter toujours la même histoire interminable sur le curry et Cork, ou certainement une histoire similaire, et son ami, l'homme qui ressemblait à un joueur de rugby, avait une expression d'ennui presque sculptural.

« Putain, c'était incroyable, dit Visage chevalin d'une voix traînante, quand je me suis réveillé le lendemain, j'avais le cul comme le drapeau japonais ! »

Au nom du ciel et de tous les saints, se demanda-t-elle, pourquoi a-t-il fallu que tu racontes que tu étais religieuse ? D'où sors-tu cette histoire ? Bon d'accord, ce type essayait de flirter avec toi. Mais il voulait seulement savoir si tu étais mariée avant de continuer. Une religieuse ? Doux Jésus. En plus, tu n'aimes même pas les religieuses. Pourquoi fais-tu des trucs comme ça ? Pourquoi ? Elle repensa à certains de ses voyages récents à Dublin. Au Gresham Hotel de O'Connell Street, elle s'était mise à raconter au portier de nuit qu'elle était séparée de son mari, un poète célèbre dont elle ne pouvait révéler le nom. Le mois dernier, dans le train qui la ramenait à Galway, elle s'était lancée dans une discussion avec un jeune prêtre fanatique sur la politique dans le wagon-restaurant et lui avait raconté qu'elle venait d'obtenir le divorce. La semaine précédente, à Christchurch, à la Jury's Inn, elle avait dit à la serveuse qui lui apportait le petit déjeuner qu'elle était veuve et que son mari avait été tué par des cambrioleurs armés venus du centre-ville. Comment cela se produisait-il? Maintenant, elle était religieuse. Elle s'étonnait elle-même.

À sa grande surprise, Ray finit par revenir des toilettes. Il s'assit, but le reste de son verre d'une traite et dit qu'à son avis il y avait eu un incident dehors ; dans le hall, il avait entendu les policiers dire quelque chose dans leur radio : ils soupçonnaient qu'on vendait de la drogue à la boîte de nuit du sous-sol. Au même moment, comme pour confirmer ce qu'il venait de dire, le directeur apparut sur le seuil. Sur un signe de tête du directeur, les membres du personnel se dépêchèrent de faire comme si le bar était fermé depuis longtemps. Ils enlevèrent les verres des tables dans le coin où semblait se dérouler une sorte de fête de bureau, même si la plupart des consommations n'étaient pas terminées. Deux fêtards se levèrent en criant et se mirent en garde devant un barman.

L'un des policiers entra, suivi du directeur ; celui-ci frappa dans ses mains levées. Les lumières du bar s'allumèrent. Les conversations cessèrent rapidement.

« Le bar est fermé », annonça le policier.

Un grognement désapprobateur emplit la pièce.

« Le salon est-il encore ouvert ? cria quelqu'un.

– Seulement pour les clients de l'hôtel, répondit le barman.

– Est-ce qu'il est trop tard pour prendre une foutue chambre ? » cria l'homme, et tout le monde éclata de rire.

« Maintenant, vous feriez mieux d'aller vous coucher, ou au salon, ou bien là où vous devez aller, dit le policier. À défaut, je serais contraint de prendre les dépositions de toutes les personnes présentes. »

En grognant et en râlant, les gens se levèrent et sortirent en traînant les pieds ; certains dissimulaient des verres ou des bouteilles sous leur manteau. Maureen et l'Américain suivirent lentement le mouvement. Le hall paraissait froid et plein de courants d'air. Les yeux de Ray trahissaient une grande fatigue. Il regarda autour de lui comme s'il cherchait quelque chose à dire.

« Ah, ces lois sur les débits de boissons dans le pays, dit-il finalement.

– Oui, répondit-elle. Elles obligent à se dire au revoir très brutalement. »

Il regarda sa montre. « Je crois bien, dit-il. À moins que vous n'ayez envie de faire un tour au fameux salon des clients de l'hôtel. »

Elle avait l'impression que son cœur cognait contre ses côtes et que son visage était en feu.

(Maureen, *non*. Pars maintenant. Il est tard.)

« Je ne sais pas, dit-elle. Voulez-vous monter dans ma chambre un moment ? Pour boire une tasse de thé ou autre chose ? Je crois avoir vu une bouilloire là-haut. »

Il pinça les lèvres et refusa de croiser son regard. « D'accord, avec plaisir, dit-il. Pourquoi pas ? Les bars, ça suffit peut-être pour ce soir. »

Dans l'ascenseur, ils ne s'adressèrent pas la parole. Elle pensait à ce que dirait son mari s'il la voyait. Il devait dormir profondément chez eux, dans leur lit, le lit dans lequel avaient été conçus leurs deux beaux enfants. Il y avait sûrement une tasse de thé sur la table de nuit. La radio était allumée, comme toujours quand elle n'était pas là. Elle trouvait attendrissant qu'en son absence il ne puisse dormir sans le bruit de la radio. Dans le couloir, elle se rendit compte qu'elle espérait ne pas avoir laissé traîner ses sous-vêtements par terre. Elle n'avait pas besoin de s'inquiéter. La pièce était aussi vide et rangée qu'une cellule. Elle remplit la bouilloire et dit à l'Américain de s'asseoir quelque part. Elle s'aperçut qu'elle ne se souvenait pas quand elle s'était trouvée pour la dernière fois dans une chambre d'hôtel avec son mari ou quelqu'un d'autre. Il alla à la fenêtre et regarda dehors un moment, comme si quelque chose de spécial et de très inhabituel avait attiré son attention, puis il s'assit sur le rebord.

« Vous savez, dit-il soudain. J'ai un très bon ami qui est pratiquant. Un prêtre catholique.

– Il faudra que je le cherche dans l'annuaire », dit-elle.

Il la montra du doigt et rit.

« Elle est bien bonne. J'y pensais à l'instant parce que c'est vraiment drôle, mais finalement c'est lui qui a fait de moi un athée. Indirectement.

– Comment cela ?

– Il participait à ce truc de chrétiens régénérés à New York. Des groupes de prière. Je ne sais pas. Il y a quelques années, j'avais de gros problèmes d'alcoolisme et il m'a convaincu de venir un soir. Et ça m'a dégoûté pour de bon.

– Pourquoi donc ? dit-elle. Racontez-moi.

– Ça ne vous intéresserait pas.

– Si, Ray. Racontez-moi.

– Bon, voyons. »

Elle lui tendit une tasse de thé et s'assit sur le lit.

« Racontez-moi, répéta-t-elle. Bien sûr que ça m'intéresse, après vous avoir déballé mon âme. »

Il rit doucement. « Eh bien, c'est l'été et il fait très chaud à New York. On commence à manquer d'eau et tout le monde devient dingue. Les gens se baladent en culotte de cycliste, la peau rouge et moite. Comme de pitoyables poulets. Et ce soir-là, moi et Liam Gallagher, c'est mon copain, le père Liam…

– Le père Liam Gallagher ?

– Oui, c'est ça. Ça sonne bien, non ? Quoi qu'il en soit, j'ai décidé d'aller à cette réunion de prière. Je veux dire, pourquoi pas, vous me suivez ? Parfois, on essaie n'importe quoi. Et ça se passe dans un salon de coiffure. Parce que, là où ils vont d'habitude, la climatisation ne marche plus, alors – un membre du groupe, le chef, il s'appelle Stephen, travaille dans un salon de coiffure où la climatisation fonctionne, et donc la réunion a déménagé là-bas. »

Elle rit dans sa tasse de thé. « Continuez, dit-elle.

– Eh bien, heureusement, nous sommes les premiers. Moi et Liam. Il y a du café et des sodas préparés à l'avance et même de la viande froide et des sandwiches. Tout démarre avec quelques coups de tambourin et quelques accords de guitare. Ce que je veux dire, c'est que c'est assez inoffensif. Mais c'est quand les prières dans des langues inconnues commencent que je me dis, Seigneur, je veux sortir. Ce n'est pas une façon de passer son temps quand on est un homme adulte. »

Un homme adulte, se dit-elle. Pauvre être effrayé et plein d'illusions.

« Je me souviens que j'étais assis et que je pensais aux informations. J'avais vu les informations sur CNN l'après-midi dans un bar. Quelque chose sur le cessez-le-feu en Irlande du Nord. Ça m'a fait penser à mon père. Il était mort l'année précédente. Et quelque chose sur un satellite qui s'était perdu – le présentateur avait dit que, s'il s'écrasait sur terre, il ferait un trou de la taille de Manhattan Island. Je me souviens aussi que je pensais à la Bosnie. C'est tellement étrange, me disais-je, des gens en Bosnie se massacrent et moi je suis assis là, à moitié ivre, dans un salon de coiffure, et je ne trouve ni bien ni normal en aucune façon tous ces discours. La chaleur, pour commencer, c'est le genre de chaleur qui peut provoquer des sensations. Je n'arrête pas de me dire que, si je mets mes pieds dans une cuvette remplie d'eau, des nuages de vapeur vont en sortir en sifflant. Tout autour de moi, il y a des gens d'un certain âge, des gens de mon âge. Mais ils se comportent comme des beatniks. En face de moi, il y a un type assis dans un vieux fauteuil de coiffeur. Et il n'arrête pas de prier. Mais ce type a une tête de cheval de course. Sans blague. Vous riez, mais si vous aviez vu ce type… Et la femme qui est à côté de lui, elle me fait du gringue près de la table basse et elle a manifestement besoin qu'un médecin s'occupe d'elle. Elle roule les yeux et n'arrête pas de dire : "Gloire à toi, oh, gloire à toi, Jésus", d'une voix bizarre. Vous voyez ce que je veux dire ?

– Oui, dit-elle. Je vois ce que vous voulez dire, Ray. »

(Tu n'as pas la moindre idée de ce qu'il veut dire, menteuse.)

« Dieu a envoyé son fils laver les péchés des hommes. C'est ce que nous apprend Stephen à ce moment-là. Je pense, bon, d'accord, mais il ne l'a pas envoyé leur laver les cheveux. Et je ne me sens pas très bien, Maureen. Il y a une drôle de lumière dans la pièce. Une drôle de lumière au sodium qui vient de la rue et pénètre par les lamelles des stores vénitiens. Et il y a quelque chose dans cette lumière qui me rend malade. Je la regarde miroiter sur les sèche-cheveux. Et il y aussi cette odeur de salon de coiffure ? Cette odeur métallique des sprays ? Ce shampoing parfumé au pin. Vous savez ? Ça ne sent pas le pin, c'est comme l'idée que se fait une commission de l'odeur du pin ?

– Je vois exactement ce que vous voulez dire. Moi aussi, je déteste ça, » dit-elle.

(Tu ne détestes pas du tout ça, Maureen. En fait, tu aimes beaucoup ça.)

« Bon. Donc, la petite femme est assise à côté de moi avec les yeux de Little Richard. Et juste à côté d'elle, je veux dire juste à côté d'elle, sur la table basse, il y a une pile de magazines féminins ? Et je vois sur une couverture les mots ORGASMES RENVERSANTS, en rose à vous donner une crise cardiaque, collés sur la photo d'une actrice en bikini noir. J'espère que ça ne vous choque pas que je dise ça, mais c'est bien là, c'est ce qui est écrit, ORGASMES RENVERSANTS.

– Ça ne me choque pas, Ray.

– Orgasmes renversants. Et nous sommes censés prier. Et je regarde cette femme à côté de moi en essayant de savoir si elle a jamais eu un orgasme renversant, vous comprenez ? Et pour vous dire la vérité, j'en doute. Puis je me demande si, moi, j'en ai eu. Et je crois bien que non. À coup sûr, si j'ai jamais eu un orgasme renversant, je ne m'en souviens pas. Mais je ne suis pas vraiment certain d'en avoir vraiment envie. Un orgasme, vraiment renversant, je ne sais pas si j'en ai envie.

– Non, Ray, dit-elle. Je crois que moi non plus. »

(Et comment que non, Maureen. Et comment.)

« Et alors Stephen, le chef du groupe, se met à prier en langue inconnue. C'est un homme costaud dont je parle. Il aime manger. Mais il ouvre la bouche et laisse sortir ces bruits. Ce n'est pas tant de la diarrhée verbale que de l'incontinence verbale. Et alors, tous les gens se mettent à faire pareil. Ils émettent des bruits, en se balançant d'avant en arrière. Le père Liam m'avait prévenu, mais voilà que ça se produit. Stephen est vraiment en train de le faire. Il est en train de mugir. »

Elle fit de son mieux pour rire.

« Et ces bruits, c'est comme, je ne sais pas, que des voyelles, ouah ouah, ouh ouh, et j'essaie d'être pieux, mais j'ai l'impression d'entendre le refrain d'une sérénade ritale. Il dit : "Chantez tous, mes frères, si vous sentez l'Esprit qui bouge en vous, bougez avec lui." Et aouopbopaloubop, voilà ce qui me vient à l'esprit. Pour ne vous dire rien que la vérité. Aouopbopaloubop alopbamboum. Stephen dit : "Allons-y" encore une fois. Et moi je pense, tutti frutti, oh putain de Rudi. Excusez mon langage.

– Allez-y, dit-elle. J'en entends de pires tous les jours de la semaine. »

Il quitta le rebord de la fenêtre, s'approcha de la commode et versa un peu de lait dans sa tasse. Quand il eut terminé, il alluma une cigarette, tira une longue bouffée et s'assit à côté d'elle sur le bord du lit.

(Maureen ! Qu'est-ce que tu fais ? Ne le laisse pas s'asseoir ici, pour l'amour de Dieu.)

« "Raymond Joseph Dempsey, regarde-toi bien"' je m'entends dire. "Et quand donc t'es-tu véritablement jaugé ? Observe-les. Le peuple de Jésus." Parce que j'ai l'impression de les regarder sur une sorte d'écran. Ou à travers un objectif. Ou par une vieille fenêtre peut-être embuée et sale. C'est alors qu'ils se sont remis à chanter. Tous ces gens, ils chantent des hymnes. Non pas de vrais hymnes anciens, vous comprenez. Plutôt des folk-songs. *Bridge Over Troubled Waters*, par exemple. *He ain't Heavy, he's my Brother*. C'est devenu des hymnes, je veux dire. *You're so Vain* va devenir un hymne avant la fin de leur carrière. »

Elle s'allongea sur le lit, enleva ses chaussures d'un coup de pied et regarda fixement les fruits fantomatiques au plafond. Elle avait l'impression qu'il se rapprochait d'elle petit à petit. Il desserra sa cravate et ouvrit le premier bouton de sa chemise.

(Maureen ! Dis-lui que tu veux dormir.)

« On dit que les voies du Seigneur sont impénétrables. Eh bien, celles de Stephen aussi. Je le regarde tituber dans la pièce. Il me tend un tambourin et sourit d'un air suffisant. 'Joues-en pour le Seigneur, frère." Je ne plaisante pas, c'est exactement ce qu'il me sort. "Joues-en pour le Seigneur", Maureen. Dehors, dans la rue, une sirène d'alarme se déclenche. Elle fait OOOOOOO ; ça me fait penser à quelqu'un qui pleure. Le soleil est en train de se coucher et dehors tout est couleur bronze. Tout paraît mystérieux, magnifique. À travers les stores, je vois des gosses noirs vêtus de chemises et de casquettes de base-ball. Ils jouent au football, mais avec une balle de tennis. De temps en temps, la balle frappe la fenêtre et fait un bruit de casserole. Quand ça se produit, les gamins éclatent de rire. »

Il fit tomber la cendre de sa cigarette dans sa main en coupe. Elle regarda cette main, si belle et délicate et en même temps si masculine. Elle voyait les poils sur les jointures.

« Les prières en langues inconnues semblent avoir cessé et c'est le silence. Stephen se lève.

«"Est-ce que quelqu'un ici veut partager, mes frères ?" Et, de la façon dont il le dit, on sait que ce n'est pas une question, que c'est comme une affirmation. Et je ne le veux pas vraiment. Mais je vois le père Liam faire un signe de tête dans ma direction, de l'autre côté de la pièce. Stephen continue : "Je pense vraiment qu'il y a parmi nous quelqu'un qui veut partager le poids de ce qu'il a sur le cœur." »

(Bien sûr, tu sais qu'il invente tout ça, n'est-ce pas, Maureen ? Tu sais qu'il te raconte des histoires ? Tu n'es pas née d'hier ?)

« Je ne veux pas me lever. Mais je sens que je me lève quand même. C'est moi. Je suis ce que ma fille Lisa appelle un amuseur public. C'était pareil quand j'allais aux Alcooliques anonymes. Toujours le premier prêt à raconter mon histoire. Le monde est divisé en deux sortes de gens, dit Lisa – les amuseurs et les contrôleurs publics. Elle a un problème avec les contrôleurs. C'est comme ça qu'elle parle depuis qu'elle voit un thérapeute. »

Il se tut et contempla le tapis. En le regardant attentivement, elle eut l'impression qu'il tremblait. Elle comprit alors qu'il n'inventait rien.

« Ça va ? demanda-t-elle.

– Oui, oui. Où en étais-je, Maureen ? Je suis désolé. J'ai perdu le fil.

– Vous venez de vous lever pour parler. À la réunion de prière.

– Oh oui. Donc, je me lève. Je dis : "Je m'appelle Ray Dempsey" Et c'est alors que la balle de tennis frappe le volet avec un bruit métallique fracassant. Pour me donner le temps de réfléchir, je me retourne brusquement, j'enlève mes lunettes et je regarde la fenêtre, comme si ça allait déclencher quelque chose de merveilleux. Je vois le soleil, orange foncé, dans le ciel qui a viré à un superbe violet. Puis je me retourne et je regarde les visages levés vers moi tout autour. En temps qu'ancien alcoolique, je devrais avoir l'habitude d'être le centre d'intérêt, n'est-ce pas? Mais non. Pour une raison inconnue, je me retrouve soudain sur le point de pleurer. Et croyez-moi, je n'ai pas pleuré depuis des années.

« Je leur dis de nouveau mon nom et d'où je viens. Je leur dis que j'ai quarante-neuf ans et que je travaille pour une agence de voyages. Ma femme est morte récemment. Ma femme est morte. Je l'aimais. Et elle est morte. Votre Dieu, cette force d'amour, il m'a enlevé ma femme. J'entends ces mots sortir de ma bouche, mais j'ai toujours l'impression d'être déconnecté. Comme si je flottais, peut-être, ou comme si j'avais un jour écrit ces mots et les avais appris par cœur.

« Je sens mon visage se tordre pendant que j'essaie de ravaler mes larmes. Quelqu'un me donne un mouchoir en papier. Je me mets vraiment à pleurer. Stephen s'approche et pose ses mains sur ma tête. Il se met à dire : "Pardonne, Ray, pardonne, Ray." Et il répète sans arrêt ces mots. Au bout d'un moment, je ne sais plus bien s'il dit que je dois pardonner à quelqu'un ou que je dois être pardonné. C'est tout ce qu'il dit : "Pardonne, Ray, pardonne, Ray." Sans arrêt. Ensuite, voilà ce qu'il fait, il pose de nouveau ses mains sur ma tête et se met à appuyer si fort que ça me fait mal aux épaules. Après quoi, j'ai conscience qu'il dit : "Tu le sens, Ray ? Tu le sens, Ray ? Oh, dis-moi que tu le sens, mon frère."Et je crois que c'est la raison d'être de l'histoire, Maureen. Parce que, assez curieusement, j'ai vraiment senti quelque chose.

– Qu'avez-vous senti ? » demanda-t-elle.

Le vent sifflait contre la fenêtre. Il leva les yeux au plafond et soupira. Il resta silencieux pendant un moment qui parut long. Quand il se remit à parler, sa voix était ferme et calme. « Ce que je sens, vraiment pour la première fois de ma vie, comme une certitude absolue, définitive – c'est que Dieu n'existe pas, n'a jamais existé, n'existera jamais. Et que c'est très bien. Que le salon, les bouteilles remplies de liquides colorés sur l'étagère, le fauteuil de coiffeur – que c'est tout ce qui existe. Les gamins des rues qui font rebondir leur balle de tennis sur les volets. Rien d'autre. Ces gens, oui. Leur espoir en Dieu, oui. Mais pas de Dieu. Pas d'être suprême là-haut. Pas de ténèbres. Il y a cette conversation, ce moment et c'est tout. Ici, maintenant, par exemple, il n'y a que cette chambre, vous et moi qui parlons dans la chambre, dans cet hôtel, dans cette ville, où nous ne vivons ni l'un ni l'autre. Nous ne nous sommes jamais rencontrés auparavant. Ce soir nous nous sommes rencontrés et nous avons parlé. Cinq minutes plus tôt ou plus tard, ça ne se serait pas produit. Mais ça s'est produit. C'est ça, le moment sacré. S'il y a un sacrement, bien sûr. Et au-delà ? Presque rien. Ce qui nous arrive dans nos vies, oui. Nos souvenirs, oui. Nos désirs, oui. Les œuvres des artistes. Si nous avons des enfants, alors nos enfants. Et tous ceux que nous aimons. Peut-être tous ceux que nous avons aimés un jour. Mais rien de plus. Nous vivons notre vie et puis c'est terminé. Mais c'est bien comme ça.

– Et pas de vie après la mort ? dit-elle.

– Non, répondit-il. Pas pour moi. Parce que vivre ne serait-ce qu'une fois, eh bien, c'est déjà un miracle. »

Il se leva lentement et alla à la fenêtre. Il appuya son visage contre la vitre. Elle regarda son reflet. Le cri sarcastique des mouettes montait de la rivière. Une lumière grise commençait à apparaître au loin dans le ciel. Une ambulance fonçait sur les quais Nord ; sa lumière bleue jetait des éclairs et se reflétait sur l'eau.

« Il est tard, dit-elle.

– Oui, répondit-il. Oui, il est tard. Je suis désolé, Maureen. Je ne sais pas pourquoi je vous ai raconté toutes ces bêtises. Je me suis laissé emporter. » Il regarda le réveil sur la table de nuit et fit une grimace. « Je ferais mieux de partir. »

Il se retourna pour la regarder. Elle descendit du lit et s'approcha de lui.

« Si je vous ai choquée d'une manière ou d'une autre, j'en suis désolé, dit-il. Ce ne sont sans doute que des conneries. »

Elle fit un pas de plus vers lui et l'embrassa sur le côté du visage. Il toucha ses cheveux.

Avant de savoir ce qu'elle faisait, elle l'embrassait en plein sur les lèvres. Il lui rendit son baiser. Elle glissa sa langue dans sa bouche. Elle le sentit s'écarter d'elle.

« Je crois que ce n'est pas une très bonne idée, dit-il.

– Si vous voulez rester, Ray, je suis d'accord.

– Si je veux rester ? Mais je suis ici. J'ai une chambre en haut.

– Non. Je veux dire passer la nuit. Ici. Ce qu'il en reste.

– Attendez une seconde. Si je veux passer la nuit ici. Dans cette chambre ?

– Dans le lit. Avec moi. »

Il rit. « Vous êtes religieuse.

– Oui.

– Vous voulez que je passe la nuit avec vous, et vous êtes religieuse ?

– Je veux dire simplement dormir avec moi. Partager mon lit. Je me sens très proche de vous.

– Hé, écoutez, je sais qu'on dit que l'Église catholique change beaucoup ces temps-ci, mais, vous savez, Maureen, c'est… »

Sa voix se perdit. Elle ne lui rendit pas son rire. Il regarda la pièce, ahuri, en se grattant la tête. « Juste dormir ensemble ? dit-il.

– Je ne suis pas le genre de religieuse à faire l'amour à la première rencontre.

– Oh, ah bon ? C'est bien ma chance.

– Vous ne voulez pas vous déshabiller, Ray, et venir dans le lit ?

– Me déshabiller ?

– S'il vous plaît. Par gentillesse pour moi.

– Qu'est-ce que c'est que cette plaisanterie ?

– Ray, j'ai cinquante-deux ans. Cinquante-deux. Je ne verrai plus jamais d'homme nu pour le restant de mes jours. C'est la vérité. Plus personne ne m'embrassera de toute ma vie. Jamais. Pas une seule fois. Personne ne voudra m'embrasser. Et c'est bien comme ça. Je ne me plains pas. C'est la vie que j'ai choisie. Mais juste encore une dernière fois, j'aimerais voir un homme nu. S'il vous plaît. »

Elle le regarda enlever sa veste et ses chaussures. Puis ses chaussettes et sa cravate. « Vous êtes sérieuse ? » demanda-t-il et elle hocha la tête. Il déboutonna sa chemise et l'enleva. Il défit son pantalon et le laissa tomber par terre. « Ce n'est pas une blague ? » Elle secoua la tête et lui dit que non. Il fit glisser son slip sur ses cuisses et ses pieds. Il se tenait devant elle, nu, ses longs bras épais pendant le long de son corps, et ne disait rien. Sur son épaule gauche, il avait un tatouage décoloré en forme de cœur. Des poils gris et fins couvraient sa poitrine et allaient de son nombril à son sexe. Il avait une cicatrice sur le genou droit. Les ongles de ses orteils étaient trop longs. Bien que trapu et un peu bedonnant, il était cependant un peu plus svelte que son mari. Il commençait à avoir la chair de poule. Il eut un petit frisson et se donna quelques petites tapes sur le ventre.

« Je suis désolé que vous ne soyez pas tombée sur un plus beau spécimen, dit-il avec un petit rire. Pour le dernier homme nu que vous verrez de votre vie.

– Vous êtes magnifique, dit-elle. Est-ce que vous croyez que vous pouvez me déshabiller maintenant ? »

Il l'aida à enlever son pull-over. Elle se leva et ôta son pantalon. Nus tous les deux, ils se glissèrent ensemble sous la couette. Elle lui tourna le dos, il glissa son bras autour d'elle par derrière. Elle éteignit la lampe de chevet et ils restèrent étendus quelques minutes sans bouger dans la pénombre. Un semi-remorque passa dans la rue. Elle sentit son petit pénis épais qui durcissait contre ses cuisses.

« Ray, dit-elle.

– Là, je suis gêné, dit-il gentiment. Vous m'excitez.

– Il n'y a pas de problème, dit-elle.

– Si, il y a un problème. Je suis excité par une religieuse. Je vais me retrouver en thérapie pour le restant de ma foutue vie.

– Vous allez avoir un problème parce que les religieuses vous excitent, dit-elle.

– Et comment qu'elles m'excitent. Et laissez-moi vous dire que c'est un des problèmes les plus coûteux qui soient. »

Elle ralluma la lampe de chevet et se retourna pour le regarder. « Vous m'avez fait rire ce soir, Ray.

– Vous m'avez fait rire aussi. Je vous assure.

– Est-ce que je peux vous dire quelque chose ? J'avais plus besoin que vous de rire un bon coup.

– Pourquoi ça ? »

Elle lui toucha les lèvres. « Ça n'a pas d'importance. Il s'est produit quelque chose de grave dans ma vie. Quelque chose de très douloureux. Je ne veux pas en parler. Mais vous m'avez fait rire et vous m'avez émue. Vous êtes un homme charmant, tendre et beau, Mr Ray Dempsey. J'espère que vous le savez. Vraiment. Je me sauverais avec vous si j'en avais la moindre occasion.

– Si vous le pouviez, c'est ça ?

– Oui. Si je le pouvais.

– Eh bien, pourquoi pas ?

– Parce qu'il n'y aurait pas d'avenir, Ray. Et c'est la vérité. »

Ce fut quand elle l'entoura de ses bras qu'il se mit à pleurer. Elle était contente qu'il le fasse, parce que, depuis l'instant où elle l'avait rencontré, elle avait trouvé qu'il avait l'air d'un homme ayant vraiment besoin de pleurer. Il porta ses mains à son visage et fut secoué en silence par les larmes. Pendant longtemps, il n'émit presque aucun son, hormis des soupirs chevrotants d'une grande douceur. Il frissonnait un peu en pleurant et elle lui tenait la tête. Elle passa ses bras autour de ses épaules et embrassa ses cheveux.

« Tout va bien, Ray, murmura-t-elle. Tout va bien. Je suis là.

– Je suis désolé, Maureen, sanglota-t-il. Je ne sais pas ce qui m'arrive. »

Elle l'embrassa doucement au coin de la bouche et le tint dans ses bras jusqu'à ce qu'il s'endorme.

Le bruit lugubre d'un aspirateur dans le couloir la réveilla juste après huit heures et demie. Les draps humides étaient enroulés autour de ses cuisses. Il faisait une chaleur suffocante dans la pièce. Elle avait l'impression d'avoir mangé un pain de sel. En s'asseyant pour boire un peu d'eau, elle vit le mot sur l'oreiller.

Parti à Newgrange, de retour à six heures ce soir. Aimerais beaucoup vous revoir ? S'il vous plaît ? Mettrai la carte ne pas déranger sur la porte. Bon Souccoth. Bonne chance, Ray. PS. Merci pour tout.

Elle prit une longue douche tiède puis s'assit toute nue sur le lit de taille royale. Elle se mit à considérer le mot royal. Qu'est-ce que ça voulait dire exactement ? Un roi pouvait être de n'importe quelle taille, quand on y réfléchissait. Richard III, par exemple, était presque un nain, tandis que Henri VIII mesurait un mètre quatre-vingts et aurait pu se servir de son ventre comme kilt. Elle fuma deux des trois cigarettes qui restaient dans le paquet qu'elle trouva sur le tapis, tout en regardant la rivière ; les tourbillons et les plans d'eau se brouillaient devant ses yeux et elle pensa au sens des mots. Elle en parlerait aux filles de terminale lundi matin. « Les différents sens des mots » serait le titre de leur prochaine dissertation. L'amour. Dieu. L'Irlande. Le sexe. Les adieux. Elle proposerait aux filles des mots comme ceux-ci car ils avaient des sens différents, selon la façon, le moment, la personne et plus que tout la raison pour laquelle ils étaient employés.

En bas, le portier de nuit, l'air épuisé, était debout comme une sentinelle sur le seuil du restaurant, presque comme s'il l'attendait. Derrière lui, la lumière jaune brillait violemment et semblait l'enrober d'une laque splendide et miroitante, comme un ange dans une peinture médiévale, c'est du moins comme ça qu'elle le voyait. Au moment où elle allait entrer dans la pièce, il se mit en travers de son chemin et la regarda d'un air désapprobateur. « Vous êtes la dame qui était en retard pour le dîner hier soir, dit-il.

– Oui, c'est moi. Je suis navrée. »

Il tapota sa montre. « Eh bien maintenant, vous êtes de nouveau très en retard, ma petite dame.

– Je sais, convint-elle. J'ai fait la grasse matinée. »

Il haussa les épaules. « Le petit déjeuner est servi jusqu'à neuf heures. C'est le règlement. Nous manquons de personnel.

– Je sais. Mais peut-être... »

Il leva la main. « Ce n'est pas moi qui fais le règlement. Le règlement c'est le règlement. On ne m'a jamais demandé mon opinion là-dessus. Mais c'est comme ça.

– Croyez-vous – croyez-vous que pour une fois – vous allez pouvoir faire une exception pour moi ? »

Il la dévisagea quelques instants, comme si ce qu'elle venait de dire était quelque peu absurde.

« S'il vous plaît, dit-elle. Je sais que je suis dans mon tort. Je m'en rends bien compte. »

Il soupira et secoua la tête. « Bon, je suppose que tout le monde peut se tromper. Allons. On ne va pas vous laisser mourir de faim. Mais seulement pour cette fois-ci, attention. »

Il s'écarta du passage et lui fit un signe gracieux avec son torchon blanc. La petite pièce semblait gaie dans la lumière nette. Il la fit asseoir dans un box. Elle pensa à son mari qui se levait, se rasait, prenait sa douche, se brossait les dents et enfilait des vêtements propres. Elle pensa à l'odeur citronnée de sa lotion après-rasage. Elle se le représenta quittant la maison et prenant la voiture pour se rendre à son travail. Il allait écouter le début du *Pat Kenny Show* à la radio. Il allait s'arrêter chez

Lafferty's avant d'arriver en ville pour acheter le *Irish Independant*, un paquet de cigarettes, deux tickets de Loto. Elle lui disait toujours qu'il pourrait aussi bien les acheter dans son propre supermarché, mais non, il les avait toujours achetés chez Lafferty's et continuerait à le faire. C'était un homme d'habitudes. C'était une des choses qui l'embêtaient chez lui, mais en même temps, une des choses qu'elle préférait. Elle essaya très fort d'imaginer comment il allait réussir à se débrouiller quand elle ne serait plus là. Il leur faudrait parler bientôt du fait inéluctable de sa disparition, de son absurdité et pourtant de sa réalité, de l'approche de son dernier automne. Il faudrait affronter tout cela. Cette pensée lui fit monter les larmes aux yeux, mais elle cligna pour les chasser. Le portier lui apporta un bol de corn flakes et une tasse de thé à l'aspect huileux.

« C'est absolument tout ce que je peux faire pour vous, dit-il. Et si on apprend que j'ai fait ça, je risque de me faire virer.

– Merci. C'est parfait. »

Cinq minutes plus tard, il lui apportait des toasts chauds et pâteux, un panier de petits pains, une petite assiette en argent remplie de marmelade.

« Merci, dit-elle. Vous êtes très gentil.

– C'est vrai, mais je ne le suis pas.

– Vous l'êtes. Vous êtes une bénédiction. »

Il prit un air railleur. « On m'a traité d'un certain nombre de noms bien sentis ici, mais ça, c'est nouveau.

– Puis-je vous demander votre nom ? demanda-t-elle.

– Simon, ma belle. Demandez Simon quand vous voudrez.

– Vous portez le nom de quelqu'un de bien.

– Oh, ça oui », dit-il en riant et il leva les yeux au plafond. « C'est bien lui qui a aidé le type là-haut à porter sa croix ? Ma mère n'arrêtait pas de me raconter ça quand j'étais gosse. Mais ici, tout ce que je porte, c'est des foutus sacs et des valises. »

Elle s'autorisa un sourire.

Il jeta un coup d'œil furtif par-dessus son épaule vers la porte, comme s'il pensait que quelqu'un d'important écoutait. Mais il n'y avait personne. Le hall était presque complètement désert. Les portes à tambour tournaient lentement, mais tout était calme au Finbar's Hotel. Il passa son doigt dans le col de sa chemise. Il la regarda de nouveau attentivement et cligna de l'œil.

« La prochaine fois, ne traînez pas autant, ma petite dame, chuchota-t-il. C'est tout ce que je voulais dire.

– Non, dit-elle. Je vous promets que la prochaine fois je ne le ferai pas. »

Il s'éloigna d'elle et commença à mettre les tables du déjeuner. Elle songea à aller dans le hall pour téléphoner à son mari au supermarché, simplement pour lui dire qu'il lui avait manqué, qu'ils devaient parler, que le moment du pardon était venu ainsi que le moment de la pitié. Mais ça pouvait attendre. Elle le verrait ce soir à son retour. Elle retiendrait une table quelque part. Peut-être au restaurant sur Barna Pier. Elle alluma sa dernière cigarette et regarda s'élever le filet de fumée violet en sachant, au fond d'elle-même, qu'elle ne reverrait plus jamais Dublin. Mais ce n'était pas un problème. C'était bien comme ça. Parce que, tant bien que mal, elle savait qu'elle avait enfin trouvé le courage de dire au revoir.

Une vieille flamme

May ne voulait pas entrer au Finbar's Hotel. Elle le regardait, debout sur les quais, le dos à la rivière ; un cube de béton suintant aux rideaux sales sur lesquels une traînée marquait la limite d'ouverture des fenêtres. Elle tenta de se rappeler le bâtiment tel qu'elle l'avait vu plus de trente ans auparavant, un toit en terrasse banal avec un panache de flammes sortant par le haut comme dans un dessin d'enfant. Elle se souvenait de son reflet qui brûlait sur la rivière derrière elle et du bruit étonnant que faisait le feu, un son grave et éprouvant, comme si le bâtiment possédait une gorge – le craquement des chevrons et le déchirement sourd des plafonds qui cédaient. Le feu avait quelque chose de démodé.

Voilà donc ce qu'on avait reconstruit – ce bloc affreux. Tellement moderne. Comme un ivrogne dans un nouveau costume, il vieillissait à mesure qu'on le regardait. May était arrivée tout droit de l'aéroport le matin même et, quand le taxi s'était arrêté devant les portes à tambour, elle s'était aperçue que son enfance ne s'était pas seulement envolée, mais qu'on la lui avait volée. On avait construit ce truc à la place.

Un groupe de collégiennes venait dans sa direction et May avait eu envie de dire aux filles de quitter le pays et de ne jamais revenir. Elle avait eu envie de leur parler de l'incendie – comment, à leur âge, elle avait voulu s'évanouir. Simplement s'évanouir. Comment elle était debout sur le quai et regardait les flammes en pensant à l'amour qui pouvait tuer.

Elle sourit à l'une d'elles, un beau brin de fille aux joues rougies par le vent. Elle aurait appelé ça des « rougeurs ». May lui sourit – c'était Dublin, après tout – mais la fille se contenta de jeter un mégot de cigarette dans la rivière, ses cheveux s'emmêlant devant sa bouche, et continua son chemin. Tout était humide dans cette ville. Il n'y avait rien de sexy.

May, debout sur le trottoir, avait peur de tomber dans la rivière, peur de tomber dans la rue – le décalage horaire, le vent humide l'éclaboussant de vide. Elle serra le livre contre sa poitrine et essaya de faire disparaître le froid comme par enchantement. La veille, la veille seulement, elle était au Nouveau-Mexique, avec trente-deux degrés à l'ombre. Debout dans sa chambre, elle avait regardé les deux uniques pulls épais et informes qu'elle possédait, et avait tenté de se rappeler ce qu'était le froid, ce qu'on ressentait. Finalement, elle n'en avait mis qu'un dans sa valise. Le corps est stupide, s'était-elle dit. Le corps n'a pas d'imagination.

May essaya de penser à la chaleur. Elle pensa au désert, au soleil qui se gonflait en se couchant. Elle tenta d'imaginer une tasse de thé, quelque chose de chaud l'hiver. Elle tenta d'imaginer un baiser et, tandis qu'elle profitait d'une interruption dans le flot de la circulation, le souvenir du sexe dispersa son corps, incendie et effondrement épouvantable qui fusa jusqu'à ses lèvres et dans sa poitrine.

Autant pour cette théorie.

Le vent cessa avec le soupir des portes à tambour. May traversa la réception d'une démarche chaloupée et entra au bar. Elle trouva un tabouret et attendit que son sang se calme en essayant de choisir entre un whisky chaud et un martini-vodka. Elle les goûta en imagination et, quand le barman vint prendre sa commande, elle dit : « Est-ce que vous avez des petits verres à cocktail triangulaires ? Ou des olives ? »

Il la regarda sans sourciller.

« Je vais prendre un whisky chaud », dit-elle et elle rit d'elle-même pendant qu'il se tournait vers la bouilloire. « Où te crois-tu, May Brannock ? » se dit-elle – Mary Breathnach en réalité. Où te crois-tu ? Elle était à Dublin. Elle était de retour. Son corps reconnaissait des choses. Son portefeuille était plein. Elle avait des souvenirs que l'Irlande ne pouvait pas même imaginer. Elle était quelqu'un d'autre, somme toute.

Sept ans plus tôt, un flic à moto avait arrêté May sur le bas-côté de la route et elle s'était penchée en avant en agrippant la roue. Pourquoi ne se sentait-elle pas en sécurité ? Il faisait nuit. Elle n'aimait pas ses bottes. Elle était à une trentaine de kilomètres de Phoenix, dans l'Arizona, et la voiture était déjà sale, à cause de la route. Mais il la laissa partir et elle reprit son voyage, une femme dans la nuit, plus toute jeune, avec la vie qu'elle avait volée entassée dans le coffre. C'était sa propre vie, mais ça n'avait pas l'air d'être d'un grand secours.

Elle venait de quitter un homme, bien sûr. Allongé sur le lit, en train de boire, méprisant chaque centimètre de sa personne pendant qu'elle allait de l'armoire au bureau, la regardant avec des yeux vagues qui disaient : personne ne te baisera, plus jamais. Elle avait fait ses valises et elle était partie ; elle avait pris le couloir et avait fermé la moustiquaire derrière elle. Sous la véranda, elle avait trébuché sur la machine à ramer où il était assis avant le dîner, essayant peut-être de se frayer un chemin dans le désert à la force des bras.

Devant elle, la route se déroulait, les lignes blanches défilaient sous le capot. Derrière elle, le coffre était plein de cochonneries : vêtements, quelques livres de poche, affaires de toilette. Ces saletés lui donnaient l'impression d'être pauvre. Quand on est riche, on n'a besoin de rien.

May arriva à une station-service déserte, ouvrit la portière et sortit. Elle était en pleine cambrousse. Elle avait quarante ans. Elle regarda la lune, froide et bienveillante, et tenta de réfléchir à ce qu'elle devait faire. Elle attendit le hurlement du coyote qui ne vint pas, le glissement d'un serpent.

May regarda la lune et décida de gagner de l'argent. Quoi encore ? Elle décida qu'elle ne se laisserait plus jamais effrayer par un flic à moto, plus jamais.

May s'aperçut qu'elle regardait un homme assis de l'autre côté du bar. Tous les visages qu'elle voyait à Dublin lui semblaient familiers. Dans la rue, elle regardait les gens dans les yeux, comme pour dire – Oui, c'est moi. Mais ils se détournaient, comme cet homme qui retourna à son thé et à ses biscuits. Du thé et des biscuits. Pas étonnant qu'il ne la reconnaisse pas. Elle n'avait pas bu de thé avec des biscuits depuis trente ans.

Le barman posa le whisky chaud sur le comptoir et May tendit pour l'attraper un bras américain, à la peau un peu sèche, aux muscles s'enroulant les uns autour des autres à cause de la gym. Elle portait un bracelet en argent lourd et simple acheté à Arbol de la Vidal sur Hunter Street. Certains de ses amis étaient mexicains, l'un était amérindien. Elle couchait, de temps en temps, avec un type qui essayait de faire marcher une entreprise de construction pour faire plaisir à sa femme au demeurant fort déplaisante. Il était venu lui établir un devis pour une nouvelle terrasse.

Elle ne savait pas ce qu'elle faisait ici.

Son père était mort six semaines plus tôt. Sa sœur avait attendu qu'il soit enterré pour lui téléphoner et, quand May le lui avait reproché, elle avait dit : « Tu ne viens jamais aux enterrements », ce qui était vrai, en quelque sorte. Mais comment May aurait-elle pu expliquer que, quand leur mère était morte, elle attendait que Benny quitte sa femme, que, quand le téléphone avait sonné et qu'elle avait appris la nouvelle, elle avait été déçue que ce ne soit pas lui, qu'elle avait reposé le récepteur, était retournée attendre et n'avait pleuré que quand il avait appelé le lendemain : « Ma mère est morte, quand est-ce que je peux te voir ? Quand est-ce que tu peux t'échapper ? », s'inventant une vie à lui consacrer.

Cette fois, elle était plus vieille. Il y avait le problème de la maison, sa sœur « n'en était pas capable » à cause d'un désastre au ralenti à Birmingham dont elle ne voulait rien savoir. Elle fit tout ce qu'elle pouvait par fax et finalement, à contrecœur, elle prit l'avion.

Qu'avaient donc les hôtels ? Cette façon de se moquer du monde. Allez à l'autre bout du monde, semblaient-ils dire, vous vous retrouvez toujours au même endroit. Vous vous retrouvez toujours entre deux âges. Vous vous retrouvez toujours dans un gourbi où les tapis et les rideaux sont un vieux fantasme de l'avenir rêvé par un imbécile trente ans plus tôt. May regarda le vert tourbillonnant du sol en essayant de distinguer le motif au milieu des taches. Elle regarda les autres consommateurs au bar, des gens agglutinés et reliés par Dieu seul savait quel sentimentalisme poisseux : la famille, le sexe, l'argent ou simplement la boisson. Ils étaient gris et leur visage semblait prêt à s'effondrer dans leurs vies.

May avait seize ans quand l'hôtel avait brûlé et elle était amoureuse. Quand l'hôtel avait brûlé, elle l'avait regardé disparaître : craquements, puissance et chaleur de l'incendie. Elle était sur les quais, son pelvis lui faisait mal et elle croyait que c'était ça, l'amour – un garçon avec qui on n'a jamais couché. Un garçon qui lui donnait l'impression que tout était trop désespéré pour les mots. Il était à côté d'elle et regardait les flammes. Kevin, un gosse comme elle, avec une pomme d'Adam comme une balle de golf en pleine dépression nerveuse. Si elle le rencontrait aujourd'hui, elle ne le regarderait même pas. Si elle couchait avec lui aujourd'hui, elle se traiterait de pédophile.

May appela le barman calmement, comme une adulte. Il la regarda calmement, comme un adulte. Non-vierge s'adressant à un non-vierge, elle commanda un autre whisky chaud. Et tripota légèrement de ses ongles épais et manucurés la fermeture Éclair de son porte-monnaie.

Le barman se tourna vers la bouilloire et May l'examina. Il était un peu trop gros. Elle imaginait les deux lignes que faisait la graisse dans son dos en tombant sur sa taille. Son visage dans le miroir était typique de Dublin, tout en pommettes, sans paupières ; le genre qui semblait toujours avoir faim, même en dormant. May détourna les yeux. Elle ne devait pas penser aux hommes endormis. Surtout pas aux barmans. Surtout pas aux barmans petits.

Il posa le whisky devant elle en plaçant une serviette en papier sous le verre. Sur le sous-bock était écrit : « Un Irish coffee, ça réconforte ».

« Il y a eu un incendie ici, jadis, dit-elle.

– Ah bon ? »

Ses yeux sans paupières passèrent sur May en papillonnant et elle changea de position sur son tabouret. Elle avait envie de dire : « Vous ne me connaissez pas. Ma sœur en Angleterre prend du Valium, les mains encore mouillées par la vaisselle, mais vous ne me connaissez pas. » Le barman s'en moquait, il retourna à ses bouteilles et à ses verres en lui jetant un coup d'œil dans la glace.

« Mon père l'a éteint, dit-elle. Je veux dire qu'il a aidé à l'éteindre.

– Vraiment ?

– Oui, dit-elle. Vraiment. »

May avait envie de lui crier : « Je ne suis pas d'ici. Je ne suis pas dans le bon pays. J'ai passé l'après-midi dans la maison où j'ai grandi. J'y suis allée en taxi, les clés sur les genoux, et je ne me souvenais même pas où était cette fichue maison. »

Les religieuses leur apprenaient que « les rues de Drimnagh sont disposées en forme de croix celtique ornée, en l'honneur du Congrès eucharistique ». Elle l'avait dit au chauffeur de taxi.

« C'est juste, dit-il, c'est plein de trucs tortueux et de merdes.

– C'est là que j'ai grandi », dit-elle. Et pourtant elle ne s'y retrouvait pas et ils s'égaraient de rond-point en rond-point. Tu aurais aussi bien pu grandir en Iran, pensa-t-elle en regardant dehors : rue Ayatollah Khomeini, rue des Garçons Martyrs, rue de la Chasteté. Il n'y avait rien de sentimental là-dedans. Sommes-nous au pied de la croix, sommes-nous aux genoux ou aux ongles ? Les rues étaient si familières qu'elle ne les distinguait pas les unes des autres. Elle chercha un indice en regardant par la vitre. Elle vit un garçon tirer sa petite sœur par la manche de son anorak et le plan devint inutile, elle savait où ils étaient.

« À gauche et encore à gauche. »

Le chauffeur tourna le volant en chantant : « Je te ramène à la maison, Cathleen », et May se souvint de la façon de flirter à Dublin.

« Oh, allons », comme s'il avait dit quelque chose de spirituel et d'un peu osé. Elle ne lui laissa pas de pourboire.

Quand il s'éloigna du trottoir, elle se sentit dépossédée ; elle regarda la maison, ses fenêtres vides, la grille coincée dans le sillon qu'elle avait creusé dans le béton. L'allée était courte, mais May eut l'impression qu'elle marchait longtemps et qu'elle n'atteindrait jamais la porte.

Elle introduisit la clé dans la serrure. L'entrée était plus petite, mais May s'y attendait. Elle s'y fraya un chemin, malgré les murs trop inclinés vers l'intérieur et le plafond qui menaçait sa tête. Elle tendit la main vers la poignée de la porte de la cuisine et, bien que la maison ne fût pas vraiment à elle, traversa la pièce jusqu'à la fenêtre de derrière pour faire sortir à l'air libre l'odeur de la vie de son père.

Le jardin était en friche.

May rentra dans la pièce. Jusqu'à la signature des papiers, la maison lui appartenait en quelque sorte. Enlever le lino et repeindre les murs, se dit-elle. Démolir, démolir. Ouvrir le séjour sur la cuisine. Faire entrer la lumière.

Une tasse retournée sur l'égouttoir était graisseuse autour de l'anse. May la suspendit à son crochet, un bouquet de roses en porcelaine se balançant doucement. Un coquetier, en forme de lapin en céramique. On mettait l'œuf entre les oreilles.

Dans l'entrée, May souleva le récepteur du téléphone, un truc lourd en Bakélite noire qui pourrait se vendre à un bon prix comme une bizarrerie là-bas, chez elle. Elle fut surprise de constater que la ligne n'était pas coupée. Le fil de la vie de son père, lui, était coupé. Elle écouta la tonalité et eut l'impression que la maison se liquéfiait.

May s'assit et pleura. Si elle avait vraiment été américaine, cette scène aurait été le clou – le chagrin l'aurait submergée à cause du téléphone, elle se serait effondrée sur les marches trop basses pour pleurer son père disparu et elle aurait pu dire : « C'était sur moi que je pleurais, sur la petite fille assise sur cette marche qui pleurait quand... » Mais elle se souvenait de ce qui lui avait fait de la peine et ça n'avait pas d'importance – une danse ratée, un garçon qui n'avait pas appelé, un samedi après-midi quand le silence devenait atroce et que sa mère, en pleine ménopause, s'était figée près de l'évier, les mains tremblantes et les épaules anormalement hautes.

May ne pleurait pour rien de tout ça. Elle pleurait la mort d'un homme qui était tout pour elle. Pas parce qu'elle l'avait aimé, mais simplement parce qu'il était mort. Des larmes d'adulte.

Le fauteuil l'attendait au salon ; il avait gardé la forme de son père. Il était mort dans ce fauteuil. Il était mort entouré de cochonneries : des journaux, une vieille télé, une vitrine remplie de vaisselle offerte en cadeau de mariage qui les terrifiait quand elles étaient petites parce que, si on cassait une tasse, on ne pouvait pas la remplacer, pas même par une autre qui coûtait plus cher. Les objets la rendaient malade. Elle allait tout laisser aux nouveaux propriétaires, un jeune couple, peut-être, sans argent et avec le sens de l'humour.

May vit alors les lunettes de son père sur la cheminée. Elle s'enfonça sans réfléchir dans le fauteuil où il était mort ; elles étaient faciles à atteindre là où il les avait posées. Elles avaient l'air tellement vide. May se rendit compte qu'elle ne pouvait y échapper – elle devrait acheter un rouleau de sacs en plastique noir, frapper à la porte des voisins, boire un thé, laisser les clés, regarder sa vie s'écouler sur leur moquette hideuse et sourire.

Trois heures plus tard, l'odeur des vêtements du vieil homme la faisait suffoquer, saturés qu'ils étaient de la crasse de la vie de son père ; le couloir était couvert d'un épais matelas de sacs en plastique, il n'y avait rien de neuf, pas même une serviette pour s'essuyer le visage. Elle roula en boule un morceau de papier hygiénique que son père n'avait pas eu le temps de terminer et pensa à sa tombe.

En haut de l'armoire, elle trouva quelque chose qui la fit s'interrompre. C'était un registre où était écrit *Drimnagh Fire Station 1962-1969*. Son père était pompier. Et c'était la liste de ses incendies.

Il était maintenant posé à côté d'elle sur le bar, avec sa reliure ordinaire en tissu bleu, usée aux coins. Elle le feuilleta. L'écriture était belle et maladroite, tracée par des hommes aux grosses mains à qui on avait appris à faire des boucles aux l et à enrouler les r.

Le barman essuyait le comptoir avec des gestes lents. Elle voulait lui demander encore un verre. Elle voulait lui montrer son sourire.

« Excusez-moi », dit-elle.

Il ne répondit pas. May jeta un coup d'œil dans la glace et se vit comme il la voyait, mince, avec des yeux marrons. Elle paraissait quarante ans, pas quarante-sept, mais qu'est-ce que ça pouvait lui faire, à lui ? Elle essaya de se souvenir de son visage de jadis, et il ne s'agissait pas seulement d'enlever les rides. Son père ne l'avait pas vue depuis ses vingt ans et elle se reconnaissait à peine elle-même. May prit le registre et pensa : Ça n'a pas d'importance. Son père l'aurait reconnue. Il n'aurait pas été surpris.

« Je peux avoir l'addition ? »

Elle signa la fiche et monta par l'escalier. La fille d'un pompier ne fait pas confiance aux ascenseurs. La fille d'un pompier passe les mégots de cigarette sous le robinet et regarde toujours où sont les issues de secours.

May prit le couloir – autre tapis vert à volutes avec une planche ornementale au-dessus de la plinthe. Elle se demanda si Kevin était à Dublin, s'il vivait dans des pièces au papier peint semblable à celui-ci. Dormait-il dans un lit de Dublin au dosseret de velours graisseux là où il posait sa tête ? Elle espérait qu'il était parti, mais elle ne savait pas s'il était du genre à partir ou à rester. Elle ne savait pas quel homme était devenu le garçon qu'elle avait aimé à seize ans. Elle s'était attendue à tomber sur lui dans la rue, toute la journée, elle s'était attendue à se faire aborder par un homme entre deux âges lui disant : « C'est vraiment toi ? »

La vierge que j'ai connue.

Quelle rigolade. May entra dans sa chambre. Hideuse. Toute la soirée s'étendait devant elle. Elle se dit qu'elle devait le chercher dans l'annuaire et dire : « Devine où je suis. Je suis dans une chambre avec des abat-jour vert citron où manquent la moitié des franges. Où es-tu ? » Tous les hôtels sont identiques.

À Albuquerque, elle avait passé une semaine à l'Old Majestic à attendre un homme parti régler les choses avec sa femme. Le papier peint était une sorte de brocart violet avec un treillis doré peint sur les fleurs. Le dessus-de-lit était éclaboussé de marguerites lilas. La fenêtre donnait sur un mur d'arrière-cour. Il n'était pas revenu. Elle n'avait pas été surprise. Mais il n'y avait rien d'autre à faire en Amérique que de suivre les hommes. Quel sens donner à tout ça autrement ?

Elle reprochait à son amie Cassie de ne pas avoir épousé l'homme qu'il fallait. Cela faisait partie de sa première aventure à New York ; serveuses toutes deux, elles s'étonnaient des pourboires et étaient surexcitées, même quand elles s'ennuyaient, par le simple fait d'être dans cette ville. Cassie avait un diplôme de droit et une mère psychotique qui lui envoyait par la poste des sous-vêtements irlandais. May se sentit abandonnée quand elle trouva un emploi de secrétaire juridique. Quel intérêt, alors qu'elles avaient tout laissé tomber ? Quand Cassie reprit des études pour passer des examens de droit américain, May se mit à coucher avec un Lituanien qui parlait très mal l'anglais et qui se réveillait parce qu'il chantait en dormant.

Puis il se passa quelque chose. Cassie abandonna. Elle épousa un client et partit dans le Nord ; c'était un homme ordinaire aux lèvres fermes et sensuelles qui s'occupait d'une affaire familiale en pleine déconfiture. Cassie partit vers le nord pour vivre avec un homme dont la mère venait tous les jours, dont le père buvait, qui avait un frère en Californie et un autre travaillant au collège du coin. Sa mère vint au mariage, l'air normal.

New York faisait encore partie de Dublin, mais Cassie était partie quelque part d'où on ne revenait jamais. May s'aperçut brusquement qu'elle ne rentrerait pas.

Cape Cod, San Francisco. Après Albuquerque, May décida de se passer d'amour un certain temps. Elle partit vers le sud et commença à travailler dans une agence de voyages parce que c'était une manière de bouger tout en restant sur place. Le type qui l'employait avait une voix triste, des yeux lourds qui fixaient les gens quand il parlait. May avait l'impression qu'il la surveillait tout le temps, qu'il regardait tout le temps par-dessus son épaule. Jusqu'à ce jour de canicule où il était debout derrière elle au distributeur d'eau réfrigérée ; May se rendit compte qu'il reniflait la sueur qui lui coulait dans le dos. Elle sentait le léger souffle entre ses omoplates et l'absence de souffle quand il respirait. Il était marié. Pendant trois semaines, elle évita ses yeux, et le jour où elle le regarda, ils firent l'amour brutalement dans la pièce de derrière. C'était fini presque avant d'avoir commencé et pourtant May n'arrivait pas à compter le nombre de fois où elle avait joui.

« Si tu comptes, tu ne jouis pas », lui dit Benny des années plus tard quand elle lui rappela ce moment ; mais alors, il faut le dire, compter n'était pas le problème.

Bien entendu, le chauffage ne marchait pas. Il ne marche jamais dans les hôtels. May se débattit avec le radiateur et se mit au lit, tout habillée. Elle devait d'abord se réchauffer puis, quand elle pourrait le supporter, elle ôterait ses vêtements et prendrait une douche. En attendant, elle ouvrit le registre.

En 1962, il y avait eu des incendies à St-Agnes' Park, Knocknarea Avenue, une friteuse à Darley Street, un poêle à pétrole à Carrow Road. La cabane au bout du terrain de football à Eamonn Ceannt Park avait pris feu au milieu de l'après-midi. Un nombre étonnant d'incendies se produisaient dans la matinée, ce qui ne paraissait pas normal car les flammes semblaient ordinaires et transparentes dans le soleil.

Son père rentrait toujours à la maison comme s'il ne s'était rien passé de spécial, une journée de travail, un peu de ceci, un peu de cela. Il ne parlait pas de pots de peinture qui explosaient, d'échelles placées trop près, il ne parlait pas non plus des poumons desséchés, de l'impression que la sueur dégoulinait sur une brûlure. Malgré tout, May le considérait comme un héros qui sortait des petites filles en chemise de nuit par les fenêtres des étages, son visage éclaboussé de bleu par le gyrophare de l'ambulance.

Maintenant qu'elle regardait son registre, elle trouvait une liste de cigarettes mal éteintes et de matelas qui se consumaient lentement : un enfant pleurait dans la pièce voisine, une vieille dame faisant un petit somme. Les dégâts des eaux étaient pires que les incendies. Ce n'était que saleté et désagrément et une femme disant : « J'étais en train d'étendre sa chemise. Je me suis rappelé qu'il n'avait plus de chemise propre ; j'en ai lavé une et j'étais en train de l'étendre. »

Les incendies n'étaient rien. C'était la peur avant les incendies, c'était ça qui donnait du piment à la vie des gens.

Une nuit, un visage apparut à la fenêtre de leur chambre et May demanda : « Est-ce qu'elle a un flingue ? Est-ce qu'elle a un flingue ? » Mais la femme de Benny n'avait qu'un trousseau de clés de voiture et elle appuya sa main contre la vitre ; deux mots étaient gribouillés sur la paume : Huile végétale. Elle resta assez longtemps pour qu'ils puissent lire les mots et May fut choquée quand elle s'aperçut qu'ils n'avaient aucun sens et qu'elle n'allait pas du tout mourir, ni d'une malédiction ni d'une balle.

Benny dissimula son sexe à la vue de sa femme et alla lentement vers la fenêtre en disant : « Chérie. Voyons. » La façon dont elle recula et fut avalée par l'obscurité aurait dû servir de leçon à May. Elle aurait dû en tirer les conséquences. Chérie n'avait pas fait irruption dans leur chambre dans une volée d'éclats et de sang, n'avait pas frappé de ses poings désordonnés la poitrine aimable de Benny et n'avait pas pleuré. Elle n'avait ni flingue, ni couteau, ni aucune intention.

En fait, May le caressa quand il revint au lit et enleva son slip ; elle comprenait cet homme poussé au désespoir par la faiblesse des autres. Un homme qui avait besoin d'une seconde chance, c'était tout.

Benny vivait comme si la vie était un jeu qu'on pouvait gagner ou perdre ; si on avait l'impression de perdre, on pouvait effacer l'ardoise. Elle y avait cru un certain temps. Maintenant, en regardant le registre de son père rempli de petits désastres, May ne croyait plus aux occasions. On vivait sa vie du début à la fin, c'était tout.

Elle tourna les pages. Dargan, Kelly, O'Driscoll, Boyle.

Cause : électricité, inconnue, cuisinière, inconnue.

Dégâts : neg., importants, ne reste que les murs, neg.

Heure d'appel : la nuit était le pire.

Ils dînaient avec d'autres couples. May n'arrivait pas à croire qu'ils dînaient avec d'autres couples, qu'elle mélangeait la salade, mettait un poulet au four et s'asseyait en se penchant un peu à gauche pour mettre en valeur sa taille, pendant que Benny parlait d'amour. Il aimait parler d'amour, simplement pour montrer qu'il savait employer des grands mots.

« J'ai été amoureux, disait-il. Si souvent. Mais…

– Mais quoi ? disaient-ils. Al et Irène, Pete et Liana, ou Bill et Soledad.

– Mais. Je vais vous le dire. » Il les faisait attendre.

« Allez-y.

– Je n'aurais jamais cru que je finirais comme ça, je pense. Je n'aurais jamais cru que je finirais par être veinard. »

C'est alors qu'il touchait la joue de May. Ou lui serrait la main. Ou levait son verre à sa santé, pendant que Bill ou Al riait ou que Soledad se mettait à pleurer. Pendant ces soirées avec d'autres couples, il y avait toujours quelqu'un qui pleurait.

Quand elle était petite, May avait peur que son père soit obligé de faire des choix. Il arrivait tout en haut d'une échelle et il y avait deux personnes à sauver, une à sauver en premier, l'autre qu'il fallait laisser. Elle hésitait tous les soirs avec son père devant le couple à la fenêtre. Leurs vêtements déchirés dans le dos, la fournaise derrière eux. Elle sauvait la femme en premier.

« Est-ce que tu sauves la femme en premier ? » demandait-elle. Il répondait : « Ça ne se passe jamais vraiment comme ça », mais elle ne le croyait pas et parfois, certaines nuits, elle laissait la femme et, en descendant l'échelle, elle la regardait s'enflammer, ses cheveux embrasés formant comme une auréole autour d'elle tandis qu'elle se tenait nue et maculée dans l'encadrement de la fenêtre en train de fondre.

Elle se rappelait Benny dans la chaleur, quand la climatisation était tombée en panne. Ils étaient étendus sur le lit, les jambes écartées, et il disait : « Allez, chérie. Allez. » S'il faisait trop chaud pour faire l'amour, elle pouvait le sucer à la place. May pensait qu'il préférait ça, que les hommes préféraient ça. Alors, elle disait : « O.K., allons-y » et il devait se mettre au-dessus d'elle, son ventre glissait d'avant en arrière, les gouttes de sueur tombaient de son visage sur sa joue. Ces nuits-là, la chaleur était dans la pièce comme un objet sur lequel elle n'arrivait pas à fixer les yeux. May osait jusqu'à l'étourdissement, se concentrait sur l'eau qui s'écoulait de son corps et essayait de respirer.

Dans la dernière colonne, elle vit le mot Arson. Une maison de Rutland Avenue, assez proche de là où ils vivaient. Un accident mortel. Et elle se souvint de l'histoire d'un homme qui avait brûlé vive sa femme. On avait dit qu'il s'était débattu pour entrer. On l'avait retenu quand il se débattait. Peut-être avait-il voulu brûler seulement la maison.

May ferma le registre. Il sentait les mains d'homme. Elle le laissa sur l'oreiller à côté d'elle, ferma les yeux et essaya de dormir. Elle se réveillait en sursaut de temps en temps – une cigarette avait été mal éteinte dans la chambre voisine, quelqu'un avait laissé une bouilloire allumée et l'eau s'était évaporée, le plastique suintait et faisait des bulles sur la résistance. L'hôtel était une boîte pleine d'allumettes attendant d'être grattées. May se retournait dans le lit et essayait de penser à autre chose. L'argent. La maison de son père valait une somme d'argent étonnante. De l'argent réel, celui qu'on pouvait compter et autour duquel on glissait des élastiques, celui qu'on pouvait porter dans un sac en plastique. Elle calcula et recalcula plusieurs fois le taux de change, mais les liasses de billets prenaient feu sans cesse. L'eau – elle allait penser à l'eau. Il y avait eu une inondation à Glendale Park en 1963. May imagina une famille prenant le thé, de l'eau jusqu'aux genoux, et le père qui levait très haut son journal quand il tournait les pages.

Mais quand elle regarda son visage, c'était un autre père. C'était si difficile de voir les hommes quand on les aimait. Puis il entra dans la chambre, le visage barbouillé de suie et sentant la fumée. May sut qu'il était mort et elle se rendit compte que, maintenant qu'il était mort, elle pouvait le regarder. De l'extérieur, son père paraissait très mince, et ses yeux larmoyants clignaient comme s'il avait vu quelque chose de drôle et de terrible. Il était donc comme ça. Elle essaya de parler. Elle essaya de dire : « Tu es donc comme ça », mais son père se tourna vers elle très lentement et sourit.

May se réveilla en sursaut, en nage, accablée de douleur. Elle sentit l'odeur piquante de son corps à travers ses vêtements. Immobile, elle essaya de retenir le visage que son rêve lui avait donné, mais il s'évanouit.

May se leva, enfin en colère. Elle alla à la salle de bains et passa la main sous le pommeau de la douche. Qu'est-ce qui rend les hommes différents ? Voilà ce qu'elle voulait lui demander. Quelle était cette chose terrible qui rendait les hommes différents ? Benny aurait répondu un truc à se tordre de rire comme : « La queue », mais son père n'aurait même pas compris la question. D'ailleurs, ils n'avaient jamais eu de conversation, quand il était en vie.

May posa ses vêtements propres sur l'étagère à côté du lavabo et laissa ses chaussures coincées dans le porte-serviettes. Pas question de marcher pieds nus sur ce sol : se promener toute nue dans une chambre où des inconnus baisaient depuis les années soixante et dont la moitié étaient des menteurs. Le pommeau était encrassé par la rouille, mais l'eau qui en sortait était propre. May se mit dessous, ferma les yeux sur les traces de moisissure du carrelage et leva le visage.

Kevin était le quatrième garçon qu'elle avait embrassé. Le premier portait une chemise blanche trop large et aimait Elton John. Quand elle essaya de tout rassembler, la chemise, la langue surprenante, son goût pour la musique, ça ne collait pas. Elle passa si longtemps à y réfléchir que, le temps qu'il retire sa langue, elle avait oublié son nom.

La fois suivante, elle était prête, mais rien ne se produisit. Le type passait sa bouche ouverte tout autour de la sienne, comme on voit au cinéma, mais il ne savait pas ce qu'on faisait à l'intérieur. May ne voulait pas l'humilier en l'aidant à le découvrir.

Elle alla dans un pub où les types étaient plus sophistiqués et perdit son sac à main quand un homme tenta de passer de force son genou entre ses jambes devant chez Rice. Il n'alla pas très loin, parce que sa jupe était trop étroite, mais elle ne pouvait pas non plus courir vite et elle dut faire du gringue au chauffeur de bus pour rentrer chez elle. Elle décida alors qu'elle devait tomber amoureuse. Ne serait-ce que pour se protéger.

En plein jour, elle se pencha et embrassa Kevin, un ami du frère de son amie Clare, que personne d'autre ne voulait embrasser parce qu'il était roux. C'était vraiment une tare, à l'époque, d'avoir les cheveux poil de carotte, la peau blanche et des taches de rousseur ; c'était comme une maladie. Les yeux de Kevin étaient marron, c'était le seul soulagement, et il avait tout le temps l'air amusé, ce qui est presque pareil que d'avoir l'air heureux. Ils sortirent ensemble un certain temps et May découvrit qu'elle était amoureuse. Elle pensait à lui tout le temps.

Ils allaient se promener, ils prenaient le bus jusqu'à Phoenix Park. Ils en faisaient beaucoup, mais ils n'allaient pas jusqu'au bout. Ils étaient au désespoir la plupart du temps, un gros frisson de désespoir qui prenait tout en bas et ne voulait pas partir. Ils devaient faire l'amour, et quoi ensuite.

Cependant, chaque fois qu'elle le voyait, son cœur cognait dans sa poitrine et, quand elle marchait à côté de lui, elle l'imaginait sans le regarder. Quand elle le regardait, elle entourait sa tête avec le bleu du ciel, le gris des bâtiments. Quand elle lui parlait, elle ne voyait que ses yeux. Tout ce qu'elle disait l'amusait, le rendait presque heureux. C'était le presque qu'elle aimait.

Une fois, en plein jour, ils allèrent au parc et luttèrent avec leur envie de faire l'amour jusqu'à devenir à moitié fous. Ils se tenaient contre un tronc d'arbre et May, complètement détraquée, imaginait le tableau qu'ils faisaient avec leurs vies verticales, incompétentes.

C'était plus facile dans le noir, mais dangereux de s'attarder. Ils rentrèrent chez eux par les quais, sans se toucher ni se parler. Kevin s'était mis à fumer. Il avalait un peu de fumée et la soufflait jusqu'au bout. May avait seize ans et trouvait que la ville était pleine de mensonges.

Il lui demanda pourquoi elle pleurait et ils se disputèrent à cause d'autre chose, quelque chose que Clare avait dit sur une fille dont Kevin savait qu'elle lui tournait autour.

« Elle m'a plaqué, dit-il. Qu'est-ce que tu racontes ? » Au-dessus de sa tête, elle vit la lueur d'un incendie. Ils se tournèrent pour regarder et Kevin, comme un gamin, plus du tout troublé, lui prit la main et se mit à courir vers le Finbar's Hotel.

Plus tard, c'était beaucoup plus facile, bien sûr. On couchait simplement avec les gens. C'était facile.

May ferma le robinet de la douche et se mit à rire. Bien sûr qu'il serait toujours là. Peut-être même qu'en ce moment il marchait dans la rue, tout près d'ici, ou qu'il était assis chez lui et pensait à une bière, pendant que ses enfants faisaient leurs devoirs. En se séchant, elle s'était décidée. Elle allait l'appeler, merde après tout.

May, debout devant la table de nuit, réfléchit. Puis elle ouvrit d'un coup sec le tiroir en riant – pas même une Bible. Elle appela le service des chambres et obtint la réceptionniste. La fille avait l'air méfiante. Qu'y avait-il de si étrange à demander un annuaire ? Elle proposa de chercher le numéro à sa place, mais May dit qu'elle voulait l'annuaire.

« Je ne crois pas qu'on puisse vous en monter un. »

May tergiversa. Elle avait oublié comment s'y prendre, comment réussir à obtenir quelque chose de simple mais de complètement impossible. Elle dit « Donnez-moi une chance.

– Je suis toute seule, dit la jeune femme. Le portier est occupé.

– Alors ?

– Nous n'arrêtons pas de les égarer.

– Écoutez, je vous donne dix livres s'il est ici dans trois minutes. À chaque minute supplémentaire, c'est une livre de moins. » May posa le récepteur, contente d'elle, et attendit une demi-heure.

Quand elle descendit, la jeune réceptionniste la regarda comme si elles ne s'étaient jamais parlé. May se demanda si c'était ce qui lui serait arrivé si elle était restée ; un costume pastel mal coupé, gondolant sur le revers, un grand sourire, une haine solide pour tous ceux qui se croyaient plus malins.

« Ça ne vous fait rien de vérifier ici ? demanda-t-elle. Nous n'arrêtons pas de les égarer.

– Pas du tout. »

Kevin Hegarty. Elle feuilleta les pages. Une seule colonne de Hegarty, deux seulement avec un K. May regarda fixement.

Elle nota les deux numéros, à Sallynoggin et à Glasnevin. Où avait-il bien pu aller ? Elle décida de les appeler l'un après l'autre. Elle se serait peut-être dégonflée si la réceptionniste n'avait pas été une garce. Mais elle était fille de pompier. Elle avait quarante-sept ans.

De retour dans sa chambre, May commença par ramasser ses vêtements qui traînaient par terre, puis se rendit compte qu'elle agissait ainsi au cas où il verrait ses dessous. Elle se sourit à elle-même, s'arrêta et prit le téléphone.

À la quatrième sonnerie, une femme répondit. Une épouse.

« Est-ce que Kevin est là ?

– Oui ? Allô ? » dit la femme, une voix âgée. Sa mère peut-être. L'image d'un garçon effrayé qui perdait ses cheveux vint soudain à l'esprit de May.

« Est-ce que je peux parler à Kevin ? » On posa le récepteur avec fracas.

« Kiaran, dit la voix. Je crois qu'il y a une fille au téléphone. »

May raccrocha. Ça leur donnerait matière à réflexion. Elle souriait encore quand on répondit à son deuxième appel, un homme cette fois, qui dit : « Allô » et May se retrouva assise sur les marches, tenant à deux mains le récepteur en Bakélite tandis que des chuchotements lourds de sens passaient par le fil du téléphone, Pourquoi n'as-tu pas appelé ?

« Kevin ? » dit-elle.

Quand ils arrivèrent, de la fumée sortait par les fenêtres du dernier étage du vieil hôtel. Une grosse lueur brillait derrière les rideaux d'une chambre à l'angle du bâtiment. Ça avait l'air très douillet. Puis le tissu prit feu, vira au noir et les flammes apparurent toutes nues dans la pièce. La vitre se brisa.

May et Kevin contemplaient les flammes. Ils s'étaient tellement embrassés que la tristesse s'était installée dans leurs corps. Mais en regardant le feu s'étendre, May sut qu'elle était resplendissante. Ils s'aimeraient à en mourir, ils se maltraiteraient par amour. Elle avait seize ans, elle allait coucher avec cet homme et mourir.

Un groupe d'hommes se tenait là, un verre à la main, le visage rendu sauvage par la lumière. Une femme, le registre à la main, courut vers un petit homme vêtu d'un costume coûteux – le propriétaire, ivre. Il vacillait et s'assurait que le sol était bien sous ses pieds, tout en regardant de temps en temps l'incendie. Il avait l'air de se préparer à chanter. Un homme grand avec un front haut et un mince sourire était à côté d'eux. C'était le père de May. Il fumait.

Apparemment, personne ne faisait rien.

Son père tirait sur sa cigarette et regardait le registre. Finalement, il était tel qu'en lui-même, un homme mince vêtu d'une veste imperméable noire; les flammes se reflétaient sur son épaule. Il enfouit le bout de sa cigarette dans le creux de sa main, par respect pour l'incendie.

May se tourna vers Kevin pour le lui montrer. Au même moment il y eut de l'agitation près de la porte ; un homme sortit en courant, la chemise ouverte, en tirant une femme par la main. Elle ne voulait pas venir avec lui. Elle se penchait en arrière tandis qu'il la tirait et elle trébucha derrière lui dans la rue. Elle n'avait pas de chaussures.

Le groupe d'hommes qui buvaient se tourna et May les entendit rire tout bas. Un homme leva son verre et les acclama. May vit la femme se mettre à pleurer tout en tirant et tournant sa jupe qui était ouverte, pour remonter la fermeture Éclair.

May observa son père. Il revint au registre et elle vit sa bouche former quelques mots à l'intention de la réceptionniste. Une autre fenêtre se brisa. Alors, ils se mirent à courir avec une lance à incendie.

On ne peut voir son père qu'une fois. On ne peut voir son père que par hasard – parce qu'on aime son père tout le temps.

« Kevin, c'est May.
– May ?
– Je veux dire Mary. Mary Breathnach.
– Mary ?
– Je suis en ville.
– Mary ! Tu es partie en Amérique.
– Je suis ici, maintenant », dit May en résistant à l'envie de raccrocher. « Alors, comment ça va ? dit-elle. Je me suis dit que j'allais t'appeler.
– Comment ça va ? dit-il. Moi je vais bien, tu sais, ça roule. Alors raconte ?
– Quoi ?
– Où étais-tu ? »

À une heure de Phoenix, elle s'arrêta dans une station-service déserte et s'élança dans l'obscurité. Elle était en pleine cambrousse. Elle ne savait même pas si elle avait laissé une trace. Une pellicule de dégoût sur les yeux d'un homme, un coup de téléphone au milieu de la nuit à un ami de New York qui lui dit : « Viens dans l'Est », comme si l'amour n'était qu'une question de géographie.

Peut-être que dans ce pays, ça l'était. May se trouvait en Amérique et regardait la lune. Elle décida de gagner de l'argent. Quand elle essayait de trouver ce qu'elle voulait d'autre, rien ne lui venait à l'esprit – sauf ça. Elle irait au Nouveau-Mexique, plus loin, plus rouge, plus sec. Qui réussissait à quitter le désert ? C'était un endroit où on aboutissait.

« Au Nouveau-Mexique, surtout, dit-elle. Mon père est mort.
– Merde, dit-il. Je suis désolé de l'apprendre.
– Et toi ?
– Oh, le mariage, les enfants. Tu vois. Je suis heureux. Et toi ?

– Oh, je suis heureuse. » Ils rirent avec une ironie complice. Son rire n'avait pas changé. May n'en croyait pas ses oreilles. Il avait dix-sept ans quand elle le connaissait et il ne savait pas qu'il riait comme un homme.

« Je suis au Finbar's Hotel, dit-elle. Tu te souviens ? Celui qui a brûlé. » Il y eut un silence à l'autre bout du fil.

« Ne raccroche pas. Oui. Oui. Jésus Marie. Comment tu vas ? Putain. Tu as toujours la même voix. » Ils y étaient de nouveau, ils regardaient l'incendie, la peau si fraîche qu'on en aurait pleuré.

« Je vais très bien. » Ils ne pouvaient pas continuer comme ça. May dit : « J'ai une agence de voyages, tu vois. Ça marche vraiment bien.

– Alors, tu es là pour combien de temps ? demanda-t-il. Quand est-ce que tu passes nous voir ?

– Je pars demain matin. » Il n'était pas sincère, mais c'était quand même gentil de sa part. « Alors qu'est-ce que tu fais ? dit-elle. Tu sais, comme si nous n'avions pas le téléphone aux États-Unis d'Amérique.

– Je suis comptable », et ils rirent de nouveau. « Marie. Jésus. Tu sais que cet hôtel est un bordel.

– Je regarde le lit », dit-elle.

Ils y pensèrent – à faire l'amour qu'ils n'avaient jamais fait, dans la chambre d'un hôtel qu'ils avaient vu en flammes longtemps auparavant. Elle se demanda jusqu'à quel point ça serait décevant. Qu'est-ce que ça pouvait faire si son corps avait changé, du moment que son rire était le même ?

Kevin se moquait de la femme qui ajustait sa jupe ; le visage du jeune homme passait de l'orange au noir, ses yeux s'éclairaient. Il donnait l'impression de vouloir courir tout droit vers le bâtiment en flammes et de danser autour d'elle. Il donnait l'impression de vouloir saisir une lance à incendie, mais pas pour éteindre le feu. Si la lance était pleine d'essence, il serait tout aussi content, et May aussi. Qu'il brûle donc!

« C'est mon père, là-bas », dit-elle et elle vit l'admiration se transformer sur le visage de Kevin.

« Partons d'ici », dit-il. Une blague. Son père se dirigea vers la cabine de la voiture de pompiers et dit quelque chose au chauffeur. L'échelle commença à bouger.

La femme sans chaussures sautait de-ci de-là en essayant comme elle pouvait de ne pas se tenir sur ses deux pieds en même temps. L'homme qui l'accompagnait avait rejoint en courant le groupe et avait pris un verre que lui tendait un autre homme. Il buvait énormément et riait, tandis que la femme le regardait du seuil de la porte. Elle ne voulait pas bouger et le père de May alla lui dire de s'éloigner. Il était difficile d'entendre ce qu'ils disaient à cause du bruit du moteur, mais l'incendie donnait un air sauvage au visage de la femme. Elle pleurait et montrait du doigt, comme si elle voulait courir chercher ses chaussures à l'intérieur. Elle s'accrochait au bras du père de May et May inspira profondément, mais il se libéra de sa prise.

C'est alors que le père de May fit quelque chose d'étrange. Il écarta les bras et baissa la tête. Il contourna la femme pour avoir le dos vers la porte, puis s'avança vers elle en l'obligeant à s'éloigner pas à pas du bâtiment. Elle lui faisait face, déconcertée, et reculait en trébuchant et en regardant par-dessus son épaule. May s'aperçut que son père ne voulait pas toucher la femme qu'il poussait en arrière, et elle non plus. Son visage commençait à se désagréger. Elle marcha dans quelque chose et, tandis qu'il continuait à avancer, elle se mit à hurler.

May n'avait jamais vu de femme hurler comme ça. Les hommes qui buvaient l'acclamèrent et elle se tourna pour leur hurler des injures. Puis elle se retourna et courut vers les quais, ses pieds blancs trébuchant dans l'obscurité.

Le père de May la regarda un moment ; il repoussa son

casque en arrière et May eut un soupir de soulagement. Il avait gagné la bataille contre la femme qui hurlait. On ne pouvait rien lui reprocher. Il n'avait pas eu à la soulever. Elle n'était même pas en feu.

Deux enfants étaient à côté d'eux dans le noir : un garçon sérieux tenait fermement par la main une petite fille aux cheveux longs. May se tourna pour embrasser Kevin ; elle avait envie de dire : « Allons quelque part. Allons quelque part et faisons-le », mais leurs bouches se touchaient à peine quand la petite fille se mit à gémir. Elle regardait le bâtiment en flammes en braillant qu'il s'arrête. Arrête de brûler. Arrête de brûler tout de suite.

Kevin avait dit au revoir dès qu'il avait pris le téléphone, mais elle le retint un moment – elle ressentait de la sympathie pour ses trois enfants et pour ce qui arrivait à Clare (qui ne pensait qu'aux chevaux et aux quatre-quatre ces temps-ci), au frère de Clare (un truc qui ressemblait à la sclérose en plaques mais n'en était pas, un an au lit, il allait bien maintenant) et enfin une amie qui lui tournait autour en lui faisant les yeux doux (ce n'était pas une indication). Au moment où ils allaient raccrocher, May se sentit prête à tenter sa chance.

« Bon, de toute façon je suis là ce soir, est-ce que ça te va ?

– Merde, si tu restais quelques jours de plus.

– La prochaine fois, dit-elle. La prochaine fois. En tout cas, essaie de venir en ville.

– D'accord, dit-il. D'accord. Ecoute, merci d'avoir appelé. »

May se changea, une fois de plus. Elle mit une robe qui allait avec son bracelet et laissa tomber son pull sur le lit.

En bas, le restaurant était presque vide ; il n'y avait qu'un couple dans un box près du mur et deux hommes d'affaires bruyants. Elle essaya de voir ce qu'ils avaient dans leurs assiettes et décida de se passer de dîner. Ça sentait les œufs, des années et des années à faire cuire des œufs. Elle était peut-être chez elle, mais ça ne voulait pas dire qu'elle devait manger comme si elle n'était jamais partie. Boire était une autre histoire.

Le bar était plein. Un groupe d'Américains donna à sa voix un accent irlandais plus marqué lorsqu'elle commanda un whisky, mais c'était une imitation de l'accent irlandais, comme elle le sut dès que les mots quittèrent sa bouche. Elle s'en aperçut dès qu'elle prononça le mot « double ».

May s'assit au comptoir, bien qu'elle fût une femme seule et qu'il fît nuit. Merde, après tout. Dans douze heures, elle serait dans l'avion et elle pourrait s'asseoir où elle voudrait. Elle sentit la brûlure et la chaleur de l'alcool qui descendait dans son estomac. C'était une option. Si elle restait, elle serait ivre tout le temps.

Elle se rendit compte qu'elle attendait Kevin. Une attente de première catégorie. Elle attendait soprano. Kevin était assis chez lui avec sa femme. Sa femme disait : « Il y a combien d'années ? », jalouse – comme si quelque chose chez cet homme lui avait échappé. Il regardait la télé, il mettait le chat dehors, et pourtant May le voyait en route vers le centre-ville et se souvenait comment il s'était écarté d'elle à Phoenix Park et avait joui dans son jean.

Il était assis chez lui avec un catalogue de graines de jardin et elle le voyait franchir la porte, gros, déplumé et déçu, ou gros, déplumé et ravi de lui-même – peut-être même mince. Elle se tourna sur son tabouret de manière à voir la première expression sur son visage. Il parcourrait la pièce des yeux et la verrait. Il afficherait une expression d'agréable surprise.

Elle l'attirait encore et encore à elle sur l'élastique ridicule de son désir, avant qu'il ne revienne brusquement à Glasnevin et à la leçon de géographie de sa fille. C'était insupportable. C'était comme ça qu'elle avait passé sa vie. Elle avait aimé son père qui n'était pas un homme sympathique. Benny était un salaud et elle l'avait aussi aimé. May tourna et retourna le cliché de sa vie amoureuse dans sa tête et, tout d'un coup, ça n'eut plus d'importance.

À une heure de Phoenix, elle s'était arrêtée en pleine nuit, avait déverrouillé le coffre et était sortie de la voiture. C'était l'hiver et la nuit était peu épaisse. Seule l'odeur de l'essence était perceptible. Pas de vent. Le capot de la voiture émit un cliquetis de soulagement et May sourit. Benny aimait ce bruit, il disait que ça lui donnait toujours envie de pisser un coup. Elle pressa sa main sur sa bouche et sentit encore son odeur d'homme au bout des doigts. Puis elle regarda les collines désertiques gris noir et pensa, je pourrais simplement me mettre à marcher, simplement marcher et tout laisser derrière.

May se vit allongée sur la chaussée vide, attendant, la ligne blanche passant sous sa taille. Elle écouta un moment. Pas de voitures.

Puis elle sortit sa valise du coffre, l'emmena au milieu de la route et la posa sur l'asphalte. Le soleil l'éclairerait le matin, cette grosse valise bleue et la route vide sur des kilomètres. Le garagiste sortirait dans le soleil en se grattant le ventre et en baillant. Il la verrait et s'arrêterait. Il croirait que c'était un cadavre, découpé en morceaux – et c'en était peut-être un. Il en ferait le tour et irait chercher un chien pour la renifler. Des livres de poche, des affaires de toilette, quelques vêtements.

May ferma le coffre et rentra dans la voiture. Elle reprit la route.

Le bar était rempli de bruit. May trempa son doigt dans son whisky et remonta son lourd bracelet en argent sur son avant-bras. Elle prit une boîte d'allumettes sur le comptoir, un étui en carton vert avec les mots FINBAR'S HOTEL.

Merde pour Finbar, pensa-t-elle et elle les gratta l'une après l'autre. Elle allait prendre l'avion et retourner dans le désert. Elle allait coucher avec l'entrepreneur et compatir à propos de sa femme – compatir sincèrement. Elle prendrait l'argent de la vente de la maison et s'achèterait une Corvette jaune. Peut-être même qu'elle tomberait amoureuse.

En attendant, May chercha des yeux un homme avec qui elle pourrait coucher, ou non. Personne ne la remarquait, sauf l'homme qui était au bar dans l'après-midi avec son thé et ses biscuits. Il avait déjà l'air d'un ami dans cette foule d'étrangers ; comme s'il comprenait. May essayait de ne pas écouter les hommes qui criaient autour d'elle. Maintenant qu'elle y pensait, elle n'avait jamais couché avec un Irlandais. Elle n'était pas sûre qu'ils soient propres. Le bar en était rempli, en tout cas, et leurs visages étaient maculés par la boisson. Il y avait quelque chose de si intime là-dedans, qu'elle n'avait pas envie de regarder.

Le cœur de May se serra et éclata. Elle allait rentrer et tomber amoureuse. En attendant, elle posa les pieds sur la traverse du tabouret et se redressa, comme si elle cherchait des yeux un ami dans la pièce. Elle examina le sommet des crânes. Chauve, brun, chauve et blond, brun et frisé, noir, noir.

Rouge feu.

Portrait d'une dame

La ville était un vaste désert. Il était debout à la fenêtre du Finbar's Hotel et regardait la Liffey aux eaux couleur de boue brune après les pluies des derniers jours. Il ferma les yeux et se représenta les chambres qui l'entouraient, vides tout l'après-midi, et les longs couloirs déserts de l'hôtel. Il pensa aux maisons tout au long des banlieues qui s'étendaient hors de la ville : Clontarf, Rathmines, Rathgar, à la confiance qui en émanait, à l'impression de force et de solidité. Il imagina les pièces de ces maisons, vides presque toute la journée et peut-être presque toute la nuit, et les jardins de derrière tout en longueur, soignés, tondus, vides également tout l'hiver et presque tout l'été. Sans défense. Personne ne remarquait l'intrus escaladant un mur, traversant d'un pas léger un jardin pour passer par-dessus le mur suivant, un homme quelconque vérifiant l'absence de signe de vie dans la maison, l'absence de système d'alarme, puis forçant silencieusement une fenêtre, se glissant à l'intérieur, traversant prudemment une pièce, ouvrant des portes, sans faire un bruit, tellement sur le qui-vive qu'il était presque invisible.

Un autre souvenir lui vint à l'esprit quand il s'écarta de la fenêtre : un épisode du vol de bijoux chez Bennetts. Quelques minutes après avoir investi la place avec quatre complices, il avait ordonné à cinq membres du personnel, tous des hommes, de se tenir contre le mur, les mains devant eux, et l'un d'eux avait demandé s'il pouvait prendre son mouchoir.

Il était seul à les surveiller, armé d'un pistolet, pendant que les autres rassemblaient le reste du personnel. Il avait dit au type que, s'il avait besoin de se moucher, il valait mieux qu'il prenne un mouchoir. Il avait pris un ton désinvolte pour essayer de montrer qu'il n'avait pas peur de répondre à une question aussi stupide. Mais quand le type l'avait sorti de sa poche, toute sa monnaie était venue avec ; les pièces avaient fait un bruit de ferraille par terre. Les cinq hommes avaient regardé derrière eux et il leur avait crié de se retourner vers le mur en vitesse s'ils ne voulaient pas d'ennuis. Une pièce avait continué à rouler ; il l'avait regardée et s'en était voulu d'avoir crié. Il s'était ensuite mis à ramasser les pièces ; il se déplaçait, se penchait, s'agenouillait jusqu'à les avoir toutes ramassées. Il avait traversé la pièce et les avait tendues au type qui avait eu besoin de se moucher ; il avait retrouvé son calme. Il volait des bijoux, d'accord, mais ce n'était pas une raison pour ne pas rendre sa monnaie au type.

Ce souvenir le fit sourire ; il enleva ses chaussures, s'étendit sur le lit étroit au couvre-lit vert en chenille de coton et se mit à penser au mal qu'ils avaient eu ce soir-là avec une des femmes qui refusait de se laisser emprisonner dans les toilettes des hommes.

« Vous pouvez me tuer si vous voulez, mais je n'entrerai pas là-dedans », avait-elle dit.

Les hommes avaient regardé la femme, Joe O'Brien avec son passe-montagne, Sandy et l'autre gars, ne sachant soudain plus quoi faire, se tournant vers lui comme s'il allait vraiment leur donner l'ordre de la descendre.

« Emmenez-la avec ses copines aux toilettes des femmes », avait-il dit calmement.

Il se retourna pour regarder de nouveau le tableau au mur de sa chambre d'hôtel – une reproduction du *Portrait d'une vieille femme* de Rembrandt – et se demanda si c'était le tableau qui lui avait rappelé cette histoire ou si l'histoire le poussait à regarder le tableau, ou encore s'il n'y avait aucun rapport. La femme du tableau avait elle aussi l'air têtue, peu commode et inquiète, mais elle était plus vieille que celle qui avait refusé d'entrer dans les toilettes des hommes. Cette femme était du genre de celles qu'on voyait rentrer du bingo le dimanche soir avec un groupe d'amies. Elle ne ressemblait pas du tout à la femme du tableau. Il se demandait ce qui lui arrivait.

L'esprit est comme une maison hantée. Il ne savait pas d'où venait cette phrase, si quelqu'un la lui avait dite, s'il l'avait lue quelque part ou si c'était un bout de chanson. Non, se dit-il, ça ne pouvait pas être un bout de chanson. Il avait volé les tableaux dans une maison qui avait l'air hantée. Ça lui avait semblé une bonne idée à ce moment-là, mais plus maintenant. Il avait volé le Rembrandt dont il contemplait la reproduction, ainsi qu'un Gainsborough, deux Guardi et un tableau d'un Hollandais dont il n'arrivait pas à prononcer le nom. Le cambriolage avait fait les gros titres des journaux pendant plusieurs jours. Il se souvenait qu'il avait éclaté de rire en lisant qu'il s'agissait d'un gang international de voleurs d'œuvres d'art venu opérer en Irlande. Le vol avait été rapproché d'autres qui s'étaient produits sur le continent ces dernières années.

Trois des tableaux étaient maintenant enterrés dans les collines de Dublin ; personne ne pouvait les trouver. Deux étaient dans le grenier de la maison voisine de celle de Joe O'Brien à

Crumlin. À eux tous, ils valaient dix millions de livres ou plus. Le Rembrandt, à lui seul, valait cinq millions. Il regarda la reproduction sur le mur et ne vit pas pourquoi. Il était peint presque en entier d'une couleur sombre, du noir pensait-il, mais ça ne ressemblait à rien et la femme semblait avoir besoin qu'on lui remonte le moral, comme une vieille nonne revêche.

Cinq millions. Et s'il le déchirait ou le brûlait, il ne vaudrait plus un clou. Il secoua la tête et sourit.

On lui avait parlé de Landsborough House, de ce que valaient les tableaux et de la facilité du travail. Il avait réfléchi longtemps aux systèmes d'alarme et en avait même fait installer un chez lui pour comprendre plus précisément leur fonctionnement. Puis un jour, ça lui était venu : qu'est-ce qui se passerait si on coupait un système d'alarme au milieu de la nuit ? L'alarme se déclencherait quand même. Mais que se passerait-il alors ? Personne ne réparerait le système, surtout si on pensait que c'était une fausse alerte. Il suffisait de se retirer quand l'alarme se déclenchait et d'attendre puis, une heure plus tard, quand l'agitation s'était calmée, de revenir. Il était allé en voiture à Landsborough House un dimanche après-midi. Elle n'était ouverte au public que depuis un an et la signalisation était encore lisible. Il lui fallait vérifier le système d'alarme, regarder les tableaux et saisir l'atmosphère du lieu. Il savait que, le dimanche après-midi, la plupart des visiteurs venaient en famille, mais il n'avait pas emmené la sienne, il pensait que visiter une grande maison, piétiner en regardant des tableaux ne lui plairait pas. Il préférait toujours être seul et ne jamais dire où il allait ni quand il serait de retour. Il remarquait souvent le dimanche des hommes emmenant en voiture toute leur famille hors de la ville. Il se demandait ce qu'ils ressentaient. Quant à lui, il détesterait ça.

La maison était pleine d'ombres et d'échos. Seule une partie – il pensait qu'on appelait ça une aile – était ouverte au public. Il présumait que les propriétaires vivaient dans le reste de la maison et se sourit à lui-même à l'idée que, dès qu'il pourrait dresser des plans corrects, ils allaient avoir un choc. À son avis, ils étaient vieux et, s'ils se trouvaient en travers de son chemin, il lui serait facile de les ligoter. Au bout du couloir, il y avait une immense galerie et c'était là qu'étaient accrochés les tableaux. Il s'était fait écrire les noms de ceux qui avaient le plus de valeur et fut surpris de leur petite taille; il se dit que, si personne ne regardait, il était capable d'en prendre un et de le mettre sous sa veste. Il pensait qu'il devait y avoir un signal d'alarme derrière le tableau et un gardien quelque part. Il regarda l'installation électrique; elle paraissait simple. Il reprit le couloir et entra dans la petite boutique où il acheta des cartes postales des tableaux qu'il prévoyait de dérober – lors d'une prochaine visite, il achèterait des affiches.

Il se délectait à l'idée que personne – vraiment personne, ni le gardien, ni les autres visiteurs, ni la femme qui avait pris son argent et lui avait emballé les cartes – ne l'avait remarqué et ne serait capable de le reconnaître.

C'était pour cela qu'il aimait bien le Finbar's Hotel. C'était aussi un lieu que personne ne remarquait. Il n'était ni particulièrement moderne, ni particulièrement luxueux, ni particulièrement décrépit, et sa présence semblait passer inaperçue. Simon le portier savait qui il était et l'observait comme un reptile dans un zoo observe un visiteur; le directeur, Johnny Farrell, le savait aussi et lui avait fait comprendre que tous ses désirs seraient instantanément satisfaits, y compris celui d'avoir l'air d'un type chargé de l'entretien lorsqu'il circulait dans l'hôtel, celui de signer le registre sous un faux nom, celui de payer d'avance et en espèces et celui de ne jamais être là le matin pour le petit déjeuner. Il réservait personnellement, par téléphone, la veille de son arrivée; on lui donnait toujours la chambre 107, au bout du couloir. Parfois, il venait quand il voulait rencontrer quelqu'un; d'autres fois, il venait pour réfléchir, pour élaborer en quelques heures un plan dans un endroit neutre où il ne serait pas dérangé.

Il était allongé sur le lit de la chambre 107 et regardait de nouveau le tableau. À peine une heure plus tôt, il avait garé sa camionnette derrière le Finbar's Hotel. Il avait laissé dans le coffre une reproduction encadrée du Rembrandt, emballée dans du papier kraft, et avait monté dans sa chambre l'autre reproduction encadrée, elle aussi emballée dans du papier kraft. Il avait enlevé du mur en face de son lit la vue des lacs de Killarney, il avait ôté l'emballage du Rembrandt et l'avait accroché à la place. Il se dit que, si on lui avait demandé lequel des deux tableaux valait cinq millions, il aurait sûrement dit les lacs de Killarney.

Les flics savaient qu'il avait les tableaux. Quelques semaines après le vol, il avait lu un article dans le *Irish Independent* où son nom avait été « associé » au gang international de voleurs d'œuvres d'art. Ainsi, si les flics le suivaient, ils avaient une occasion éclatante de rentrer en possession du Rembrandt. Ils pouvaient saisir celui qui était dans la camionnette ou celui accroché au mur. Il leur faudrait plusieurs heures pour s'apercevoir qu'ils n'avaient entre les mains que des reproductions. Le problème, c'était qu'il était tout seul; il n'y avait pas de gang international de voleurs d'œuvres d'art. Le problème était aussi qu'il avait trois complices dans cette affaire et que chacun croyait qu'il allait recevoir un demi-million de livres en espèces. Ils savaient tous comment employer cet argent et n'arrêtaient pas de le lui réclamer. Il n'avait pas vraiment d'idée précise sur la façon de convertir les tableaux en espèces.

Il attendait. Plus tard dans la soirée, à huit heures, deux Hollandais se faisant passer pour des journalistes financiers devaient prendre une chambre à l'étage du dessus. Ils avaient pris contact avec lui par l'intermédiaire d'un homme qui s'appelait Mousey Furlong, un ancien ferrailleur avec une charrette attelée qui vendait maintenant de l'héroïne dans le North

Side. Il secoua la tête en pensant à Mousey Furlong. Il détestait le trafic d'héroïne, c'était trop risqué, trop de monde était impliqué dans chaque affaire, et il avait horreur de voir les gamins s'égrenant dans les rues, des gamins maigres, pâles, avec des yeux immenses. L'héroïne chamboulait le monde; elle mettait en contact des hommes comme Mousey Furlong avec des Hollandais et il trouvait que ce n'était pas normal.

Les Hollandais s'intéressaient au Rembrandt, disait Mousey, mais ils voulaient l'examiner – Mousey disait « examiner » comme s'il avait une pomme de terre brûlante dans la bouche – avant de parler argent, ils disaient aussi qu'ils avaient l'argent disponible en espèces. Ils affirmaient qu'ils pouvaient apporter l'argent peu après l'avoir vu. Ils parleraient des autres tableaux plus tard. Il pensait qu'eux aussi devaient être prudents; s'ils avaient l'argent sur eux, ce serait facile de les ligoter pour le leur voler et de leur laisser sur le lit la reproduction à rapporter en Hollande. Il avait enterré le Rembrandt dans les collines et il avait l'intention de leur montrer d'abord un Guardi et le Gainsborough pour leur prouver qu'il avait les tableaux.

C'était si facile de voler. On volait de l'argent et, instantanément, on le possédait; on le mettait en lieu sûr. On volait des bijoux, du matériel électronique ou des cigarettes en grosse quantité et on savait comment les écouler, il y avait des gens en qui on pouvait avoir confiance, tout un monde qui savait comment organiser ce genre d'opération. Mais pour les tableaux, c'était différent. Il fallait faire confiance à des gens qu'on ne connaissait pas. Et si les deux Hollandais étaient des flics ? Le mieux à faire était d'attendre, puis de bouger avec précaution et d'attendre encore. Il se leva du lit et se dirigea vers la fenêtre. Il s'attendait presque à voir une silhouette qui l'observait depuis les quais, mais il n'y avait personne. Il pensait que les flics ne savaient pas où il était; s'ils l'avaient vu monter avec le tableau, ils l'auraient suivi, l'auraient arrêté et auraient saisi le tableau. Ils avaient soif de réussite. Il se dit qu'ils étaient inutiles.

Il devait encore attendre plusieurs heures au Finbar's. Il revint vers le lit et s'y allongea. Il fixa le plafond sans penser à rien. Il dormait bien la nuit et ne se sentait jamais fatigué à cette heure-ci, mais aujourd'hui il était fatigué; il se coucha sur le côté et glissa lentement dans le sommeil. En s'éveillant, il était nerveux et inquiet. La perte de sa concentration et de sa maîtrise le perturbait et le fit s'asseoir et regarder sa montre. Il n'avait dormi qu'une demi-heure, mais il s'aperçut qu'il avait de nouveau rêvé de Lanfad et se demanda si ça cesserait un jour. Il en était sorti depuis vingt-cinq ans.

Il avait rêvé qu'il était de nouveau là-bas; on l'y faisait entrer pour la première fois, entre deux policiers, et on le conduisait dans les couloirs. Mais ce n'était pas le garçon de treize ans de cette époque, c'était lui tel qu'il était maintenant, après toutes les années pendant lesquelles il avait fait ce qu'il aimait: se marier, être réveillé le matin par le bruit des enfants, regarder la télévision le soir, voler, faire des affaires. Et ce qui le troublait dans le rêve était l'impression d'être heureux d'être enfermé, d'avoir une vie ordonnée, de respecter des règlements, d'être surveillé tout le temps, de ne pas avoir à trop réfléchir. Et pendant qu'on le conduisait dans les couloirs de son rêve, il s'était senti résigné, presque content.

Il avait ressenti la même chose presque tout le temps où il purgeait sa seule et unique peine, huit ans plus tôt, à Mountjoy Jail. Sa femme et leur premier enfant lui manquaient, de même que la possibilité de monter des projets et d'aller où il voulait, mais ça ne le gênait pas d'être enfermé tous les soirs et de ne pas avoir de temps à lui. Il avait presque toujours eu une cellule pour lui seul et ne faisait pas grand-chose pendant la journée. Il avait horreur de ce qu'on lui donnait à manger, mais n'y faisait pas attention; il détestait les matons et quand sa femme venait lui rendre visite ,une fois par semaine, il prenait garde de ne laisser rien paraître, aucune émotion, aucun indice de la solitude et de l'isolement qu'il ressentait parfois. Au contraire, ils faisaient des projets pour sa sortie et elle lui donnait des nouvelles des voisins et de leur famille, il essayait de rire ou au moins de sourire et, quelques heures plus tard, il se sentait bien quand il se retrouvait tout seul. Pendant son séjour en prison, il s'était détendu et avait pris les choses comme elles venaient.

Mais les premiers jours à Landfad étaient tout à fait différents, peut-être parce qu'il avait treize ou quatorze ans et qu'il était dans le centre du pays, à des kilomètres de Dublin. Il était anesthésié par l'endroit, par le froid, par l'hostilité et par le fait qu'il devrait y rester trois ou quatre ans. Il ne ressentait rien. Il ne pleurait jamais et, quand il était triste, il apprit à ne penser à rien, à faire comme s'il n'était nulle part et il s'aperçut qu'il pouvait le faire n'importe où; ce fut comme ça qu'il négocia ses années à Lanfad.

Au cours des trois ans et demi qu'il passa là-bas, il ne fut battu qu'une seule fois, le jour où tous les gars du dortoir durent sortir un par un pour recevoir des coups de sangle sur les mains. Le reste du temps, on le laissa tranquille; il respectait le règlement quand il savait qu'il y avait un gros risque de se faire prendre. Il savait qu'il était facile de s'échapper les soirs d'été, à condition d'attendre que tout soit silencieux, de bien choisir son compagnon et de ne pas aller trop loin. Il savait comment faire une razzia dans la cuisine et à quelle fréquence. En y repensant, étendu sur son lit, il se rendait compte qu'il aimait être seul, à l'écart des autres; il n'était jamais celui qui se faisait prendre debout sur le bureau quand le frère entrait, ni en train de crier dans le dortoir ou de se battre.

La première nuit qu'il avait passée là-bas, ou la seconde, il ne savait plus, une bagarre avait éclaté au dortoir. Il entendit comment ça commença et ensuite quelque chose comme : « Répète un peu et je te démolis », puis des cris d'encouragement venant de toute part. Et la bagarre avait éclaté. Il y avait une telle accumulation d'énergie dans le dortoir que c'était inévitable. Il faisait nuit noire, mais on distinguait des formes et des mouvements. Il entendait les halètements et les lits qu'on poussait, puis les cris tout autour. Il ne bougea pas; ne pas bouger devint très vite son attitude, mais à ce moment-là, il n'avait pas encore d'attitude. Il manquait trop d'assurance pour bouger. Il regarda de son lit. Quand on alluma la lumière et qu'un des frères les plus vieux, le frère Walsh, entra, il n'eut pas à grimper dans son lit comme les autres garçons, mais il était quand même terrorisé quand le frère fit le tour du dortoir. Il y avait un silence total et un sentiment de peur nouveau pour lui. Le frère Walsh ne dit rien. Il fit le tour des lits en regardant tous les garçons. Quand le frère le regarda, il ne sut pas quoi faire. Il croisa son regard, détourna les yeux et le regarda de nouveau. Finalement, le frère parla.

« Qui a commencé? Que celui qui a commencé se lève. »

Personne ne répondit. Personne ne se leva.

« Je vais prendre deux garçons au hasard et ils vont me dire qui a commencé; ce sera bien pire pour vous si vous n'avouez pas et que vous ne vous levez pas. »

Le ton de la voix lui était inconnu. Il avait écouté le frère mais faisait comme si rien ne se passait. S'il était désigné, il ne saurait pas quoi dire. Il ne connaissait aucun nom. Il se demandait comment tous les autres avaient appris leurs noms respectifs. Ça semblait impossible. Tout en réfléchissant, il leva les yeux et vit que deux garçons étaient debout à côté de leur lit, les yeux baissés. La veste de pyjama de l'un était déchirée.

« Très bien, dit le frère Walsh. Vous allez venir tous les deux avec moi. »

Le frère se dirigea vers la porte et éteignit la lumière en laissant derrière lui un silence de plomb. Personne n'osait chuchoter. Il resta étendu, l'oreille aux aguets. Les premiers bruits étaient faibles, mais il entendit bientôt un cri, puis le bruit bien reconnaissable d'une sangle sur la peau, de nouveau le silence puis un hurlement de douleur. Il se demanda où ça se passait; il se dit que ça devait être dans le couloir, devant le dortoir ou l'escalier. Les coups devinrent réguliers, ainsi que les hurlements et les gémissements. Bientôt, des voix crièrent: « Non ! »

Dans le dortoir, tout le monde était allongé et écoutait, personne ne bougeait ni ne parlait. Ça ne s'arrêtait pas. Enfin, quand les deux garçons essayèrent de trouver leurs lits dans l'obscurité, le silence devint encore plus intense. Ils se mirent au lit en pleurant et en sanglotant, tandis que les autres garçons écoutaient. Il aurait voulu connaître leurs noms et se demanda s'il les reconnaîtrait le lendemain matin et s'ils auraient l'air différent parce qu'ils avaient été battus.

Dans les mois qui suivirent, il lui sembla incroyable que les garçons autour de lui aient oublié ce qui s'était passé cette nuit-là. D'autres bagarres éclatèrent dans le dortoir obscur; les garçons criaient, sortaient de leur lit et restaient complètement à découvert quand la lumière s'allumait et que le frère Walsh, un autre frère, ou parfois deux frères en même temps s'encadraient dans la porte et regardaient tout le monde se précipiter dans son lit. Chaque fois, les principaux coupables devaient avouer; ils étaient emmenés dehors et punis.

Au bout d'un certain temps, les frères le remarquèrent, s'aperçurent qu'il se tenait à l'écart des autres et se mirent peu à peu à lui faire confiance. Mais lui ne leur fit jamais confiance et ne permit jamais à aucun de se montrer amical. Il apprit à ne penser à rien, à ne rien sentir. Tout le temps qu'il passa là-bas, il n'eut pas d'ami et ne laissa personne devenir proche. Parfois, il faisait cesser les bagarres, prenait le parti de celui qui se faisait brutaliser, ou permettait à un garçon d'avoir confiance en lui un certain temps. Mais il faisait toujours bien comprendre que ça n'avait aucune importance pour lui, qu'il était toujours prêt à s'éloigner.

Les frères l'avaient autorisé à travailler dehors dans la tourbière; il aimait le silence, le lent travail, la vaste étendue plate jusqu'à l'horizon. Et il aimait rentrer à pied, fatigué, à la fin de la journée. La dernière année, on l'autorisa à travailler au four et c'est un jour qu'il y était – sans doute pendant l'hiver de sa dernière année – qu'il remarqua quelque chose qu'il n'avait pas vu auparavant.

Il n'y avait pas de murs autour de Lanfad, mais on leur faisait bien comprendre que ceux qui dépassaient certaines limites seraient punis. Au printemps de chaque année, quand les soirées s'allongeaient, les garçons essayaient de s'échapper, mais ils étaient toujours rattrapés et ramenés. Une fois, pendant sa première année, deux garçons furent punis devant toute l'école, mais cela ne dissuada pas les autres qui voulaient aussi s'enfuir. Au contraire, ça les encouragea. Il avait du mal à croire que les gens puissent s'échapper sans avoir de plan, de moyen radical pour aller à Dublin ou peut-être en Angleterre.

Le dernier hiver, deux garçons plus vieux que lui en eurent assez. Ils avaient des ennuis presque tous les jours et n'avaient apparemment peur de rien. Il se souvenait d'eux parce qu'il leur avait parlé un jour d'évasion, de ce qu'il ferait et où il irait. Il s'était intéressé à la conversation parce qu'ils semblaient savoir où trouver des vélos et il savait que c'était le seul moyen de fuir; il fallait commencer à pédaler vers une heure du matin et trouver assez d'argent pour aller tout droit au bateau. Il avait ajouté, sans réfléchir, qu'avant de partir, il voudrait bien poignarder un ou deux frères, ou encore leur donner quelques bons coups de pied. Il l'avait dit de manière distante et circonspecte, comme toujours. Il remarqua que les deux garçons le regardaient avec inquiétude et comprit qu'il en avait trop dit. Il se leva brusquement et s'éloigna, puis s'aperçut qu'il n'aurait pas non plus dû agir ainsi. Il regrettait de leur avoir parlé.

Finalement, les deux garçons s'enfuirent sans vélo et sans plan et ils furent rattrapés. Il l'apprit en montant un seau de tourbe au réfectoire des frères. Le frère Lawrence l'arrêta et le lui dit. Il hocha la tête et continua. Au dîner, il remarqua que les deux garçons qui avaient fait une fugue n'étaient toujours pas là. Il se dit qu'on les avait enfermés quelque part. Il descendit au four.

Plus tard, presque à l'heure de l'extinction des feux, en traversant le chemin pour aller chercher encore de la tourbe, il entendit un bruit. Il savait ce que c'était, c'était le bruit de quelqu'un qu'on frappe et qui pleure. Il n'arrivait pas à discerner d'où ça venait, mais il finit par comprendre que c'était dans la salle de jeu. La lumière était allumée, mais la fenêtre était trop haute pour qu'il puisse voir. Il retourna au four pour prendre un tabouret qu'il posa sous la fenêtre. Il vit les deux garçons qui avaient tenté de s'échapper; ils étaient attachés, le visage contre une vieille table, le pantalon sur les chevilles, et le frère Fogarty leur donnait des coups de cane puis de sangle sur les fesses. Le frère Walsh était près de la table, tenant des deux mains celui qui était battu. Soudain, il vit autre chose. Il y avait une vieille cabine d'éclairage au fond de la salle de jeu. Il l'avait déjà remarquée; on y mettait du bric-à-brac. Deux frères s'y tenaient debout et la porte était ouverte. Il les voyait nettement de la fenêtre – le frère Lawrence et le frère Murphy – et il s'aperçut que les deux autres frères devaient savoir qu'ils étaient là, mais ne voyaient sans doute pas ce qu'ils faisaient.

Ils se masturbaient tous les deux. Ils avaient le regard fixé sur la scène en face d'eux – les garçons qu'on punissait, qui hurlaient chaque fois que la sangle ou la canne les frappait. Il ne se souvenait plus combien de temps il les avait regardés, mais la scène était restée gravée dans son esprit comme s'il l'avait photographiée. Avant cela, il avait horreur de voir punir les garçons de son entourage, il avait horreur du silence et de la peur. Mais il croyait presque que les punitions étaient nécessaires, qu'elles faisaient partie d'un système naturel que les frères étaient chargés d'appliquer. Il savait maintenant qu'il y avait autre chose en jeu, quelque chose qu'il ne comprenait pas, une chose à laquelle il ne pouvait se résoudre à réfléchir. L'image était restée gravée dans son esprit: les deux frères dans la cabine d'éclairage ne ressemblaient pas à des hommes responsables, ils ressemblaient davantage à des chiens haletants. Il savait déjà qu'il était capable de se protéger de certains sentiments qui le troublaient; désormais, il devrait résister à quelque chose de nouveau.

Tout cela le ramena au problème des tableaux. Il s'assit sur le bord du lit dans la chambre d'hôtel et se gratta la tête. Il alla à la fenêtre et regarda de nouveau la rivière. Il éprouvait le même sentiment maintenant qu'il les avait en sa possession – quelque chose qui le dépassait lui faisait signe et il voulait se vider l'esprit, ne rien sentir sauf la résistance. Il avait peur. Il savait que, s'il avait agi seul, il aurait bazardé les tableaux ou les aurait laissés dans les couloirs du Finbar's Hotel à la place des marines et des gravures de chevaux qui étaient aux murs. En quittant Lanfad, il avait conservé le sentiment que derrière chaque chose s'en dissimulait une autre, un motif caché peut-être, ou quelque chose d'une noirceur inimaginable, que la personne qu'on avait en face de soi n'était qu'une couche et qu'il y avait toujours d'autres couches, des couches secrètes sur lesquelles on tombait par hasard ou qui devenaient visibles si on y regardait très attentivement.

Quelque part dans cette ville ou dans une autre ville, quelqu'un savait comment écouler ces tableaux, se faire payer et partager l'argent. Il se demanda s'il trouverait en y réfléchissant très fort. Chaque fois qu'il essayait, il aboutissait à une impasse. Mais il y avait forcément un moyen. Il se demandait s'il pouvait aller trouver les autres qui avaient participé au cambriolage – ils étaient si fiers d'eux-mêmes cette nuit-là, tout s'était déroulé à la perfection – et leur exposer le problème. Mais il n'avait jamais rien expliqué à personne auparavant. On se passerait le mot. En même temps, s'il n'arrivait pas à résoudre ce problème, les autres y arriveraient encore moins. Ils n'étaient bons qu'à faire ce qu'on leur demandait.

Il regarda par la fenêtre, l'esprit vide, et ses yeux s'arrêtèrent un instant sur le quai. Personne ne l'observait, à moins qu'ils n'aient placé quelqu'un dans l'hôtel. Mais les flics savaient peut-être qu'ils n'avaient pas besoin de le surveiller, qu'il commettrait des erreurs. Il se dit que leur esprit ne fonctionnait pas comme ça. Quand il voyait un flic, un avocat ou un juge, il voyait un frère de Lanfad, quelqu'un qui jouissait de l'autorité, s'en servait, étalait un pouvoir aux sources et aux aspects cachés et honteux, il le savait. Il s'approcha du lavabo, ouvrit le robinet d'eau froide et se passa de l'eau sur le visage. Il s'étira, regarda encore une fois le tableau et sourit. Au moins, il représentait une femme.

Il lui restait une heure d'attente. Il prit la clé et descendit. Il passa devant le bureau de la réception en savourant l'idée que la réceptionniste le regardait sans le voir. Si quelqu'un lui demandait dans quelques minutes de le décrire, elle en serait incapable; elle ne se rappellerait rien. Il entra au bar et s'assit près de la fenêtre; en fin de compte, il alla au comptoir et commanda du thé. Le jeune homme du bar lui demanda s'il voulait des biscuits. Il hocha la tête et répondit oui.

L'après-midi avançait et il se sentait triste; il détestait cette impression et essayait de penser aux tableaux. Peut-être que tout était plus simple qu'il ne l'imaginait. Les Hollandais allaient venir, il les emmènerait voir les tableaux, ils seraient d'accord pour le payer, il les conduirait là où ils avaient déposé l'argent. Et ensuite ? Pourquoi ne pas simplement prendre leur argent et oublier les tableaux ? Mais ils devaient aussi avoir prévu cela. Peut-être qu'ils le menaceraient et lui feraient comprendre que, s'il ne respectait pas leur accord, ils le tueraient. Ils ne lui faisaient pas peur. On lui servit le thé et les biscuits. Il soupira et paya, se versa du thé, mit du sucre. Il se sentit de nouveau triste et, comme chaque fois qu'il était dans cet état, des regrets lui revinrent à l'esprit. Il essaya de nouveau de penser à autre chose, mais n'y parvint pas. Il n'y avait que quelques personnes au monde en qui il avait confiance, qu'il aimait peut-être – aimer n'était pas le mot – et qu'il voulait protéger. Il y avait sa fille Lorraine, elle avait quatre ans. Elle aimait parler et elle savait ce qu'elle voulait. Elle était parfaite et il avait hâte de rentrer chez lui pour être avec elle. Il aimait bien savoir qu'elle dormait en haut. Il voulait qu'elle soit heureuse et en sécurité. Il ne ressentait pas la même chose pour ses autres enfants.

Il avait éprouvé le même sentiment pour Frank, son plus jeune frère, et n'avait pas du tout apprécié quand Frank avait commencé à cambrioler. Frank s'y prenait mal. Il s'affolait facilement. À l'instant où Frank avait été arrêté, il avait avoué; les flics avaient profité de sa crédulité. Il n'avait pas du tout aimé la période où Frank était en prison. Il n'était jamais allé le voir, mais il avait attendu sa libération pour lui donner de l'argent et essayer de le convaincre de partir en Angleterre ou de monter une affaire. Il ne savait pas que Frank était déjà toxicomane; il dépensa tout en quelques semaines pour acheter de l'héroïne avant de se remettre à cambrioler.

Quelques mois à peine après sa libération, Frank s'introduisit dans le sous-sol d'une maison de Palmerston Road. Il était naïf, il n'avait jamais su certaines choses. Il y avait une règle d'or: les gens qui possèdent une maison ont beaucoup plus peur de vous que vous d'eux. S'ils vous trouvent dans la maison, il ne faut pas s'approcher d'eux. Il faut courir. Sortir. Mais ne pas s'approcher d'eux.

Frank avait dû être surpris par le retour du propriétaire de l'appartement. Il avait dû ramasser le couteau de cuisine sur la table et le poignarder en proie à la peur. Frank – il se souvint d'un visage doux au pâle sourire et son cœur se brisa – avait laissé des empreintes partout et l'homme perdait tout son sang.

Frank fut condamné pour meurtre et quelqu'un de la prison ou un visiteur, peut-être même quelqu'un de la famille, lui donna assez d'héroïne pour une semaine. Il avait dû tout prendre en une seule fois, ou du moins presque tout, car on le trouva mort avec une seringue près de lui. Les flics demandèrent à la famille de venir identifier le corps, mais personne ne voulut s'approcher des flics.

Il était assis et pensait à son frère qui était sous la terre et n'avait plus besoin d'être protégé. Maintenant ça semblait inéluctable, quelque chose qu'on ne pouvait empêcher. Mais à l'époque, ce n'était pas pareil, tout aurait pu être évité, chaque instant du drame.

S'il réussissait à se débarrasser des tableaux, tout irait bien, se dit-il. Tout rentrerait dans l'ordre. Peut-être devait-il prendre le risque avec les Hollandais, essayer d'obtenir l'argent, leur donner les tableaux et en finir avec cette histoire. Mais il ne devait pas agir comme ça, se dit-il. Il devait être prudent. Il sirotait son thé et regardait le bar. Une femme entra et s'assit au bar. Il la regarda demander quelque chose; le barman secoua la tête et elle demanda autre chose. Elle avait un accent américain, mais n'avait pas l'air américain. Il croisa son regard et détourna les yeux le plus vite possible. Quand il leva les yeux, elle le dévisageait. Il regarda autour de lui pour voir si elle ne fixait pas quelque chose d'autre, mais non, c'était bien lui. Quand son verre lui fut servi, elle concentra son attention sur le barman. L'une des raisons pour lesquelles il venait au Finbar's Hotel, c'était que personne ne faisait attention à lui. Il se dit qu'il était impossible qu'elle soit flic. Puis il pensa au point de vue des flics et se dit que c'était une bonne idée d'envoyer une femme habillée comme une Américaine. Ils pensaient sans doute que personne ne la remarquerait; ils auraient dû lui dire de ne pas dévisager les gens, pensa-t-il. Il leva de nouveau les yeux et elle le fixait encore. Il n'arrivait pas à y croire. Il se demanda ce qu'il devait faire. Il attendit un peu et vérifia de nouveau. Cette fois, elle avait la tête enfouie dans une espèce de vieux registre. Il pensa à se glisser derrière elle et à crier: « Bouh ! » Elle n'était peut-être rien de plus qu'une Américaine innocente qui dévisageait les gens. Pourtant, quelque chose clochait dans son visage et ses cheveux. Elle était exactement le genre de femme à s'enrôler chez les flics. Elle avait cet air vague, avide, un peu persécuté qu'ont souvent les flics. Il pensa qu'il ferait mieux de retourner dans sa chambre et d'attendre là-haut. Il sortit dans le hall et prit l'ascenseur pour le premier étage.

Un peu plus tard, il entendit un bruit de pas dans le couloir. On s'arrêta juste devant sa chambre. Il savait qu'il s'agissait d'une femme. Il ouvrit la porte juste assez pour apercevoir le dos de la femme du bar pendant qu'elle ouvrait la porte de la chambre voisine de la sienne. Il s'assit sur le lit et pensa encore à elle.

Finalement, beaucoup plus tard, le téléphone sonna et il dit au Hollandais à l'autre bout du fil de venir dans sa chambre. Il revint mentalement sur tous les détails vus du point de vue des flics. Il leur fallait à tout prix les tableaux. Ils ne feraient rien tant qu'ils ne seraient pas certains d'avoir les tableaux. Si c'était un piège, il leur fallait un micro clandestin. C'était peut-être ce qu'elle avait installé avant de descendre au bar le surveiller.

Il ouvrit la porte et vit un homme entre deux âges se débattre avec sa clé devant une chambre à l'autre bout du couloir. L'homme le regarda, comme pour demander de l'aide, puis disparut dans sa chambre. Il ne pensait pas qu'il travaillait pour les flics, il avait l'air trop effrayé, mais c'était peut-être simplement une ruse. Quand l'homme eut fermé sa porte, les deux Hollandais arrivèrent dans le couloir. L'un d'eux portait une serviette.

Quand ils approchèrent, il posa un doigt sur ses lèvres. Il avait écrit *C'est un faux* sur un bout de papier. Ils entrèrent dans la chambre; il ferma la porte et montra la reproduction, puis leur tendit le bout de papier. Ils étaient blonds tous les deux; l'un était maigre et portait des lunettes. Il écrivit *Restez ici* sur un autre bout de papier et posa le doigt sur ses lèvres. Il les laissa dans la chambre et ferma la porte à clé derrière lui. Ça leur donnerait matière à réflexion, se dit-il dans le couloir; il s'arrêta au bout pour voir si la porte de la femme s'ouvrait.

Il descendit et s'assit de nouveau au bar. Il se dit qu'il allait les laisser là vingt minutes pour les calmer. Peut-être que la vue du tableau leur plairait. Il prit une limonade, sortit dans le hall et s'assit sur un canapé d'où il voyait toutes les allées et venues. Un type avec un tee-shirt Temple Bar parlait au portier; il avait si peu l'air d'un flic qu'il en était sans doute un. Mais ça aussi, c'était trop évident, se dit-il. Il devait être prudent. Il avait vu trois personnes qu'il prenait pour des flics, mais il se pouvait qu'aucun ne soit flic, qu'ils le soient tous, que deux le soient ou seulement un. S'il ne cessait pas de penser à ça, il allait devenir dingue.

Il sortit sur les quais et passa derrière l'hôtel. Il arriva au parking. Il n'y avait personne. Il décida de remonter dans la chambre et de mettre fin aux souffrances des deux Hollandais. Mais en empruntant le couloir, l'idée lui vint de faire un tour dans leur chambre. Il avait toujours sur son porte-clés un bout de fil de fer qui venait généralement à bout des serrures simples avec l'aide d'une carte de crédit périmée depuis longtemps. Il regarda autour de lui: pas un bruit, personne en vue. Il fit demi-tour et monta au deuxième étage par l'escalier. Toujours personne en vue. Les couloirs étaient en général vides, paisibles, attendant en silence un intrus solitaire, pensa-t-il. Il ouvrit la porte en quelques secondes. Une valise et un sac de voyage étaient posés sur un des lits. Il ferma doucement la porte et traversa la pièce pour ouvrir la valise. Il n'y avait rien dedans. Le sac de voyage était complètement vide lui aussi. Il regarda sous le matelas, dans l'armoire et dans les tables de chevet, mais il ne trouva rien. Il ne savait pas ce que ça signifiait, si c'était bon ou mauvais signe, ou s'il fallait s'y attendre. Il ouvrit la porte et écouta, à l'affût d'un bruit. Il se glissa dans le couloir et descendit pour regagner sa chambre. Dans le couloir, il vit l'Américaine sortir de la chambre 106. Il ne fit pas attention à elle, mais il se demanda pourquoi elle sortait de sa chambre juste à ce moment-là. Quand il arriva à la porte de sa chambre, il regarda derrière lui; elle avait disparu. Il n'avait jamais rencontré autant de gens bizarres dans cet hôtel.

En ouvrant la porte de sa chambre, il vit les Hollandais assis sur le lit. Ils se levèrent. Ces deux hommes donnaient l'impression d'avoir envie d'être ailleurs.

Où est l'argent ? écrivit-il sur un bout de papier.

Pas loin, écrivit l'un d'eux.

Je dois le voir, écrivit-il.

Nous devons voir les tableaux, écrivit le Hollandais.

Il regarda un moment ces mots en se demandant comment il devait répondre. Il devait leur faire sentir que, s'ils lui cherchaient des noises, ils seraient en danger, mais il pensait qu'ils le savaient déjà. Leur dernière réplique était à son avis très insolente. Il se demanda s'il ne valait pas mieux leur dire simplement de sortir et d'aller au diable, mais il fut frappé par leur air sérieux et professionnel. Il se demanda encore une fois si c'était bon ou mauvais signe. Soudain, il se sentit sûr de lui. S'il avait trouvé de l'argent, des passeports ou des objets de valeur dans leur chambre, il aurait su qu'ils étaient des amateurs. Il se demanda ce qu'ils pensaient de lui. Il devait agir comme s'il savait ce qu'il faisait.

Il leur fit signe de le suivre jusqu'à sa camionnette. Dans le couloir, il s'arrêta en entendant des voix et fit passer les Hollandais derrière lui. Il était là, debout, en alerte et se demandait quoi faire. Rien ne se passait dans les règles, pensa-t-il. Il connaissait l'homme debout avec le directeur devant la porte ouverte de la chambre 104, il le connaissait depuis des années, mais il ne l'avait pas vu depuis longtemps. C'était vraiment étrange de le voir réapparaître maintenant! S'il venait au Finbar's, c'était aussi pour éviter la racaille de son espèce. Il s'appelait Alfie FitzSimons et c'était une vraie ordure, pensa-t-il. Il se disputait avec le directeur.

Il savait que FitzSimons ne travaillait pas pour les flics. C'était le genre de type capable de voler sa grand-mère et de se faire prendre; personne ne voulait avoir affaire à lui. La drogue, aussi. Il le regarda attentivement pour lui faire comprendre qu'il savait ce qu'il valait. Dublin était rempli de types comme lui, se dit-il en voyant FitzSimons détaler dans le couloir. Il fit signe aux Hollandais de le suivre. Il croyait que FitzSimons était parti à Londres; il était certain qu'on avait dit à Alfie FitzSimons d'aller à Londres et d'y rester. Il prit note d'en parler à Joe O'Brien. Il y avait trop de monde dans l'hôtel; en même temps, tous ces gens étaient peut-être inoffensifs et lui trop prudent, trop paranoïaque.

Ils arrivèrent au parking et montèrent dans la camionnette. Il prit par North Circular Road, puis descendit vers les quais par Prussia Street. Il traversa de nouveau la rivière et se dirigea vers Crumlin. Dans la camionnette, personne ne parlait. Il espérait qu'ils ne savaient pas dans quel quartier de la ville ils se trouvaient.

Il prit une petite rue, puis une ruelle et entra dans un garage dont la porte était restée ouverte. Il sortit de la camionnette et descendit la porte coulissante du garage. Ils se trouvaient dans l'obscurité. Il se demanda ce qu'éprouvaient les Hollandais. Quand il trouva la lumière, il leur fit signe de rester dans la voiture. Il sortit par une porte, se retrouva dans une petite cour et frappa à la vitre de la cuisine. Il vit trois ou quatre enfants autour d'une table et une femme devant l'évier; l'homme derrière elle se retourna en entendant frapper. C'était Joe O'Brien. Brusquement, les enfants se levèrent, prirent leurs assiettes et leurs verres et déménagèrent dans le salon. La femme rassembla ses affaires et partit aussi.

Joe O'Brien ouvrit la porte et sortit dans la cour sans parler. Ils traversèrent la cour jusqu'au garage et regardèrent les Hollandais par une petite fenêtre sale. Les deux hommes étaient assis sans bouger dans la voiture.

Il fit signe à Joe O'Brien qui entra dans le garage et leur dit de le suivre. C'était la première fois que quelqu'un parlait. Ils sortirent dans la ruelle et entrèrent par une porte dans la cour de la maison voisine. Devant la table de la cuisine, un vieil homme lisait le *Evening Herald*; il se leva pour les faire entrer quand Joe frappa à la fenêtre. Il ne parla pas non plus, mais retourna à son journal. Ils fermèrent la porte, passèrent devant lui et montèrent dans la chambre de derrière.

Il ne savait pas si les Hollandais étaient mal à l'aise depuis le début ou seulement depuis peu. Ils regardaient d'un air inquiet la chambre du haut, comme si c'était un endroit à découvert. Il avait envie de leur demander s'ils n'avaient jamais vu de chambre. Joe avait placé une échelle contre une petite ouverture dans le plafond qui menait au grenier; il redescendit avec deux tableaux – le Gainsborough et l'un des Guardi. Les deux Hollandais regardèrent intensément les tableaux. Personne ne parlait.

Où est le Rembrandt ? écrivit l'un d'eux.

Payez ces deux-là. S'il n'y a pas d'arnaque, nous irons vous chercher le Rembrandt demain, écrivit-il.

Nous sommes ici pour le Rembrandt, écrivit le Hollandais.

Vous êtes sourd ? écrivit-il. Les deux Hollandais le regardèrent, l'air blessé et déconcerté.

L'argent ? écrivit-il.

Pas loin, écrivit le Hollandais.

Vous l'avez déjà dit. Où ? écrivit-il.

Dans un autre hôtel, écrivit le Hollandais. Puis : *Nous devons voir le Rembrandt.*

Il les observa soigneusement tous les deux. Apparemment, ils n'avaient pas peur.

Apportez la moitié de l'argent au Finbar's Hotel, écrivit-il. *Vous pouvez prendre ces tableaux. Demain à la même heure, s'il n'y a pas d'arnaque, vous aurez les autres.*

Nous allons y réfléchir. Cette fois, celui qui portait des lunettes prit le stylo.

Réfléchir, mon cul, écrivit-il. *Retournez au Finbar's Hotel et attendez.*

L'autre reprit le stylo et celui aux lunettes regarda. *Si nous ne sommes pas de retour à minuit, l'affaire est annulée. Nous sommes venus pour voir le Rembrandt. Il n'y a pas de Rembrandt. Nous devons demander des instructions.*

Tout d'un coup, il se rendit compte que les deux hommes ne plaisantaient pas avec les règles qu'ils avaient établies. Il avait accepté de leur montrer le Rembrandt et voilà que lui, il enfreignait les règles. Néanmoins, il ne pouvait pas adapter sa tactique. Il ne pouvait pas fléchir. Il s'aperçut qu'il risquait de perdre l'affaire. Il avait conscience que Joe O'Brien l'observait. Peut-être fallait-il saisir un des types, le ligoter et dire à l'autre d'aller chercher le fric, sinon ils tuaient son compagnon. Mais cela ne lui serait d'aucune aide pour vendre les tableaux. Ça signifiait aussi que les flics s'en mêleraient. Il hésitait. Tous trois le regardaient.

Cet homme vous accompagnera, écrivit-il en montrant Joe.

Non, écrivit l'un d'eux. Il nous conduira en ville. C'est tout. Quand pouvons-nous voir le Rembrandt ?

Ils le regardaient tous les deux avec calme et ce calme le troublait, le retenait, le faisait réfléchir et en même temps l'empêchait de réfléchir.

Je vous l'ai déjà dit, écrivit-il. Ils hochèrent tous deux la tête. La peau de ces hommes semblait trop douce pour le rasoir. Il n'arrivait pas à savoir s'ils étaient complètement idiots ou très intelligents. Il n'y avait plus rien à dire. Il avait les tableaux, mais c'étaient eux qui avaient le pouvoir parce qu'ils avaient l'argent. Il savait qu'il ne pouvait rien faire d'autre que rentrer au Finbar's Hotel et attendre.

J'y serai jusqu'à minuit, écrivit-il comme s'il avait été le premier à annoncer cette heure. Il se rendit compte qu'il n'avait aucun moyen de les contacter, sauf par l'intermédiaire de Mousey Furlong, et celui-ci ne saurait certainement pas à quel hôtel ils étaient descendus. Il reprit le stylo et le papier.

Si vous venez à l'hôtel avant minuit, vous verrez le Rembrandt, écrivit-il.

Dans l'hôtel ? écrivit l'un d'eux.

Tout près, écrivit-il.

D'accord, écrivit le Hollandais. *Nous devons demander des instructions.*

Il n'y avait plus rien à dire. Il devait aller dans les collines tout de suite et déterrer les autres tableaux. Il fit un signe à Joe et ils quittèrent la pièce. Quand ils traversèrent la cuisine, le vieil homme lisait toujours son journal et ne leva pas la tête. Joe emmena les deux Hollandais chez lui; sa voiture était devant la porte. Ils s'éloignèrent sans parler.

Parmi les gens avec qui il avait travaillé, Joe O'Brien était le seul à toujours faire ce qu'il lui demandait, à ne jamais poser de questions, à ne jamais arriver en retard et à ne jamais exprimer de doutes. Il était prêt à tout. Il s'y connaissait aussi en câblage, en mécanique, en serrurerie, en explosifs. Quand il avait voulu expédier dans l'autre monde Kevin McMahon, l'avocat, il n'en avait parlé qu'à Joe O'Brien. Il avait vu McMahon se pavaner et se rengorger au tribunal pendant le procès où Frank était accusé pour la première fois; quand Frank fut accusé de meurtre, McMahon fit des allusions personnelles à toute la famille de Frank devant la cour. Il semblait non seulement faire son travail, mais y trouver du plaisir. Ce fut à ce moment-là qu'il décida de s'en prendre à McMahon. Il aurait été facile de le descendre, de le tabasser ou de mettre le feu à sa maison, mais ce qu'il voulait, c'était l'expédier au ciel en faisant sauter sa voiture quand il était dedans. Ça arrivait sans arrêt dans le Nord; les suites étaient toujours spectaculaires à la télévision. Ça donnerait matière à réflexion à la justice. Encore aujourd'hui, tandis qu'il se dirigeait vers Wicklow au volant de la camionnette, il souriait en y pensant. Les gens étaient tellement insouciants! McMahon avait garé sa voiture devant l'entrée de sa maison. À Dublin, à certaines heures de la nuit – disons entre trois et quatre heures –, on pouvait faire ce qu'on voulait, le silence était total. Joe O'Brien n'avait mis que quinze minutes pour installer le mécanisme sous la voiture.

« Ça sautera à l'instant où il mettra le contact », avait dit Joe pendant qu'ils rentraient à pied vers Ranelagh. Joe n'avait pas cherché à savoir pourquoi McMahon devait sauter. Il se demandait si Joe O'Brien était pareil chez lui. Si sa femme lui disait de faire la vaisselle, de rester pour garder les enfants ou de la laisser lui mettre le doigt dans le cul, disait-il oui et le faisait-il ?

Il rit tout seul en ralentissant au feu. En fin de compte, la bombe n'avait pas explosé quand McMahon avait mis le contact, mais environ quinze minutes plus tard, sur un rond-point encombré. Elle n'avait pas tué McMahon; elle lui avait seulement emporté les jambes.

Il se souvenait qu'il avait rencontré Joe O'Brien quelques jours plus tard, n'avait pas parlé de la voiture de McMahon tout de suite et avait dit plus tard que cette affaire donnait un sens tout à fait nouveau à l'expression « avoir les jambes coupées ». O'Brien s'était contenté de sourire, mais n'avait rien dit.

Il continua à rouler vers les collines en s'arrêtant régulièrement pour vérifier qu'il n'était pas suivi. Il était dix heures moins le quart et il se dit qu'en se dépêchant, il pouvait être de retour à l'hôtel à onze heures trente. Il quitta la route nationale et ne vit plus de voitures. Il s'arrêta et coupa le contact; le silence était total. Il allait pouvoir travailler tranquillement.

Il avait toujours une pelle derrière la banquette arrière. Il savait où il se trouvait, tout avait été soigneusement repéré. Tant qu'il était en vie, il était facile de ramener les tableaux en ville. Joe O'Brien et un des autres connaissaient le coin où ils étaient enterrés, mais pas l'endroit exact. Il fallait monter dans une petite clairière jusqu'à une pente sur la gauche, compter douze arbres, tourner à droite et compter encore six arbres; juste après, il y avait un espace dégagé surplombé par des arbres.

Le sol était mou, mais il n'était pas facile de creuser. Il s'arrêtait sans cesse et écoutait, mais il n'entendait que le silence et le vent dans les arbres. Très vite, il fut hors d'haleine à force de creuser. Mais il aimait travailler ainsi, sans avoir à réfléchir et sans que rien ne vienne le troubler. Il dut creuser avec précaution quand la pelle heurta les cadres des tableaux. Il peina pour les sortir. Ils étaient protégés par des quantités de toile plastifiée. Il les posa par terre et reboucha le trou, puis laissa tomber la pelle et revint à la voiture. Il voulait vérifier qu'il n'y avait personne dans les environs.

Il sentit soudain combien il serait heureux si tout était sombre et vide comme ici, s'il n'y avait absolument personne au monde, seulement ce calme et ce silence presque parfait, et si cela durait pour l'éternité. Debout, il écoutait en savourant l'idée que, dans l'espace autour de lui en cet instant, n'existaient ni pensées, ni sentiments, ni projets pour l'avenir.

Il retourna ensuite chercher la pelle et les tableaux. Il ne lui restait plus qu'à trouver un lieu sûr où les déposer, rentrer au Finbar's Hotel et attendre. La pensée qu'il n'avait aucun pouvoir, qu'il était à la merci des deux Hollandais, lui donna l'impression qu'il ne valait rien, qu'il pouvait aussi bien mettre la voiture dans le fossé, se livrer à la police, passer des années en prison ou commettre un meurtre. En cet instant, rien ne lui faisait peur. Il sentit un élan extraordinaire d'énergie et de concentration tandis qu'il roulait vers la ville.

Il envisagea de laisser les tableaux dans la camionnette garée sur le parking de l'hôtel. Si les flics n'étaient pas venus les chercher dans l'après-midi, il y avait peu de chances pour qu'ils le fassent maintenant. Mais il avait recommencé à réfléchir et peu à peu, après avoir dépassé Rathfarnam et en roulant vers Terenure, la prudence et la frustration s'emparèrent de lui. Il se rendit chez sa belle-sœur, dans Clanbrassil Street, et quand elle vint à la porte il lui dit d'ouvrir la grille de l'arrière-cour. Elle lui sourit.

« J'allais sortir, dit-elle. Mais les enfants sont là.

– Est-ce que tu peux ouvrir la grille ? répéta-t-il.

– Tu es pressé aujourd'hui, » dit-elle.

Il regarda vers le haut et le bas de la rue pour vérifier que personne ne le surveillait, puis alla garer la camionnette derrière la maison, sortit les tableaux et les laissa dans le petit appentis.

« Assure-toi qu'ils sont en sûreté, dit-il.

– J'y veillerai comme sur la prunelle de mes yeux. Tu me connais, dit-elle.

– Je croyais que tu allais au pub.

– J'y vais .»

En jetant un coup d'œil dans la cuisine, il se dit qu'il préférerait vivre ici avec elle plutôt que chez lui. Elle lui sourit de nouveau, mais il se détourna.

Il reprit la camionnette et rentra à l'hôtel. Il était onze heures vingt. Il se demanda à quoi servait le parking du Finbar's Hotel car personne ne s'y garait jamais; n'importe qui pouvait y voler une voiture car il n'y avait ni grille ni veilleur de nuit. Il laissa la camionnette dans l'angle le plus éloigné de l'entrée et se dirigea vers l'entrée principale. Des éclats de musique disco provenaient du sous-sol. Il se dit qu'il allait s'asseoir un moment dans le hall, puis monter dans sa chambre et attendre. De là où il était assis, il voyait la fête de bureau qui se déroulait au bar. Il repéra l'Américaine assise toute seule au comptoir. Encore une fois, elle croisa son regard et le soutint. Il détourna les yeux, la regarda de nouveau, mais elle fixait autre chose. Elle n'était peut-être qu'une Américaine inoffensive, mais il se demandait pourquoi elle le dévisageait. Il serait facile de vérifier qui elle était en montant dans sa chambre et en fouillant dans ses affaires. Si ses valises étaient vides, comme celles des Hollandais, il saurait qu'elle était flic. Et il devrait prendre une décision à son sujet. Il se dit qu'il y avait eu trop de gens bizarres dans l'hôtel toute la journée, pas seulement l'Américaine, mais aussi Alfie FitzSimons.

Ça ne s'était jamais produit auparavant. Maintenant, il était certain qu'il allait se passer quelque chose, mais n'avait aucune idée de ce que ce serait. Il fut soudain heureux de la fermeture prochaine de l'hôtel.

Il monta par l'escalier au premier étage et emprunta tranquillement le couloir. Il était persuadé que, si on se concentrait suffisamment dans ces moments-là, les gens disparaissaient et on n'était pas dérangé. Il ouvrit facilement la chambre de l'Américaine; ces serrures étaient scandaleusement simples. Il ferma la porte derrière lui et alluma la lumière. Elle avait effectivement un sac ; il regarda à l'intérieur, mais il n'y avait presque rien – seulement quelques sous-vêtements, une vieille brosse à cheveux et quelques affaires de toilette. Se pouvait-il qu'elle soit venue d'Amérique avec si peu de bagages? se demanda-t-il. Puis il vit le livre, une sorte de registre, un vieux machin. Il était posé sur le lit. Il le prit sans le regarder de près et traversa la pièce en le tenant sous le bras. Il éteignit la lumière et resta un moment immobile à écouter les bruits avant d'ouvrir la porte. Il entra dans sa chambre et posa le registre.

Il tira les rideaux de sa chambre et réfléchit une minute avant de sortir de nouveau dans le couloir en fermant la porte derrière lui. Il sentait que quelqu'un était passé dans le couloir un instant plus tôt. Il devait aller voir la chambre des

Hollandais. Il se dit qu'il devrait peut-être les y attendre dans le noir. Ils auraient vraiment peur si, en rentrant, ils le trouvaient tapi dans leur chambre, mais s'ils ne revenaient pas, il se sentirait idiot. Il était minuit moins vingt.

Il alluma la lumière et regarda autour de lui. La valise et le sac de voyage étaient toujours posés comme il les avait laissés. Personne n'était venu. En descendant dans sa chambre, il y réfléchit en adoptant le point de vue des Hollandais et il comprit qu'ils voulaient le faire attendre, qu'ils ne viendraient pas maintenant. Peut-être que, la prochaine fois, ils enverraient d'autres types. Ils ne s'étaient pas mis d'accord sur un prix et il leur fallait le faire. En descendant dans sa chambre et en y pensant, il se sentit mieux. Ils avaient pris contact avec lui; ils savaient que c'était avec lui qu'il fallait traiter. Bientôt, ils lui feraient signe. Il avait avancé d'un pas dans la façon de se débarrasser des tableaux. Il se dit qu'il devait partir, ficher le camp d'ici.

En ouvrant la porte de sa chambre, il se souvint du registre. Il allait l'emporter dans la camionnette, ainsi que la reproduction, quand tout redeviendrait calme au Finbar's Hotel. Il s'assit sur le lit et regarda fixement le registre. Sur la couverture était écrit: *Drimnagh Fire Station 1962-1969*. Il ouvrit le registre et déchiffra les écritures anciennes. Dégâts: neg., importants, ne reste que les murs, neg. Il parcourut les noms de lieux: St-Agnes' Park, Knocknarea Avenue, Darley Street, Carrow Road. Qui était cette femme? Où avait-elle trouvé ça ? Pourquoi avait-elle ce registre et presque rien d'autre dans sa chambre? Il aurait voulu que les choses soient plus simples, qu'il puisse prouver qu'elle était flic, espionne pour les flics ou Américaine en vacances. Elle n'était rien de tout ça. C'était une sorte de dingue du feu ou une femme de Drimnagh avec un accent américain qui dévisageait les hommes dans les bars. Il aurait préféré ne pas se faire dévisager. Presque une heure s'écoula pendant qu'il feuilletait lentement les pages du registre.

Soudain, il entendit un bruit de pas et des voix dans les couloirs. Avant même qu'on frappe à sa porte, il savait que c'étaient les flics, il savait qu'ils étaient trois et en uniforme. Il savait aussi qu'ils ne pouvaient rien prouver. Il ouvrit la porte et les fixa d'un regard vide d'expression. Il avait raison, ils étaient trois. Il recula, comme s'il lui était égal qu'ils entrent ou non dans la pièce, comme si ça ne le concernait pas. Il faisait toutefois attention de ne pas paraître insolent ou peu commode. Ils entrèrent tous trois dans la chambre. Il remarqua tout de suite que le plus jeune regardait la reproduction du Rembrandt. Il était prêt à tout.

Mais il ne s'attendait pas à entendre l'Américaine crier dans le couloir: « C'est lui! Je l'ai vu sortir de ma chambre avec mon registre ! Prenez-le lui ! » La femme de la chambre 106 apparut. Ils se retournèrent tous pour la regarder. Il savait qu'elle n'avait pas pu le voir prendre le registre dans sa chambre.

« Avez-vous un registre appartenant à cette dame ? demanda un des policiers avec un accent de la campagne.

– Elle me l'a donné plus tôt dans la soirée », dit-il. Il les regarda froidement. Il s'aperçut qu'ils ne savaient pas qui il était.

« Rendez-le moi ! hurla la femme. Je vous ai vu le prendre.

– Ah, tu me fais de la peine », lui dit-il comme s'il la connaissait bien, et il lui tendit le registre comme s'il s'agissait d'une affaire privée entre eux. « Pourquoi me l'as-tu donné si tu ne veux pas que je le garde ? » ajouta-t-il. Il connaissait la règle avec les policiers. Les choses devaient être soit très simples, soit très compliquées. Il savait que son histoire paraîtrait compliquée. Et la femme avait bu. Mais il avait encore des doutes. Elle prit le registre. Il remarqua que le plus jeune des policiers avait ôté sa casquette, qu'il était chauve et qu'il observait toujours le Rembrandt.

Il se concentra. Il ne dit rien. Il savait que, s'il gardait l'esprit clair, ils quitteraient la pièce; ils se moqueraient de l'Américaine et de son registre en descendant l'escalier et, lui, ils l'oublieraient. Dans cinq minutes, ils seraient incapables de le décrire; s'il gardait son sang-froid, il ne leur ferait aucune impression. Mais le policier chauve continuait à fixer le tableau et ses deux collègues remuaient, l'air mal à l'aise. S'ils regardaient suffisamment autour d'eux, ils se rendraient compte qu'il n'avait pas de bagages. Ils ne lui avaient toujours pas demandé son nom.

« Descends au salon, je t'y rejoins dans quelques minutes. Je sais que tu es bouleversée », dit-il à l'Américaine.

Il lui parlait comme si elle était sa femme, ou sa belle-sœur.

« Ne m'adressez pas la parole, dit l'Américaine. Je ne vous connais pas. Je ne veux rien boire avec vous. Vous êtes entré dans ma foutue chambre. »

Dès qu'elle prononça « foutue », les trois policiers se tournèrent vers elle.

« Allons, dit le plus vieux. Ce n'est pas nécessaire.

– Vous êtes un foutu voleur, dit-elle.

– Oh, voyons », dit le plus vieux des policiers.

À cet instant, le policier qui regardait le tableau mit sa casquette et avança de quelques pas vers la porte. L'Américaine se retourna, quitta la pièce et s'éloigna dans le couloir. Elle marmonnait quelque chose.

« Je vais la rejoindre dans une minute, dit-il aux policiers.

– Très bien, dit le plus vieux. Faites ce que vous voulez. Elle était vraiment bouleversée en bas à cause du registre. » Le policier parlait comme s'il confiait quelque chose d'important.

« Elle l'a, maintenant, dit-il. Mais je vais la rejoindre dans une minute et tout ira bien.

– Très bien », dit le policier.

Tous trois hésitaient. Pour l'instant, ils ne savaient ni son nom, ni ses liens avec la femme, ni ce qu'il faisait à l'hôtel. Debout dans le couloir, ils étaient embarrassés. Il savait qu'il devait encore garder l'esprit vide, ne penser à rien, conserver un visage dénué d'expression à part un air soumis, mais pas trop soumis. Maintenant que le silence s'était établi, il savait qu'il devait le meubler.

« Ah, elle ira mieux demain matin. » Il soupira.

« Très bien», dit encore une fois le policier le plus âgé. Il fit un signe de tête et tous trois s'éloignèrent lentement dans le couloir.

Il ferma la porte et se dirigea vers la fenêtre. Dans ces moments-là, il sentait qu'il était capable de tuer quelqu'un. Il serra les poings. Il se dit que la prochaine fois, il n'arriverait peut-être pas à donner le change. C'était difficile. Debout, la tête contre le mur, il ferma les yeux.

Il s'allongea sur le lit et écouta son cœur battre à tout rompre. Il retourna à la fenêtre et resta debout, les poings serrés et les yeux grand ouverts. Il regarda la voiture de police s'éloigner. Il décida de partir avant que l'un d'eux ne change d'avis et ne revienne. Il laisserait la reproduction du Rembrandt pour le prochain client. Il prit la clé, éteignit la lumière et emprunta le couloir.

Dans le hall, il vit Simon, un plateau à la main. Il était très maigre, comme s'il était en train de mourir sur pieds.

« Est-ce que tout va bien, monsieur ? Est-ce que je peux faire quelque chose pour vous ? » lui demanda Simon. Il n'y avait personne d'autre dans le hall.

« Vous voyez l'Américaine qui a la chambre voisine de la mienne, dit-il. Est-ce que vous voulez bien lui payer un verre avec ça ? » Il tendit à Simon la clé de sa chambre et un billet de vingt livres.

« Vous partez, monsieur ? » demanda Simon, mais à l'évidence, il n'attendait pas de réponse. « Bonne nuit, monsieur. »

Simon s'éloigna pour déverrouiller la porte et la lui tint ouverte, debout dans l'air nocturne. À côté, à l'entrée de la boîte de nuit, tout était calme; il était trop tard pour y aller et trop tôt pour en sortir.

« Qu'est-ce que vous allez faire quand l'hôtel sera fermé ? » demanda-t-il à Simon. Il savait qu'il ne devait pas rester là, qu'il devait prendre la camionnette au plus vite et rentrer chez lui. À l'évidence, Simon ne s'attendait pas à la question. Il réfléchit un moment.

« Je ne sais pas, monsieur.

– Je suis sûr que vous trouverez quelque chose », dit-il. Il voulait s'éloigner, mais il avait l'impression qu'il ne le pouvait pas. Ou peut-être avait-il envie de toucher cet homme, de lui dire quelque chose pour le réconforter. Il ne savait pas ce qu'il voulait.

« C'est gentil de votre part de dire ça, monsieur. » Simon fit demi-tour, le plateau toujours à la main, et rentra dans l'hôtel.

Il y eut un bruit de sirène de police ou d'ambulance sur le pont qui traversait la rivière. En s'éloignant pour la dernière fois du Finbar's Hotel, il se retourna et le regarda, mais il savait que ce n'était pas son affaire.

Impression réalisée sur CAMERON
par BRODARD & TAUPIN
La Flèche
en août 1999

Imprimé en France
N° d'impression : 6172W
Dépôt légal : août 1999
N° d'édition : 105